UN206842

世界一わかりやすい 図解 金融用語

金融市場
フィンテック
仮想通貨
金利
プライムレート
需要と供給
証券取引所
日経平均株価
S&P500
NISA
政府系金融機関
BIS規制
異業種の銀行参入
信用金庫

ノンバンク
投資ファンド
ベンチャーキャピタル
TOB
減損会計
リスク細分型保険
保険事故
保険価額
金融政策決定会合
ゼロ金利政策
日銀短観
アジア開発銀行
為替介入
etc.

石原 敬子 著

秀和システム

●**注意**

(1) 本書は著者が独自に調査した結果を出版したものです。

(2) 本書は内容について万全を期して作成いたしましたが、万一、ご不審な点や誤り、記載漏れなどお気付きの点がありましたら、出版元まで書面にてご連絡ください。

(3) 本書の内容に関して運用した結果の影響については、上記(2)項にかかわらず責任を負いかねます。あらかじめご了承ください。

(4) 本書の全部または一部について、出版元から文書による承諾を得ずに複製することは禁じられています。

(5) 商標

本書に記載されている会社名、商品名などは一般に各社の商標または登録商標です。

なお、2007年9月30日施行の金融商品取引法で、証券会社を金融商品取引業者、証券取引所を金融商品取引所、その他「証券」と名のつく名称が改められましたが、慣例により、本書では証券会社、証券取引所等の表記をしております。あらかじめ、ご了承ください。

はじめに

本書は、2006年5月に刊行した『ポケット図解 最新 金融用語がよ～くわかる本』が元になっています。その後、時流に応じて用語を入れ替えたり、新しい用語を加えたりしながら第4版まで改訂を重ね、続く新シリーズ『図解ポケット 最新 金融用語がよくわかる本』を経て本書に至っています。

約16年の間には、金融を取り巻く様々な出来事がありました。米国のサブプライム・ローンの焦げ付きからの世界的な金融危機で、各国の中央銀行が大規模な金融緩和を実施。また欧州では、ギリシャの債務危機が域内に広がりました。日本では、郵便局がゆうちょ銀行になり、東日本大震災の後に国債が格下げ。そのような中でも「貯蓄から投資へ」さらには「貯蓄から資産形成へ」と、個人投資家の裾野は着実に広がったと感じています。

iDeCo（個人型確定拠出年金）やNISA（少額投資非課税制度）への関心は年々高まっています。以前なら「投資はお金持ちの人がするもの」「元本割れはイヤ」という声が圧倒的でしたが、もはや資産形成は身近なものになりつつあります。銀行といえば元本保証の預貯金の預け先でしたが、投資信託や投資型年金保険の窓口となり、銀行を利用するにも自己責任が問われる時代です。

とはいえ、金融商品や制度について、複雑だと感じる人、難しいと感じる人は大勢いらっしゃいます。経済環境や金融市場から受ける影響を判断するのも、ハードルが高いようです。

本書は、前シリーズを踏襲しながらも用語を見直し、最新情報を盛り込んだリニューアル版です。通読して基礎知識の習得に役立つほか、投資や資産形成の際に、専門用語の解説書としても使って頂けることと思います。金融業界独特の固い用語ではありますが、私の一言でクスッと笑いながらお読みいただき、楽しんでくだされば幸いです。

最後になりましたが、執筆にあたりまして多大なご協力いただいた方々にこの場を借りてお礼を申し上げます。ありがとうございました。

石原 敬子

第2章 金融市場に関する用語

第3章 金融機関に関する用語

第7章 利用者保護制度に関する用語

第1章

金融の基本的な用語

まずは、金融の基本的な仕組みや通貨、金利などに関わる用語を見ていきましょう。

1-1 基本的な金融の仕組みは、どうなっているか？

直接金融と間接金融によってお金を流通させています。

金融 お金を融通すること。資金を余らせている人のお金が、資金を必要とする人のところに移動する仕組みのこと。社会全体の資金を有効に活用するための流れとなる。

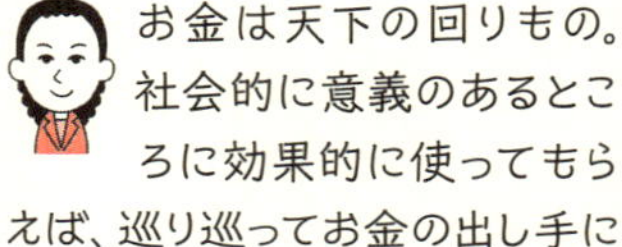

例えば、子供がお年玉を預金した場合、その子供でさえも、金融の担い手です。**金融**は、「今のところはお金を使わない」という人が必要なところにお金を貸したり投資をしたりして融通する仕組みです。その間、お金を融通した人は、もともと自分のものだったお金を自由に使えません。その代償として利子を受け取ったり、投資先の利益を配分してもらいます。このようなお金の流れが金融です。

金融の仕組みの間に、**金融機関**が入ると**間接金融**、証券という形で市場を通して融通すると**直接金融**と呼びます。

金融の仕組み

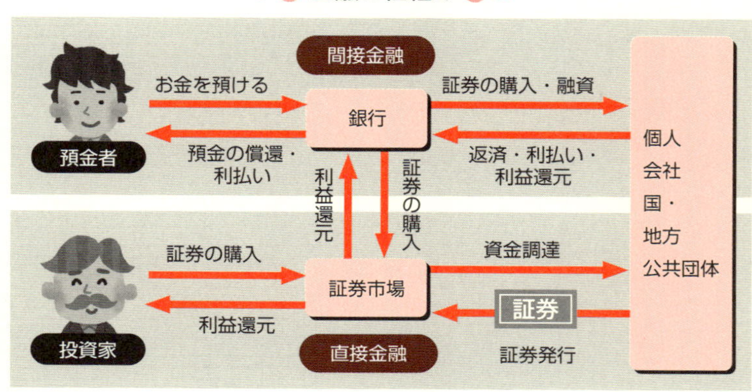

直接金融

証券を発行する代わりに資金を受け取る方法。提供者（投資家や債権者）から金融機関を通じずに直接資金を受ける流れのこと。

投資は自己責任。間に誰も介在しないのだから当然のこと。その分、投資先を自分で決められる自由度がある点が最大の特徴です。

金融とは、お金を融通することです。そのお金を**金融機関**から借りるのではなく、投資家から直接集める仕組みが**直接金融**です。具体的には、株式会社が**株式**を発行したり、国・自治体や会社が**債券**を発行するなどの方法があります。

株式や債券などの**有価証券**を発行し、資金を受ける側を「発行体」と言います。発行体が発行した証券を投資家が直接購入し、お金が発行体に届く仕組みが直接金融です。

直接金融とはいえ、ほとんどの場合では、**証券会社**などの金融機関を介します。金融機関はあくまでも投資家と発行体の間で証券の募集や売買の仲介を行うだけで、融通したお金および購入した証券の名義は投資家です。介した金融機関の資産にはなりません。

なお、現在はほとんどの有価証券がデジタル化され、紙の証券ではなくデータでやり取りされています。

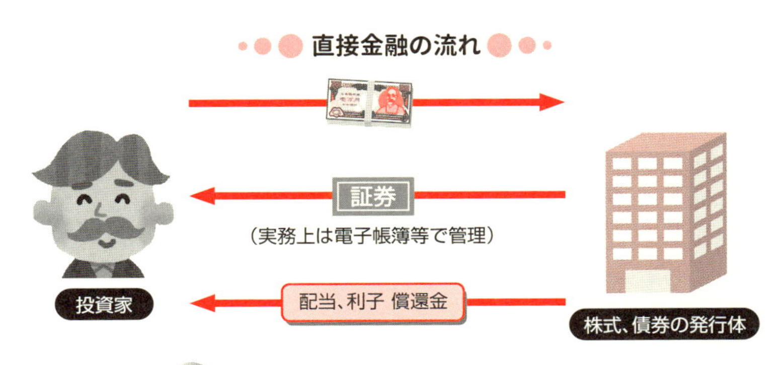

間接金融

資金を必要とする借り手と、資金を提供する預金者との間に、金融機関などの第三者が入り、仲介する資金の流れのこと。

資金の出し手である預金者は、自分の意思で投資先を決められません。間に入る金融機関に委ね、借り手や運用先に資金が回ります。

金融とは、お金の融通です。銀行機能を持つ**金融機関**のような第三者を介して、お金が必要なところに届く仕組みが**間接金融**です。

預金者が金融機関に預金をすると、貸付・投資などによって資金を必要とするところに渡ります。間接金融では、貸し倒れや投資の失敗などの**リスク**は、間に入る金融機関が負います。

個人や事業法人、**機関投資家**などが預貯金をすると、その資金は金融機関の金庫に眠っているわけではなく、金融機関の資産として運用されます。その運用先として、貸付や証券の購入という形で、会社や国・地方、個人に流れていきます。一方、資金の受け手は、金融機関に利子や**配当金**を支払ったり、資金を返済したりします。この運用から得られた収益を原資として、金融機関では、預金者に利子を支払います。

間接金融の流れ

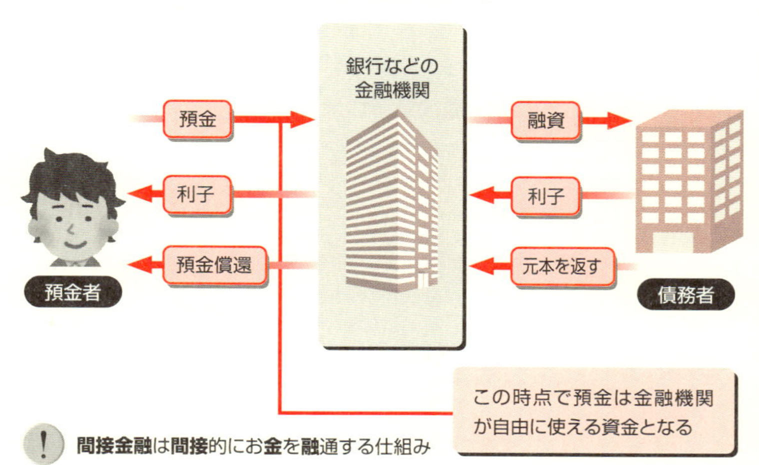

間接金融は**間接**的にお**金**を**融**通する仕組み

発行市場

投資家に募集をかけ、証券を発行して事業などに必要な資金を投資家からダイレクトに集める場所や方法のこと。起債市場ともいう。

株式や債券の定義は、発行市場の面で語られることが多いです。資金の出し手と受け手をつなぐ場所で、資本市場の根本です。

会社や国、地方公共団体などが**直接金融**の仕組みを使って事業に必要なお金を集める場合、出資者（投資家）を募って**株式**や**債券**などの**有価証券**を発行します。お金と有価証券がやり取りされる場所が**発行市場**です。発行市場は実在する場所ではなく、発行の場を指す抽象的なものです。投資家から見た発行市場は、資金を運用する場です。株式におけるIPOの際の**公募**株や、債権の**新発債**の募集が行われているところです。

出資した投資家がそのお金を回収したい場合には、**流通市場**で売買をして換金します（債券の償還時を除く）。

発行市場は、お金を必要とする人と、今は使わないお金をいつか使う時期まで運用させておきたい人が出会う場所と言えます。

発行市場の仕組み（株式の場合）

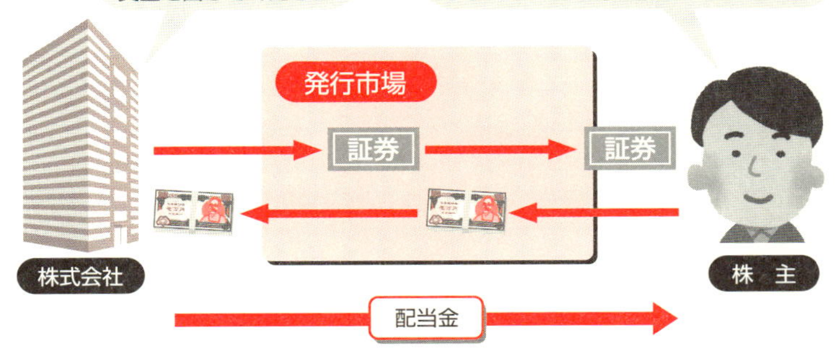

発行市場で株式を発行する

流通市場

すでに発行されている株式や債券などの有価証券が、投資家と投資家の間で売買される取引の場所のこと。証券取引所や証券取引システムを指す。

証券が売買される場所が流通市場。電光掲示板で値段がチカチカと動くのは、証券取引が成立した値段を示しています。

発行市場で発行された**株式**や**債券**を、ほかの投資家との間で売買取引をする場所が**流通市場**です。証券の売買をする**金融商品取引所**（**証券取引所**）は一般の投資家が直接注文を出すことはできず、**金融商品取引業者**（**証券会社**）に委託して取り次いでもらいます。

流通市場は、その名の通り、証券が流通する場です。**株価**や債券価格は、投資家の「買いたい」「売りたい」という注文によってオークションのように価格が上下します。したがって流通市場は、証券の**現在価値**を知る場と言えます。株式の発行体は、株価が自社の**時価総額**の計算の基礎となることから、流通市場の動向を意識しています。

投資家にとっては、流通市場は重要な存在です。証券を売買する場であり、金融資産としての資産価値を知る場でもあるからです。

流通市場の仕組み

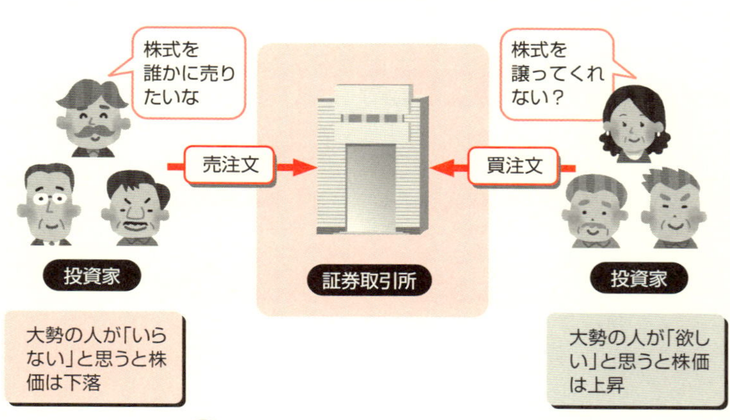

流通市場は発行された証券を売買する場所

公募 資金調達や投資信託などで新しく資金を集める際に、特定の投資家だけでなく広く不特定多数の投資家から募集をすること。公(おおやけ)から募集するという意味。

公募株は必ず儲かるものではありません。しかし相場環境の良い時には人気があり、なかなか手に入らず、株価が上昇することも。

株式や**債券**などの**有価証券**を新規に発行して出資を募ったり、**投資信託**証券を発行して投資資金を集めることを「募集」と言います。この時、広く一般の投資家に向けて均一の価格で証券を発行し、資金を集めることが**公募**です。

公募は、それまで非上場だった会社の株式が**上場**する際に増資をする、事業拡大などで新たな資金が必要、投資信託が新しく発行される、といった場合に資金を集める1つの方法です。

公募による資金調達では、投資家保護の観点から、特定の投資家から資金を募る**私募**に比べて、発行手続きや情報開示の面でルールが厳格です。公募の際の価格を公募価格と言い、公募価格の決定に際しては著しく不公正にならないことが法で定められています。

公募（株式発行の場合）の仕組み

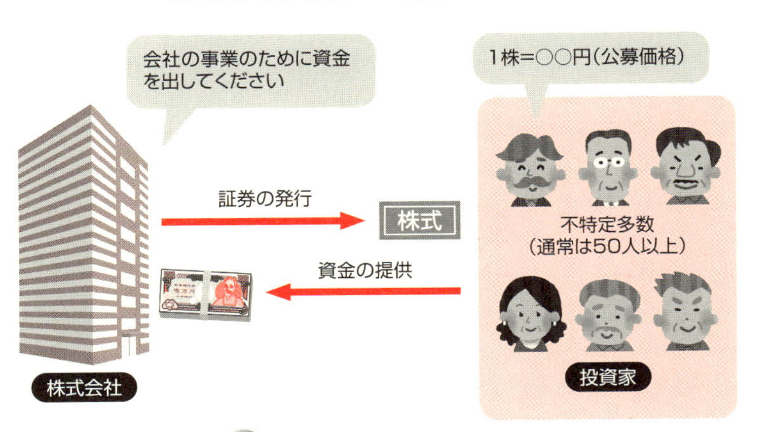

公募は、投資家全員が同じ条件

私募

有価証券を発行して資金調達をしたり、投資信託を新規に発行したりする際に、限られた特定の投資家に対して募集をすること。公募に対する呼び方。

ヘッジファンドは不透明と言われますが、当然のこと。出資者だけの秘密情報は、公に情報開示をする必要がないのです。

株式や**債券**などの**有価証券**を発行して出資を募ったり、**投資信託証券**を新規に発行して投資資金を募る際に、特定の投資家から資金を集めたりする方法を**私募**と言います。**公募**に対する用語です。私募発行には、50名未満の投資家を対象とする「少人数募集」と、**機関投資家**や**金融機関**を対象とする「適格投資家募集」があります。

特定の投資家を対象に募集するため、公募に比べて発行時や運用中の**ディスクロージャー**に関する規制が緩和されています。運用が比較的自由で、デリバティブを活用するなど積極的な投資による運用が行われていることが多いようです。

また、開示資料の作成コストの負担が軽い分、利益の増加につながり、運用成果を押し上げることにもなります。ただし、1投資家あたりの出資金額が高額であることが多く、解約について厳しい制約があるケースもあり、流動性が低い点がデメリットと言えます。

私募の特徴

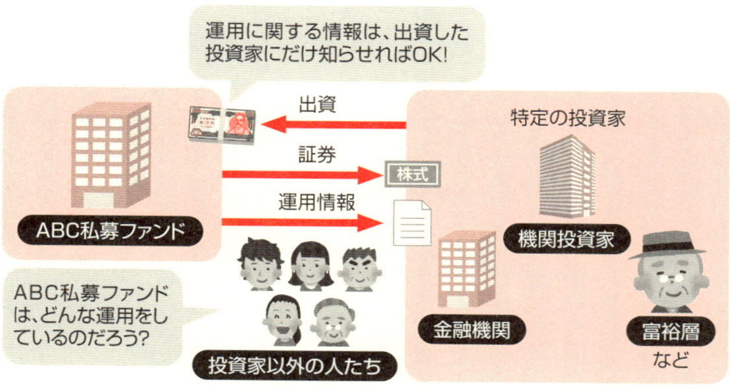

運用に関する情報は、出資した投資家にだけ知らせればOK!
出資
証券
株式
運用情報
ABC私募ファンド
特定の投資家
機関投資家
金融機関
富裕層
など
ABC私募ファンドは、どんな運用をしているのだろう?
投資家以外の人たち

イスラム金融

イスラムの教えに則った金融取引。利子は搾取的なものとされ、禁止されている。皆で働き、利益や損失は皆で分配する考えを重視する。

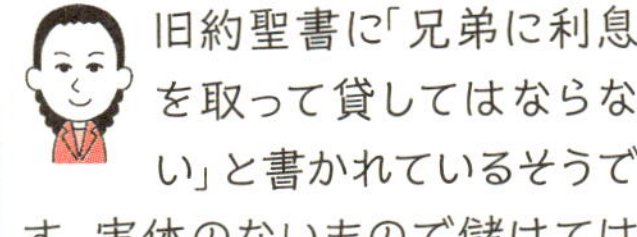

イスラム金融は、イスラム教における規範や法に則した**金融**取引です。宗教色が濃いというよりも、イスラムの生活・文化に沿った金融取引といった方が近いかもしれません。

イスラム金融では利子のやり取りがない貸し借りが行われています。**通貨**は単なる交換の手段で、働かずに富を得る利子は禁じられています。投機や賭博も禁じられているほか、数量や価格が明確でない取引も、詐欺や不公平な契約につながるとして禁止されています。

そもそも利子の概念がないイスラム金融ですが、割賦販売やリース契約に似た取引で銀行が手数料を取る形態は存在しており、自動車の購入や企業の設備投資などに利用されています。

イスラム金融に対し、日本など世界の多くの国で利用されている利子の授受が伴う金融取引は「伝統的金融」と呼ばれています。

利子を取らず、リースに似ているイスラム金融

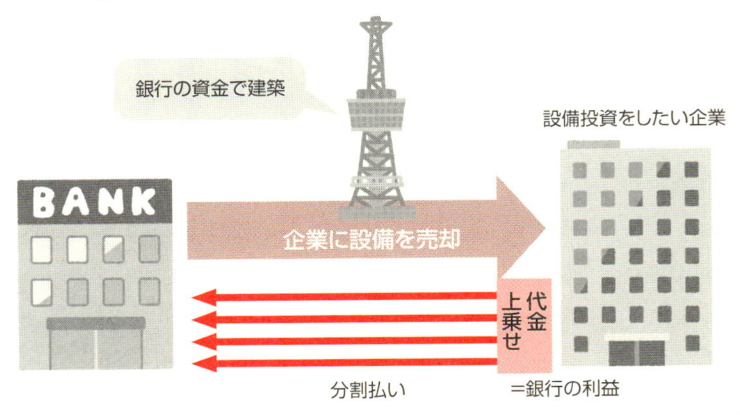

1-2 現金だけが通貨とは限らない

電子マネーはもちろん、広い意味では、流動性預金や定期性預金も通貨に含まれます。経済学では「貨幣」とも言います。

通貨 お金のこと。流通貨幣の略で、通常はその国の中央銀行が発行する紙幣と政府が発行する硬貨を指す。広義では預金を含む場合もある。

戦国時代は、大名が各地でのみ通用する通貨を作っていました。徳川家康が貨幣制度を統一、全国で通用する貨幣が誕生しました。

通貨とは、通常、**現金通貨**（**お金**）のことです。普通預金や当座預金（**手形**・小切手を含む）のような**流動性預金**を含むこともあります。さらに広い意味では、**定期性預金**を含む場合もあります。

通貨が市場に出回る量が、**マネーストック**です。「国際通貨」は、国際貿易や**為替**取引に使われる通貨です。「基軸通貨」は、国際通貨の中でも中心になっている通貨を指し、現在は**アメリカドル**です。

また、「通貨危機」とは、ある国の通貨が大幅に下落して経済が混乱することです。通常、その国の信用力が低下して起こります。

通貨の種類

現金通貨　日本銀行券（お札）・貨幣（コイン）

預金通貨　当座預金・普通預金などの流動性預金

定期性預金　定期預金・定額貯金など

ここまでを準通貨という

譲渡性預金（CD）　定期預金の一種

現金通貨 日常生活で使われているお金のこと。日本では、日本銀行が発行する紙幣と政府が発行している硬貨がある。電子マネーと対比させる場合もある。

日本のお札には、キラキラしたマークが付いています。「マイクロプリント」という、コピー機で偽札を作れない仕掛けです。

私たちがお財布に入れている紙幣や硬貨のことを、**現金通貨（お金）**と言います。日本における紙幣は、**日本銀行**が発行している「日本銀行券」のことで、「お札」とも呼ばれます。1万円札、5千円札、1千円札などの種類があります。日本の硬貨は、日本銀行ではなく、日本政府が発行します。現在、硬貨として主に500円、100円、50円、10円、5円、1円が流通しているほか、記念硬貨も発行されています。

物理的には、紙幣や硬貨そのものに額面に書かれた金額どおりの価値はありません。国や**中央銀行**が、それぞれの紙幣や硬貨に「1万円」や「500円」とお金の額面を定めていますが、お金を使用する人々は、国や中央銀行を信頼し、その価値を認めています。それゆえ、紙幣や硬貨の額面が、そのお金の価値として通用するのです。

お金の価値が通用するのは？

金属として500円の価値があるわけではない

紙として1万円の価値があるわけではない

では、どうして500円玉は500円として、1万円札は1万円として通用するのだろう?

あのお金は500円だ

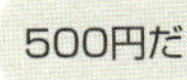

500円だ

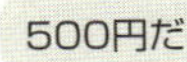

500円だ

キャッシュレス決済

現金を使わずに代金を支払うこと。クレジットカード、電子マネー、プリペイドカード、QRコード・バーコード決済など。

レジで小銭をジャラジャラ、もたもた。後ろのお客さんからのプレッシャーに耐えきれず、キャッシュレスに踏み切った人も。

キャッシュレス決済とは、その名の通り、お札や小銭などの**現金通貨**（キャッシュ）を直接やり取りせず（レス）に、商品やサービスの代金を支払う（決済）ことです。**電子マネー**、**クレジットカード**、**デビットカード**、**QRコード決済/バーコード決済**などが代表的です。

キャッシュレス決済について、紛失や盗難、不正利用を心配する声も多く聞かれます。カードの盗難や紛失の際は、**金融機関**やサービス提供会社によって対応が異なりますが、規約に基づいて、支払い停止などの救済措置があります。条件によっては、不正利用分の全額保証も可能です。データの流出や個人情報の漏えいに対しては、金融機関やサービス提供会社がデータを厳重に取り扱うこととなっています。消費者側でも、偽の画面や通常と異なる画面が表示された場合には、注意を払うようにしましょう。

キャッシュレス決済の比較

種類	使用方法	支払い方法	代表例
電子マネー（プリペイド）	店舗の専用機器にスマホやICカードをかざすタッチ決済（非接触型）	前払い、即時払い、後払い	Suica、PASMO、WAON、nanaco、iD、QUICPayなど
クレジットカード	店舗の専用機器にカードを差し込む	後払い	銀行系、AMEXやVisaなどの国際ブランド、楽天などの流通系ほか
デビットカード	店舗の専用機器にカードを差し込む	預金口座から即時払い	J-Debit、VisaやJCBなどのデビットカード
QRコード/バーコード	スマートフォンに専用のアプリをインストールし、店舗の専用機器で読み取る	前払い、即時払い、クレジットカードとの連携	PayPay、LINEPay、auPAY、楽天ペイ

電子マネー 硬貨や紙幣ではなく、データとしてお金の役割を持つ通貨のこと。現金を持たずにICチップ付きのカードや携帯電話などで決済ができる。

お財布に現金がなくても電車に乗って出かけることができ、外出先でも買い物や食事など不便なく過ごせる時代になりました。

電子マネーでは、**現金**を**通貨**データに変換し、データ通信によってお金のやり取りをします。現金をチャージする前払い式（プリペイド方式）と、後日請求される後払い式（ポストペイ方式）があります。

電子マネーは、実店舗またはインターネットショッピングの決済手段に活用されています。小銭のやり取りがなく、サインが不要で、カードや端末をかざすだけで瞬時に決済ができます。便利さゆえに普及が進んでいます。

現状では、電子マネーの種類が多く、乱立ぎみの感じすらあります。普及し始めの頃は規格が統一されておらず、1種類の電子マネーを持っていればどこでも利用できる状況ではありませんでした。しかし最近は、新規の顧客を取り込む狙いもあり、多くの加盟店で利用できる共通の電子マネーを様々な企業が採用しています。

電子マネーの仕組み

クレジットカード

商品の購入時やサービスの提供を受ける際、その場で現金を支払わず、後日、預金口座から決済する機能を持つカードのこと。

クレジットカード払いでは目の前の現金が減るわけではないので、つい浪費してしまう……そんな人も多いのではないでしょうか。

クレジットカードは、あらかじめクレジットカード会社の入会審査を受け、一定の基準による信用があると判断されなければ利用できません。年収や職業などで、支払能力が審査されます。

クレジットカード払いを利用できる店舗は、加盟店と呼ばれます。会員が加盟店でクレジットカード払いを行うと、クレジットカード会社は利用者（会員）に代わって、その代金を一時的に加盟店に支払います。後日、会員の預金口座等から代金を自動的に引き落とし、クレジットカード会社は立て替えた代金を回収します。

クレジットカードは現金を持ち歩かずに支払いできる利便性がある一方で、個人情報が入ったカードを持ち歩くという**リスク**も伴います。

クレジットカードを利用した代金決済

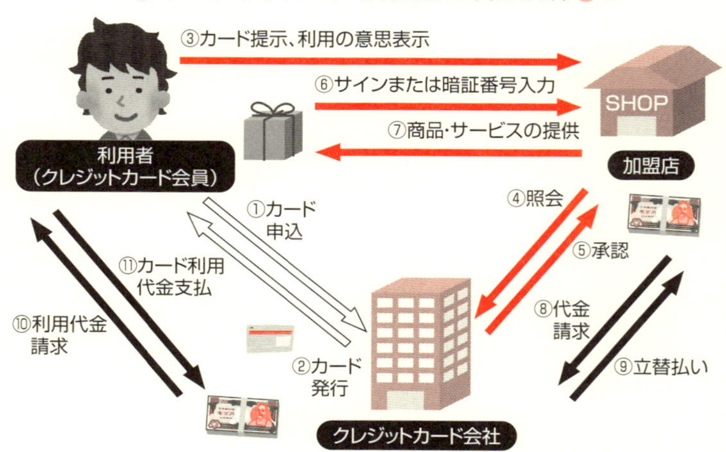

デビットカード

預金口座のキャッシュカードを買い物の際に提示して、預金口座から直接、即座に決済される機能、またはそのカードのこと。

わざわざ銀行のATMに行って現金を引き出さなくとも、預金残高からお買い物ができます。時間外ならATM利用手数料の節約にも？

デビットカードは、小売店と**金融機関**をデジタルネットワークで結び、顧客が購入代金を支払う際に顧客の預金口座から決済できるキャッシュカードです。ATM機等で預け払いに使用する預金のキャッシュカードに金融機関がこの機能を付け加えたものです。

小売店のレジ端末で顧客の購入代金をPOS（販売時点情報管理）が読み取り、顧客が暗証番号を打ち込むと、即座に代金は小売店に振り込まれます。休日や夜間も手数料がかからず、会費も不要です。

クレジットカードが商品販売から引き落としまでに約1ヵ月かかるのに対して、デビットカードは即座に決済できるため、小売店には大きなメリットです。消費者は預金残高の範囲内でしか支払えないため、浪費の防止になります。

デビットカードの仕組み

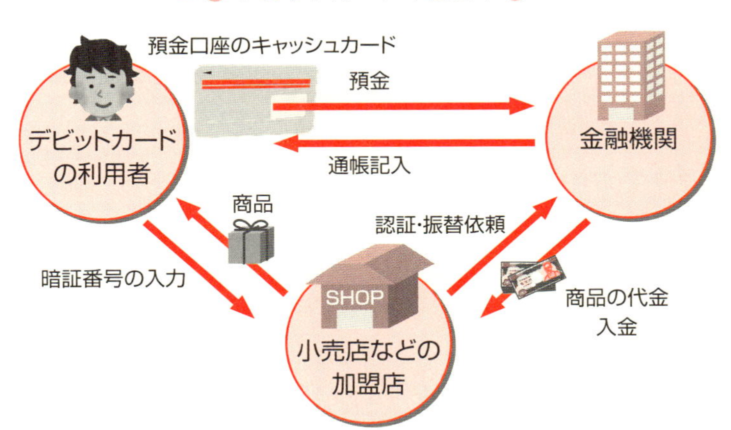

QRコード決済/バーコード決済

スマートフォンのアプリで表示させたコードを店舗の専用機器で読み取って代金を払う、キャッシュレス決済の一種。

「支払いは〇〇ペイで」とスマホを取り出したものの、バッテリー切れ。スマホ1つで簡単決済……のはずが。

QRコード決済と**バーコード決済**は、どちらもスマートフォンにアプリをインストールし、表示されるコードを店舗の専用端末が読み込んで代金を支払う決済方法です。**フィンテック**の進歩で、単純な決済だけでなく、消費者の利用状況などがマーケティングに活用されています。

QRコードは、小さな正方形の碁盤に碁石を置いたような白黒模様。バーコードは、白黒の太さの異なる線が並んだ縞模様です。

QRコード決済やバーコード決済では、事前にお金をチャージしておき、その残高の範囲内で支払いをします。チャージはATMから現金を入れるほか、銀行預金からの振り替えや**クレジットカード**決済での入金、携帯通信キャリアや流通系のアプリではポイントからチャージすることもできます。また、残高が一定額を下回るとオートチャージができる機能を持つアプリもあります。一部のQRコード決済では、個人間の送金が可能なものもあります。

総務省が規格を統一「JPQR」

国内の「〇〇ペイ」が別々に発行していたコードを一つに統一

フィンテック

金融（ファイナンス）とテクノロジーを掛け合わせた造語。IT技術を活用して金融分野の新しいサービスが誕生している。

家計簿アプリ、割り勘アプリ、質屋アプリ、おつり貯金アプリ……。スマホには、フィンテックがぎっしり！

情報通信技術の発達やAI（人工知能）の開発などを背景に、金融サービスが革新的な動きをしています。身近な具体例としては、スマホ決済などの**電子マネー**、**仮想通貨（暗号資産）**に使われているブロックチェーン技術、家計簿アプリ、ロボアドなどが挙げられます。

従来の買い物は現金が主流でしたが、決済手段が多様化したのは**フィンテック**（**FinTech**）のおかげです。フィンテックにより、お金の移動が低コストで、早く、便利になりました。従来の金融サービスに付加価値が付いたと言えます。また、金融サービスが十分普及していなかった途上国や新興国でもスムーズな支払いや送金が可能になり、ビジネス社会のみならず、世界中の人々の生活に寄与しています。

便利になった一方で、IDやパスワード等の個人情報の厳重な管理や、金融リテラシーの向上など、利用に際して、個人の留意点があることには意識を向けたいものです。

フィンテックで決済が便利に

仮想通貨

コンピュータネットワーク上で不特定多数の者同士でサービスや商品の取引決済として使え、中央銀行などが関与しない通貨。

既存の通貨も、元はただの金属の塊や紙。記された額面の価値を認めるから使えるのですが、既存の通貨への不信感が高まると……？

仮想通貨（**暗号資産**）は、インターネットを通じて不特定の者を相手とした取引の決済に使えます。電子的方法により記録されるデジタル通貨で、財産的価値があります。しかし、法定の**現金通貨**（**お金**）のように政府や**中央銀行**の後ろ盾はなく、紙幣や硬貨のような形もありません。また、金（ゴールド）など現物資産の裏付けもありません。お互いが支払いに使用できると信頼して決済に使うもので、円やドルなど現実の通貨との交換も可能です。

仮想通貨は、**フィンテック**の代表格であるブロックチェーン技術を活用している点が法定の通貨と異なります。ブロックチェーン技術とは、インターネット上の分散型台帳に不特定多数が記録した情報を、互いに監視をする仕組みです。理論上は、1つのコンピュータに不具合が起きても他のコンピュータで情報管理・保管ができているのでデータは守られることになっています。

仮想通貨と通常の通貨の違い

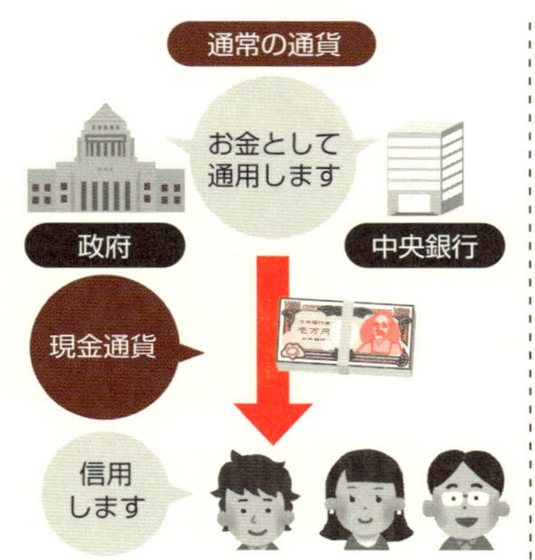

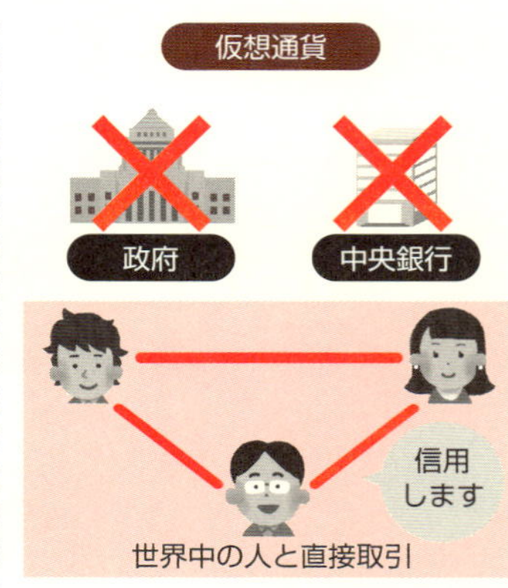

ビットコイン

「サトシ・ナカモト」と名乗る人の論文の構想が運用された、仮想通貨の1つ。仮想通貨の中で最も規模が大きい。

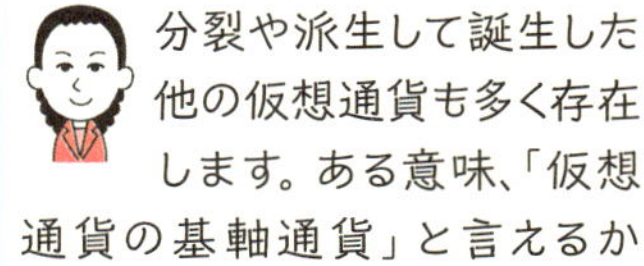

ビットコインは、**フィンテック**が生み出した最も代表的な**仮想通貨**です。ほかの仮想通貨に比べて**時価総額**が圧倒的です。通貨の単位は「bitcoin」で、BTCと表示されます。

ビットコインは、「ブロック」と呼ばれる取引情報の塊をチェーンのようにつなげて保管するブロックチェーン技術を使っています。不特定多数に公開された分散型台帳に情報が記録され、データの改ざんをしにくい点が特徴です。ビットコインは、ユーザーとして商品やサービスの対価や寄付として受け取るほか、マイナーと呼ばれる人が公開台帳の検証・記録作業を行う「マイニング（採掘）」の手数料として受け取ることもできます。

ビットコインは、**マネー・ローンダリング**や投機への発展などが懸念されています。投機的取引や不正取引による混乱も後を絶ちません。それでもビットコインの利便性は一定の評価を得ているのが実情です。

ビットコインに使われているブロックチェーン技術

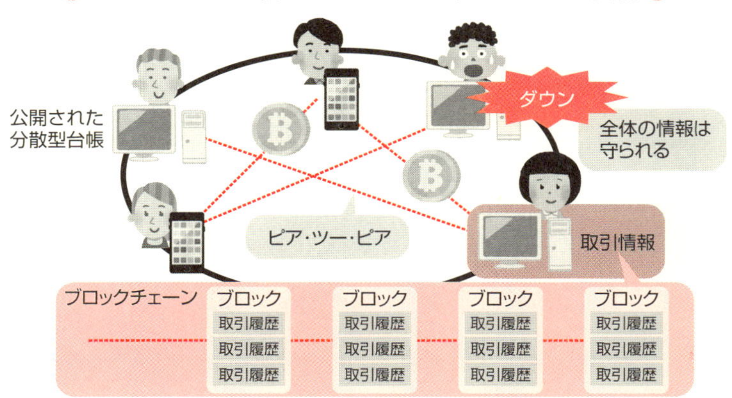

1-3 金利は、どうやって決まっているのか？

金融市場の状況や借り手の信用力などで金利が決定します。

金利 お金のレンタル料。お金を貸し借りする際に発生し、お金を借りる人が貸す人に対して支払う利子のこと。借りる元本に対する利子の割合で示される。

ローンを組むのはお金を借りる人。預金をするのはお金を貸す人。立場が違えば、低金利が嬉しかったり、悲しかったり。

「**金利**○%」とは、借りた元本に対する賃借料の割合で、貸す側からすると、お金を貸して受け取れる貸し賃です。預金金利は預金者が**金融機関**にお金を貸している貸し賃です。**債券**の金利も同様です。

元本に対する金利の割合は「利率」です。利率は**金融市場**や経済環境、借り手の信用力によって決まります。お金を必要とする人や会社が多い時（景気の良い時）には金利は高く、お金が不要な時（景気の悪い時）には金利は低く設定されます。また、借り手の財務内容などにより返済能力が劣る場合は金利が高く設定されるのが通常です。

金利の決まり方

その金利はどうやって決まる?

- お金を借りたい人が多い時
- お金の借り手の信用力（元本や利子の支払い能力）が低い時

→ 金利は高く設定される

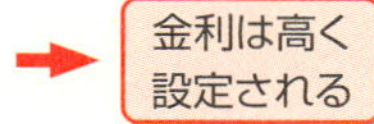

利回り 預貯金に預けたり、証券投資を行ったりする際の、投資元本に対する収益の割合。「年利回り」という場合は、1年あたりの収益率を言う。

あまりにも高利回りでおいしい話は、まず疑ってかかりましょう。金融商品の真贋を見分ける力を養うのも生きる力と言えそうです。

額面に対する利子の割合を示したものを「利率」と言うのに対し、**利回り**は、投資元本に対する収益の割合です。1年あたりの投資収益は「年利回り」で、単に利回りといった場合にも年利回りを指すことが多いようです。**単利**の預金の場合は、利率と利回りが同じです。

債券投資の場合は、利子だけが収益ではなく、購入価額と償還価額（または売却価額）の差も損益です。利回りを求めるには、利子と差損益の合計を収益として投資元本に対する収益率を計算するため、利率と利回りが異なることがほとんどです。

債券の利回りはこうなっている！

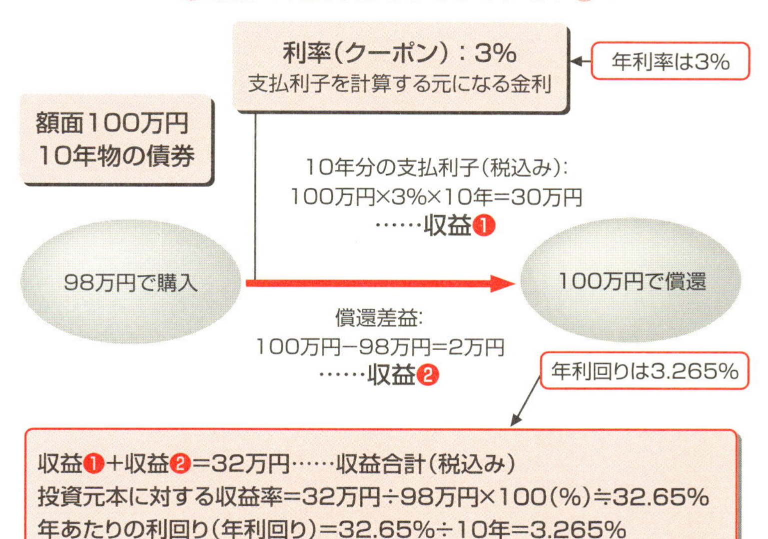

リスクフリーレート

理論上、リスクが極めて小さいか、まったくない資産に投資した場合に得られる利回りのこと。一般的に国債利回りを指すことが多い。

金融の世界では、国債はリスクがないという前提で理論を展開することがよくあります。ええ、理論上のことですから。

リスクフリーレートは、**ポートフォリオ**理論などで理論上の比較条件として使われます。本来、まったく**リスク**がない**金融商品**は現実的ではありません。しかし、個々の金融商品や**アセットアロケーション**の運用の結果を測りたい時には、ものさしとなる基準があると便利です。

そこで、測定の基準として、リスクがまったくないと仮定した運用資産から得られる想定**利回り**として、リスクフリーレートを用いるのです。

例えば、**株式**や**投資信託**など、リスクをとって運用した場合の結果を、リスクのない資産で運用した場合の結果と比較する基準として使います。

一般に、リスクフリー資産として、長期の場合は新発10年物国債利回りが使われ、短期ではコールレートなどが用いられます。

運用結果の基準となる、リスクフリーレート

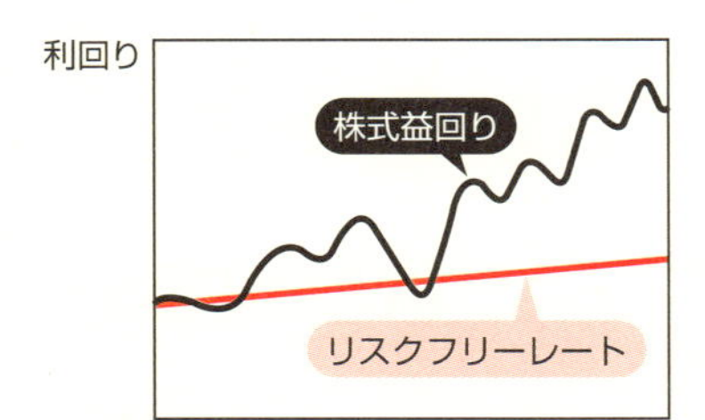

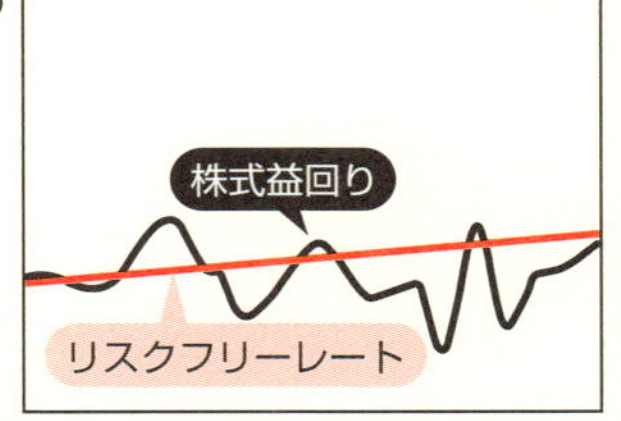

株式益回り＞リスクフリーレート

株式益回り≦リスクフリーレート

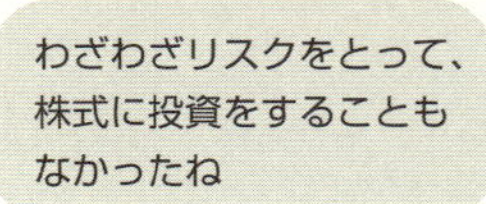

単利／複利

利子を元本に組み入れて再投資するか否かの違い。単利は利子をその都度、受け取り、複利は利子を再投資する。

リボ払いの利息は複利で計算されます。元本のみならず利息に対しても利息がかかり、借金が雪だるま式に増えていきます。

金融商品によっては、利払いが来るたびに利子を現金で受け取る（預金口座や**証券総合口座**に振り替えられる場合も含む）ものと、利子を受け取らずに当初の元本に加えて運用するものがあります。

利子を受け取らずに元本に加えれば、その次の期間は利払い計算の元本が増えます。これを利払いのたびに繰り返せば、元本が毎期ごとに膨らみ、同じ利率であっても、利払いの回を重ねるたびに受取利子の金額も増えていきます。このような利子の付き方が**複利**です。

一方、利払いの都度、現金で利子を受け取る場合は、償還まで投資元本が同じで、**固定金利**の場合、毎回の利子の額は同じです。このような利子の付き方が**単利**です。

単利と複利の仕組み

名目金利/実質金利

金融商品などで普段、目にする金利は名目金利。金利に物価変動の概念を加味したものが実質金利。

金利よりも物価上昇率が高ければ、貯金をせずモノを買った方が有利ということ。反対に金利が高ければ貯金が有利ということ。

例えば、年利1%の預金をしたとします。この1年間に物価が2%上昇したならば、預金の利子が付いただけでは1年前と同じものが買えません。名目上の**金利**は年利1%ですが、物価との相対価値を考えると、実質的な金利はマイナスです。

この状態では、預金利子よりモノやサービスの値上がりのペースの方が大きいと言えます。預金者は、額面金額では利子相当分が増えていますが、買い物の手段として考えると実質的な目減りです。

近年の日本では低金利を嘆く声も聞かれますが、**デフレ**の間は、**名目金利**より**実質金利**の方が高い状態です。預金金利が付かなくても現金の価値が上昇して、モノやサービスを買うよりもただお金を持っているだけで相対的に有利と言えました。反対に物価が上昇した場面で預金金利が低いままであれば、値上がりにお金の価値が追いつきません。このような状態は、実質金利がマイナスです。

実質金利の考え方

年利1%の預金

1年後

5,050円に！

ガソリン満タン
5,000円！

年率2%の
価格上昇！

1年後

預金の利子では
マイナスだ～！

ガソリン満タン
5,100円!

短期金利　お金の貸し借りの期間が1年未満の金利。一般的には、数日から数ヵ月程度の期間の金利を指す。中央銀行の政策によって上下しやすい。

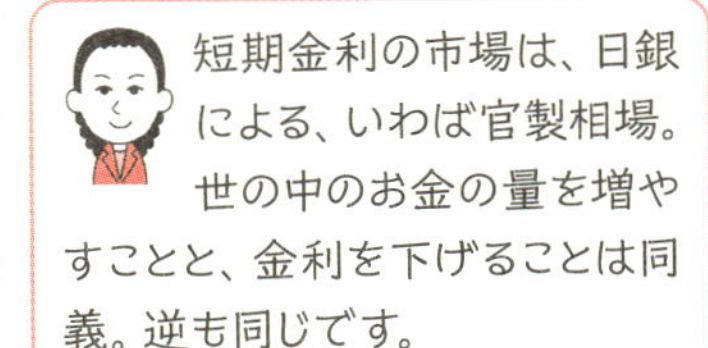

短期金利は、実務上は無担保コール翌日物の**政策金利**やCD3ヵ月物などの金利を指すことがほとんどです。

民間**金融機関**が短期的な手元資金の余剰や不足を調整する**コール市場**などの**インターバンク市場**は、**日本銀行**が**金融政策**を実施する場でもあるため、政策によって誘導される特徴を持ちます。

世界のほとんどの国でも、短期金利は政策金利として景気調節のために各国の**中央銀行**がコントロールするという側面を持っています。

金融政策によって誘導される短期金利

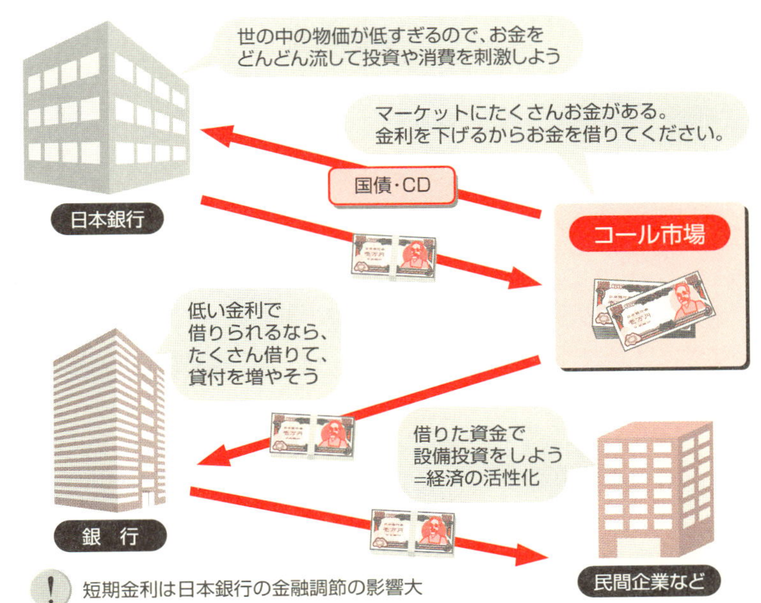

短期金利は日本銀行の金融調節の影響大

長期金利

1年以上に及ぶ期間の金融取引に適用される金利。新発10年物国債利回りが代表的な指標となっている。期間が長いほどリスクが高い。

長期金利の上昇は、好景気なら「良い金利上昇」、財政赤字の拡大や国債格下げ、インフレ加速によるのは「悪い金利上昇」。

長期金利は、人々からどれだけお金が必要とされているかで上下します。景気が良い環境ならお金に対する需要が高く、高い**金利**を支払ってでも借りたい会社や個人が増え、長期金利は上がります。逆に、お金を使ってまで事業拡大や消費をする時期ではないと判断される不景気では、お金に対する需要が低く、お金を借りやすいように長期金利は引き下げ方向に動きます。

また、長期金利は、**インフレ**率も影響します。人々が将来は物価が上がると思えば、モノの値段の上昇にお金の価値が追い付くように市場でお金に対する需要が高まり、金利が上昇するからです。

長期金利の決まり方

好景気だ!　お金を借りて、どんどん工場を建設しよう!

お金が必要なら貸し賃(金利)を高くしても借りてくれそうだ

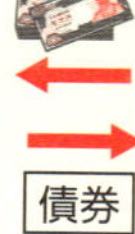

新発10年物国債市場
(代表的な長期金利の市場)
社債の発行市場

債券　債券

資金を求める国や会社など

資金の提供者
(金融機関、機関投資家など)

好景気の場合
資金を求める借り手が増える=金利上昇⬆

不景気の場合
資金が使われず市場に余っている=金利低下⬇

固定金利 預金やローンの全期間において、決められた金利がずっと適用されること。市場金利が変動しても契約した金利は変わらない。

「住宅ローンの固定金利は、今が最低水準」と言い続けて、はや何年？長すぎる金融緩和のおかげでローン担当者はオオカミ少年。

金融市場では随時、経済環境に応じて、お金に対する**需要と供給**のバランスで**金利**が変動しています。にもかかわらず、一度決めた金利が貸し借りの契約期間中ずっと適用されることを**固定金利**と言います。金利は、お金の借り手が貸し手に支払うものですが、預金の利子も、預金者が**金融機関**にお金を貸している間の金利と考えられます。

預金や**債券**などの**金融商品**を利用する際は、将来の経済環境では金利が下がりそうだと判断するなら固定金利を選択し、当初に約束した金利を全期間において受け取った方が有利です。**ローン**を利用する際には、逆に将来の金利が上がりそうだと判断するなら固定金利を選び、当初の金利を全期間に適用させて支払った方が有利です。

市場金利が動いても、固定金利は変わらない

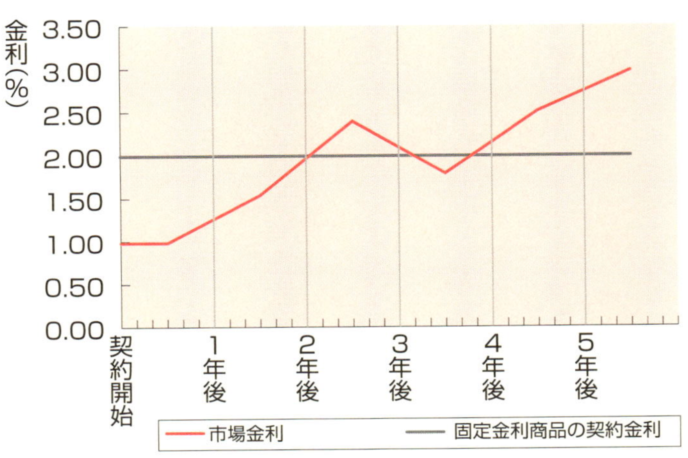

固定金利で契約すると、市場金利が変動しても当初の金利が適用される

変動金利

預金やローンの契約期間中に、市場金利などの環境に応じて適用する金利を定期的に見直すことをあらかじめ約束した金利設定方式。

「変動金利と固定金利、どっちがお得?」と聞かれることが多いですが、未来の金利は分かりません。ドラえもんに聞いて!

金融市場では随時、経済環境に応じて、お金に対する**需要と供給**のバランスで**金利**が変動しています。「市場金利の変化に連動させて金利を見直す」とあらかじめ当事者間で約束して、お金の貸し借りを行う契約の金利タイプが**変動金利**です。

預金や**債券**などの**金融商品**を利用する際に、「将来、金利が上がりそうだ」と判断するなら、変動金利を選択して金利上昇に連動する金利を受け取った方が有利です。

ローンを利用する際は逆で、「将来の金利が下がりそうだ」と判断する場合に変動金利を選べば、金利低下による恩恵を受け、有利です。

市場金利に連動する変動金利

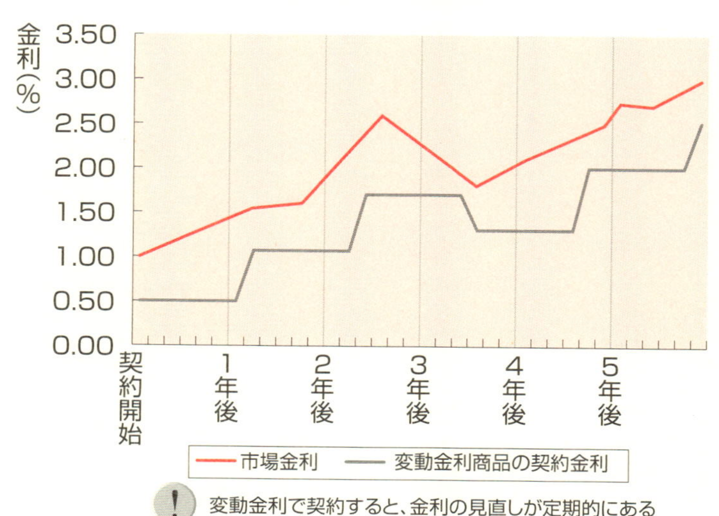

変動金利で契約すると、金利の見直しが定期的にある

プライムレート

金融機関が企業に対して融資をする際、一番優遇された、優良企業向けの貸出金利。短期においても長期においても、金利動向の目安となる。

「プライム」は優良という意味で、優良企業向け金利のことです。なので「サブ」プライムはプライムの「下位」を示します。

プライムレートは、信用力のある相手にお金を貸すので低い**金利**が実現でき、「最優遇貸出金利」と呼ばれています。理論上は企業向けの貸出金利のうち一番低くなるはずですが、実際はプライムレートよりもっと低い金利で優良企業に融資することも珍しくはありません。

「短期プライムレート（短プラ）」は期間1年以内の貸し出しに適用されます。無担保コール翌日物やCD（譲渡性預金）などの取引である**短期金融市場**を参考に、各**金融機関**が個別に金利を定めています。

「長期プライムレート（長プラ）」は、期間1年超の貸し出しに適用されます。以前は**金融債**の影響を受けてレートが決まっていましたが、今では各銀行が短期プライムレートを基準に長期プライムレートを決めています。そのため、「新長期プライムレート」とも呼ばれています。

個人も注目しておきたいプライムレート

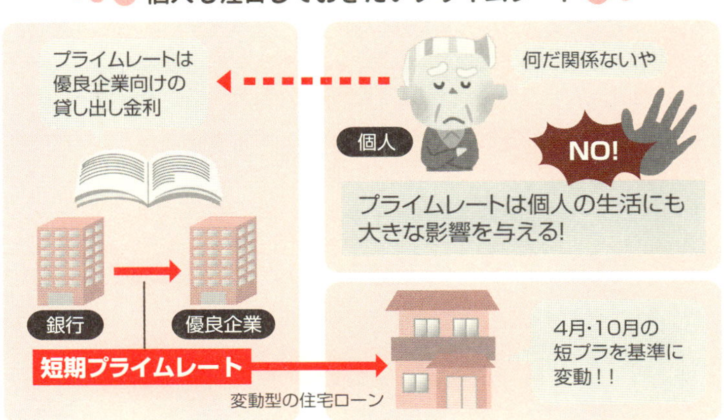

Column 市場で価格が決まるメカニズムとは?

株価、外国為替、金利などは、市場の需給関係(需要と供給の関係)によって値動きします。用語集として「需要と供給」を解説すると、残念ながら本文49ページのような堅い説明になってしまいます。ここでは、もう少しかみ砕いて説明することにしましょう。

市場の解説などで「株価の需給が悪化したため、株式市場は下落しました」と報道されることがあります。金融市場での「需給関係」とは、取引する両者による要望(ニーズ)の強弱関係のことです。

株式相場や外国為替相場では、株式やある通貨を「買いたい」という投資家の要望が「需要」で、「売りたい」という投資家の要望が「供給」です。金利の市場での「需要」は「お金を借りたい」という人の要望で、「供給」は「お金を貸して金利を得たい」という人の要望です。

ある瞬間に市場に入っている買注文と売注文が同じ量で折り合いが付いた状態を「バランスが取れている」といい、その価格で取引が成立します。一方、バランスが極度に欠けると、問題視されます。需要量より供給量が極端に多い時というのは、投資家の買注文が少なく売注文が多い状態で、「需給悪化」と表現されます。このような時、売り手が取引を成立させるために価格を下げるなどして、市場価格は下落方向に動きます。逆に、需要量が供給量よりも極端に多ければ価格がつり上がって「バブル」傾向になります。

需要や供給の「量」とは、取引額の規模です。外国人投資家や機関投資家の動向が注目されるのは、多額の資金を動かし、市場の需要と供給に大きな影響を与えることが多いからです。しかし、個人投資家の売買動向が市場に影響を及ぼすこともあります。1件ごとの注文は小口でも、大勢の個人投資家が同じ方向の投資ムードに乗って一斉に動く時、市場に大きなインパクトを与えます。個人投資家といえども大口投資家に匹敵するほどのパワーを発揮することが時々見られます。

第2章

金融市場に関する用語

お金の出し手と受け手が出会う金融市場には、様々なタイプがあります。その特徴を理解しましょう。

2-1 金融市場には、どのような種類があるか？

金融市場を大きく分けると、長期の資本市場と短期のマネー市場の2つの市場があります。

金融市場

資金調達や資金運用を目的として、お金をやり取りする場。大きく分けて短期金融市場と長期金融市場がある。

まさにお金の市場(いちば)。資本に使いたい長期間のお金や、目先の資金繰りに使う短期のお金を調達するマーケットです。

金融市場は、通常、**金融機関**や企業、個人がお金を融通し合う場所を指します。お金のやり取りは、特に物理的な場所がなくても、そして生のお金を持ち込まなくても、取引ネットワークに集中させてやり取りできます。**短期金融市場**は、期間1年未満の資金を融通する市場で、**コール市場**などの**インターバンク市場**と、**CD市場**などの**オープン市場**に分けられます。**日本銀行**の**金融政策**を実行する場です。

長期金融市場は、1年以上の資金の募集や取引が行われる市場です。そのうち、**株式**を発行・売買する市場を「株式市場」、**債券**を発行・売買する市場を「債券市場」と言います。

金融市場の種類

- 金融市場
  - 短期金融市場
    - インターバンク市場
      - コール市場
      - 手形市場
    - オープン市場
      - CD市場
      - CP市場
      - TB市場
      - FB市場
      - 債券現先市場
  - 長期金融市場
    - 債券市場
      - 発行市場
      - 流通市場
    - 株式市場
      - 発行市場
      - 流通市場

需要と供給

商品やサービスを手に入れようとする動きが需要、商品やサービスを提供しようとする動きが供給。買いたい気持ちと、売りたい気持ち。

「需給はあらゆる材料に優先する」と言われるほど。どんなビッグニュースでも、相場は大量な注文に影響されて動きます。

簡単に言えば、**需要**は「買い手」で、**供給**は「売り手」です。

商品やサービスの値段は、それを手に入れようとする需要の活動と、それを提供しようとする供給の活動のバランスで決まります。

需要も供給も、単に商品が欲しいとか無料であげるということではなく、代金の受渡しを考慮して力関係が落ち着いたところで価格が決定します。バランスの取れた経済活動とは、必要な商品が余ったり足りなくなったりせずに生産されて、それが全部消費されることを指します。

株式市場や**金融市場**、**為替相場**などでの需要と供給のバランスは、それぞれ**株式**や**債券**や外貨の買い手側（需要）と売り手側（供給）の力関係で、**株価**、**金利**、**外国為替**が決定することを言います。

需要曲線と供給曲線

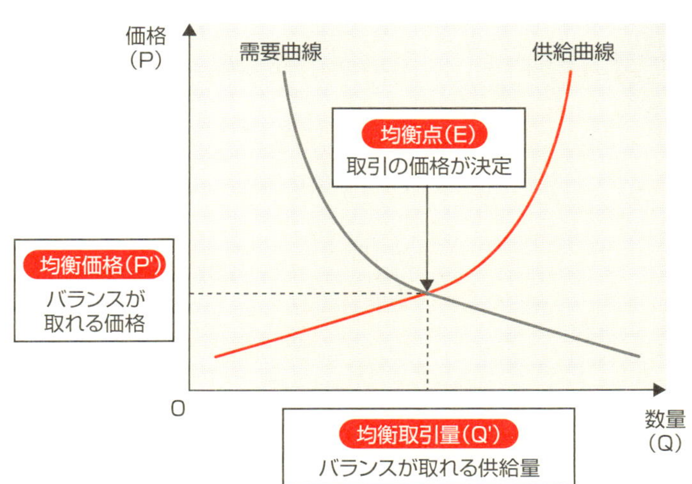

短期金融市場

一時的な資金繰りのために、ごく短期間の資金を貸し借りするための取引市場。インターバンク市場とオープン市場がある。

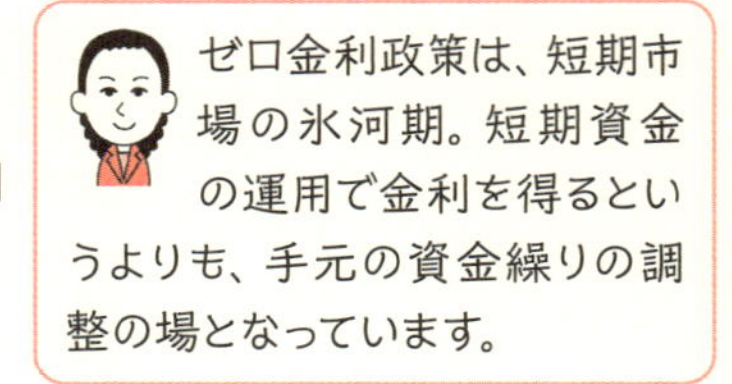

短期金融市場は、原則として1年未満の決済資金の貸し借りをするための取引市場です。主に半日から数日間というごく短期間の資金の貸し借りが活発に行われています。**インターバンク市場**と**オープン市場**があり、**金融機関**だけが参加できるインターバンク市場には、**コール市場**、**手形市場**、ドル・コール市場などがあります。また、オープン市場には、債券現先市場、債券レポ市場、**CD市場**、**CP市場**などがあります。

短期金融市場は、**日本銀行**が**金融政策**を実施する場ともなっており、**金融政策決定会合**の方針に基づき、民間金融機関を相手に**債券**や**手形**の売買や貸付を行います。これを**公開市場操作**と言い、資金の供給や吸収で世の中のお金の量が調整されます。

日銀の金融政策と景気の関係

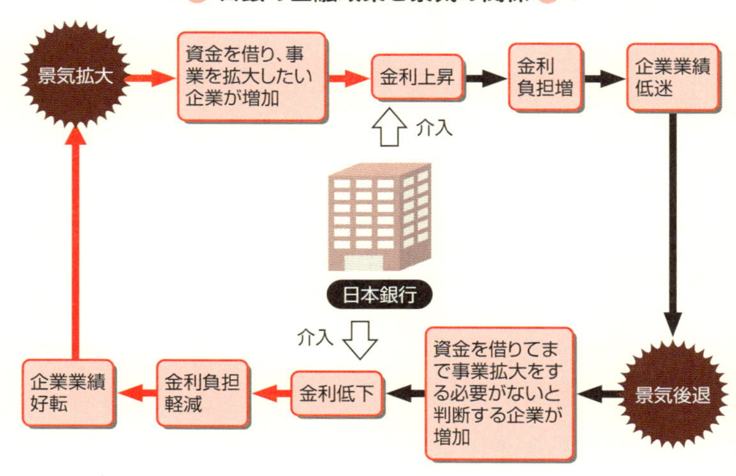

インターバンク市場

取引参加者を金融機関に限定している金融市場。半日や1日など、ごく短期間の資金調達が主にやり取りされている。

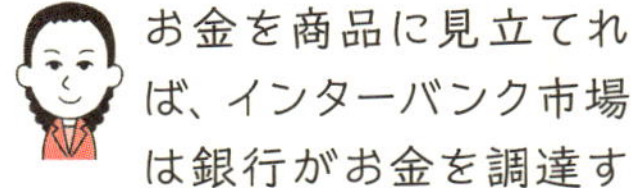

お金を商品に見立てれば、インターバンク市場は銀行がお金を調達する市場(いちば)。インターバンクレートは、金利の仕入れ値です。

インターバンク市場は、**金融機関**が資金の過不足を調整するために、金融機関同士で資金の運用と調達を行う市場です。「インターバンク」とは、取引参加者を金融機関に限定するという意味です。資金の主な出し手は**信託銀行**で、主な受け取り手は**都市銀行**です。

コール市場、**手形市場**、ドル・コール市場などがあり、中でも、担保を必要とせず翌営業日に決済を行う「無担保コール翌日物」が代表的で、市場規模が大きいため、**日本銀行**の**金融政策**にも利用されています。理論上は、インターバンク市場で行われた金融調節が**オープン市場**の**金利**に波及し、**長期金融市場**の金利へも影響を与え、金融市場全体に広がっていくとされています。

インターバンク市場の取引参加者

インターバンク市場

日本銀行
都市銀行
・地方銀行
・第二地方銀行
信託銀行
長期信用銀行
短資会社
在日外国銀行
住宅金融会社
・全国信用金庫連合会
・信用金庫
損害保険会社
・商工組合中央金庫
・農林中央金庫
・労働金庫連合会 など
証券金融会社
生命保険会社
投資信託委託会社
証券会社

コール市場

金融機関同士が短期間の資金を貸し借りする取引市場。コール取引には、有担保コールと無担保コールがある。

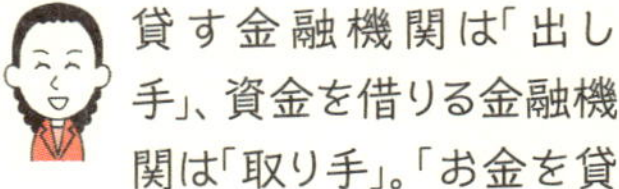

貸す金融機関は「出し手」、資金を借りる金融機関は「取り手」。「お金を貸して！」とコールするから、コール市場と呼ばれます。

コール市場は、1日や1週間程度の短期資金を取引する**短期金融市場**です。取引が**金融機関**に限定される**インターバンク市場**です。

「コールレート」は、コール市場での取引**金利**です。「コール」は、「呼べば応える（マネー・アット・コール）」という意味で、コール市場は、「返せ」と言われたらすぐに返す、短期資金をやり取りする場です。コール取引には、資金を借りる側が貸す側に担保を預ける有担保取引と、担保を預けない無担保取引があります。

中でも、翌営業日に決済を行う無担保コール翌日物が代表的で、**短期金利**の基準ともなっています。無担保コール翌日物は市場規模が大きく、金融調節の手段としても利用されています。1994年に預金金利が完全自由化されて以後、翌1995年に**日本銀行**が無担保コール翌日物の金利を操作目標に定めて**金融政策**を行うことになりました。以来、公定歩合は金融政策としての役割を終えたのです。

無担保コール翌日物とは？

無担保
コール
翌日物
資金を運用したい銀行
担保なしで
ちょっと貸して！
明日返すからね！
資金が足りない銀行

この貸し借りの時に適用する金利が、無担保コール翌日物レート

手形市場

期日の到来していない手形を金融機関同士で売買する市場。短期金融市場の中では比較的長期間の資金調達に利用される。

最近では会社が印紙税を節約したいようで、手形の発行が減っています。そのため、銀行同士の手形の売買も減少しているとか。

手形市場は、**金融機関**同士で取引を行う**インターバンク市場**の1つで、支払期日前の**手形**を売買する**短期金融市場**です。**コール市場**よりも、やや長期間の資金の貸し借りに利用されます。

コール市場と同様に、手形市場でも**日本銀行**の**金融政策**は実施されています。「手形オペ」は日銀と金融機関との間で手形を売買して資金量を調節する**公開市場操作**です。

手形とは、「将来のある特定の日（一般的には発行から数ヵ月後）に、ある特定の場所で決められた金額を支払う」ことを発行者が約束した証書です。法律に定められた要件に従い、必要事項が記載された**有価証券**です。銀行振込や小切手と同様に、会社などがお金の支払いをする手段として使われます。手形の受取人は、支払期日に支払場所である銀行に手形を持ち込めば換金できます。

手形市場は、金融機関が手形を売買する市場

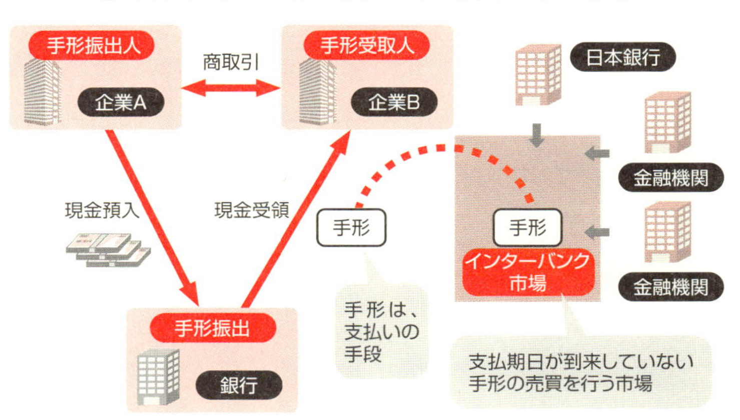

LIBOR

不正操作が行われるまでは、ロンドンのインターバンク市場で、銀行同士が資金を融通し合う時の基準金利として、短期金利の指標ともなっていた。

LIBORの金利算出の際、銀行自身が有利になる不正金利提示問題では、10ヵ所の金融機関総額で50億ドルの罰金が科されました。

LIBOR（ライボー）（London Inter Bank Offered Rate：**ロンドン銀行間取引金利**）は、国際金融市場の中心であるロンドンで、銀行が顧客に貸すお金をほかの銀行から借りてくる時の**金利**として使われていました。小売業で言えば、仕入れ価格のようなものと言ってよいでしょう。

LIBORは、国際的な金融取引の場で**短期金利**の基準として幅広く利用されていました。ところが2012年、英国の複数の大手銀行によるLIBORの金利提示で不正操作が発覚し、LIBORは金利の指標としての信頼性を失いました。英国の金融当局は2021年以降、LIBORの算出維持を保証しないと表明。LIBORは日本でもデリバティブ契約で使われるなど、公表停止による影響は大きく、**金融庁**をはじめ金融業界では、日本円LIBORに代わる指標の検討を進めました。後継指標は、**TIBOR**や無担保コール翌日物金利などです。アメリカドルLIBORの代表的な後継指標は、ニューヨーク連邦準備銀行が公表する**リスクフリーレート**です。

LIBORは、世界中で金融取引の指標だった

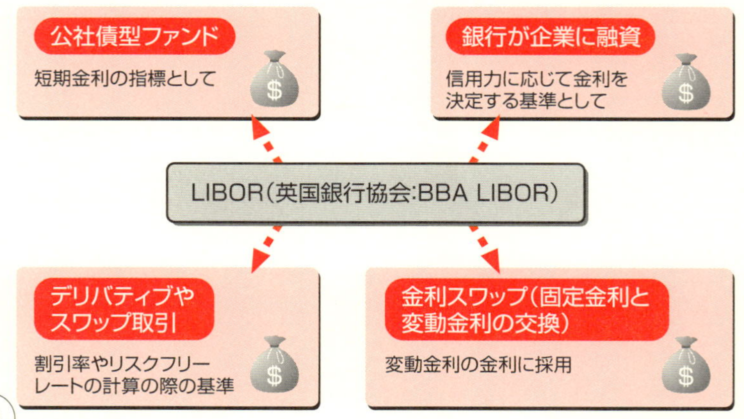

TIBOR

東京の市場で、銀行同士が資金を融通し合う時に提示する取引金利。変動金利の指標ともなっている。お金の仕入れ価格のようなもの。

LIBORの不正操作を受け、TIBORも透明性が求められるようになりました。体制の整備が進んだのはLIBORのおかげかも？

TIBOR（タイボー）（Tokyo Inter Bank Offered Rate：**東京銀行間取引金利**）は、東京市場で、銀行が顧客に貸すお金を他行から借りる時の**金利**です。ロンドン市場の**LIBOR**の日本版です。個別の銀行がそれぞれ**インターバンク市場**で提示した金利を「○○銀行TIBOR」と呼んでいます。

TIBORは、通常、**全銀協（全国銀行協会）**が公表する金利の全銀協TIBORを指します。指定されたレート提示銀行の取引金利で、1週間物、1～12ヵ月物の13種類の金利があり、それぞれの期間金利の指標です。全銀協TIBORには、無担保**コール市場**の実勢金利を反映した「日本円TIBOR」と、本邦**オフショア市場**で取引されている円の実勢金利を反映した「ユーロ円TIBOR」があります。

LIBORの不正操作問題を受け、全銀協ではTIBORの透明性を高めるため、運営体制の定期的な見直しを行っています。

TIBORと金利の関係

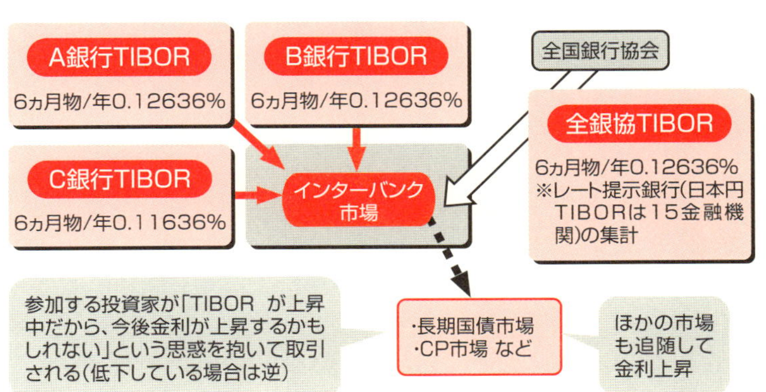

オープン市場

金融機関以外の一般の事業法人でも自由に参加できる金融市場。金融商品を売買することで資金調達を行う。

その名の通り、一般公開されている市場です。取引所は存在せず、ディーラーと運用者が、相対で電話で取引します。

オープン市場とは、**金融機関**はもちろん、一般の事業法人が自由に参加することができる**金融市場**です。取引されている**金融商品**は、CD（譲渡性預金）、CP（コマーシャル・ペーパー）、TB（割引短期国債）、FB（政府短期証券）、債券現先取引などです。そのうち「CD新発3ヵ月物金利」が、オープン市場の代表的な**金利**となっています。

オープン市場の参加者は、銀行や短資会社、**証券会社**、事業法人、外国企業、公的機関などです。対して、取引参加者を金融機関に限定している市場を**インターバンク市場**と言います。

オープン市場で取引される金融商品の特徴

金融商品	特徴
CD（譲渡性預金）	・第三者に売却をすることができる、銀行など金融機関の預金証書 ・期間は1～3ヵ月のものが主流
CP（コマーシャル・ペーパー）	・短期の資金調達に使われる、無担保の約束手形で、金融商品取引法上は有価証券 ・優良企業が発行でき、割引形式になっている
TB（割引短期国債）	・償還期間が6ヵ月または1年の割引型の国債 ・購入できるのは金融機関などの法人 ・現在は、過去の国債の借換債として発行されている
FB（政府短期証券）	・割引型の債券で、国の会計の一時的な資金不足を補う 円売り介入目的の資金を集めることで知られる
債券現先取引	・債券の売買の1つ ・債券を将来のある一定の期日に、一定の価格で買い戻すか売り戻すことを条件として売買を行う取引

CD市場

第三者に譲渡できる定期預金「CD（譲渡性預金）」を売買する市場。取引参加者を金融機関に限定せず不特定多数の投資家が参加できるオープン市場。

音楽が聴けたり、データを保存したり……いえいえ、そのCDではありません。バブル期は会社が持っていた大金の預け先でした。

CD市場は、期間1年未満の**短期金融市場**の中でも**コール市場**と並ぶ代表的な市場です。

CD（Certificate of Deposit：譲渡性預金）は、定期預金の一種ですが、預金保険制度の対象外です。**機関投資家**や**金融機関**の短期（満期まで3ヵ月程度のものが主流）の資金調達に使われています。CDは満期前に解約ができず、換金する場合はCD市場で売却します。通常の預金は、第三者に譲渡できません。CDを発行できるのは、**預金取扱金融機関**のみです。CDは個人でも預金できますが、最低預入金額5,000万円以上が主流で、主に金融機関や事業法人などの決済用です。**公社債型投資信託**や年金などの運用資産に組み入れられていることが多くあります。

CDは**マネーストック統計**の代表的な指標の構成要素ともなっており、CD発行残高は市中の資金量を見るためにも重要です。

CD取引の大半はCD現先取引

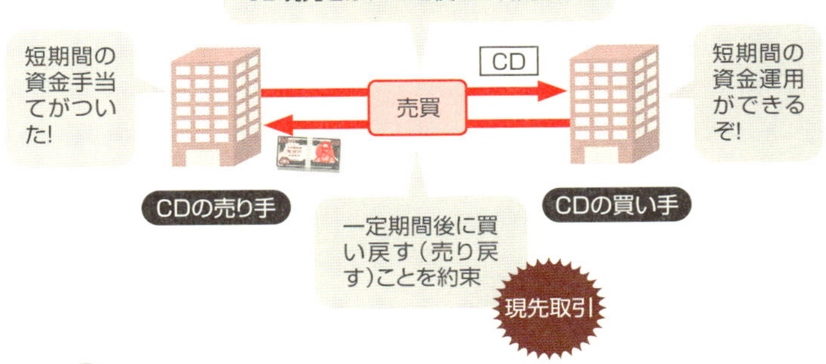

CD取引では、無条件売買（買い切り）は少ない。多くがCD現先取引

CP市場

CP(コマーシャル・ペーパー)を売買する市場。取引を金融機関に限定せず不特定多数の投資家が参加できるオープン市場。

CPが社債と異なるのは、短期の運用資金に使える点。CP市場が手形市場と異なるのは、金融機関以外も取引に参加できる点です。

CP市場は、期間1年未満の**短期金融市場**です。

CP（Commercial Paper：コマーシャル・ペーパー）は、優良企業が発行する無担保の約束手形で、資金調達の重要な手段です。銀行融資に比べて、比較的短期間で資金を集められることや、電子化されているために発行コストが低いことがメリットです。ほかの**金融商品**と比べると比較的高**利回り**なので、事業法人や**機関投資家**などの投資家が短期資金の運用目的などで購入しています。

CPは、**日本銀行**の**金融政策**として実施する**公開市場操作**（オペレーション）の手段に利用されています。「買現先オペ」では、**金融機関**の持つCPを一定期間後に日本銀行が相手に売り戻す条件で買い入れます。買入代金を金融機関に供給することで、市場に資金を流します。「売現先オペ」では、資金を市場から吸い上げます。

CPと社債の違い

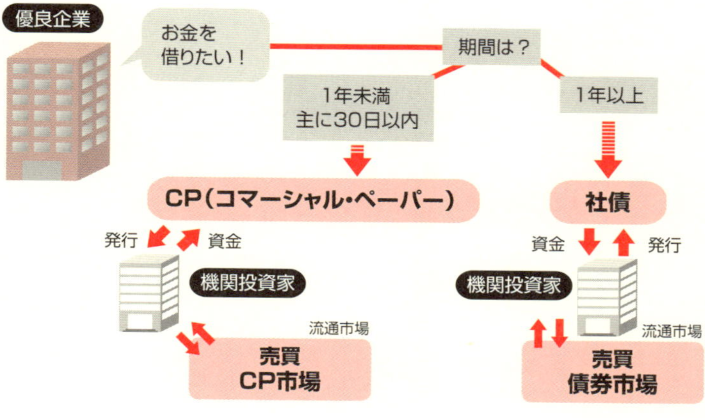

優良企業
お金を借りたい！
期間は？
1年未満
主に30日以内
1年以上
CP(コマーシャル・ペーパー)
社債
発行
資金
資金
発行
機関投資家
機関投資家
流通市場
売買
CP市場
流通市場
売買
債券市場

長期金融市場

取引期間が1年超となる長期の資金を取引する市場のこと。株式や債券などの証券市場が代表的。

金融市場の長期・短期は、期間の長さの違いというより、「投資家の需給」と「政策」の言い換えみたいなものかな。

第三者からの資金調達の手段は、「借りる」か「出資を受ける」のどちらかです。資金の貸し借りが1年超である長期の**債券**市場や、資金の出資となる**株式**市場は**長期金融市場**に分けられます。

債券市場では、**国債**、**地方債**、**社債**などが売買されています。新発10年物国債利回りは**長期金利**の指標となり、日々の投資家の思惑で変動します。債券の運用ニーズや、将来の**金利**と物価、国の経済の見通し、その国の債券の発行状況などが変動要因です。

株式市場で売買される株式も、投資家の思惑で**株価**が変動します。株価変動の要因は、その国の経済全体の環境と将来の見通し、株式発行企業の業績、マーケットへの需給バランスなどが挙げられます。

長期金融市場とは？

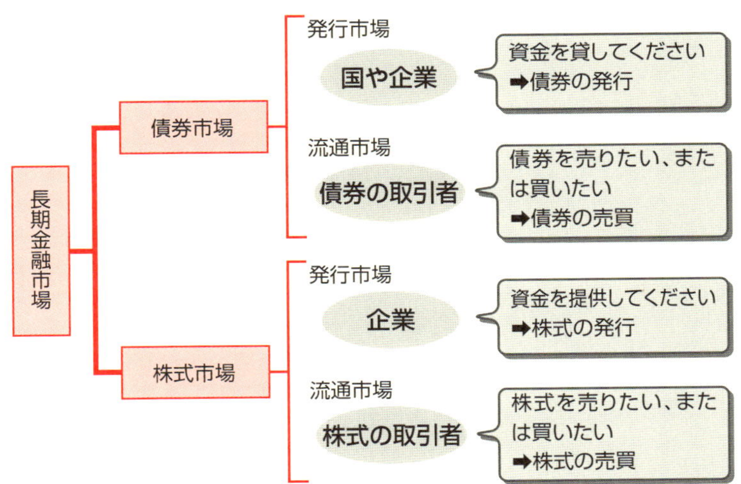

ユーロ市場

自国以外の通貨や、非居住者の持つ通貨を取引する市場。国境を隔てた自由な取引の代名詞。必ずしもヨーロッパの市場を指すわけではない。

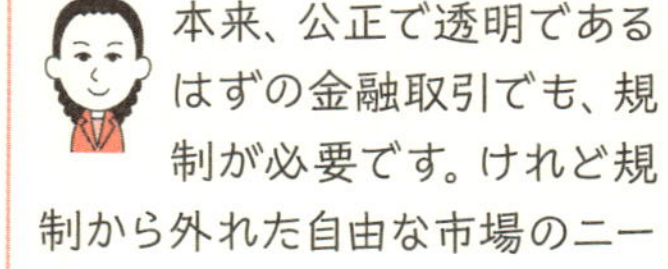

自国以外の**通貨**が、資金調達や流通の場として取引される市場を**ユーロ市場**と言います。例えば、「ユーロ円」といった場合は、日本以外で取引される円通貨を指します。もともと、西ヨーロッパで運用されていた外国通貨を「ユーロマネー（ユーロカレンシー）」と呼んでいた名残で、自国通貨以外の取引の場をユーロ市場と言うようです。

ユーロ市場は、主に**金融機関**同士の資金調達・運用の場であるユーロ預金市場、融資目的の資金を調達するユーロ貸付市場、**債券**を発行・売買するユーロ債券市場があります。ユーロ市場では一般的に、税制や準備預金積み立てなどの面で優遇されています。

ユーロ市場で発行する債券を「ユーロ債」と言い、円建てなら「ユーロ円債」、ドル建てなら「ユーロドル債」と言います。

ユーロ円債とサムライ債

2-2 証券取引所と市場の指標には、どのようなものがあるのか？

株式の売買を行う証券取引所と株価指標について見ていきましょう。

証券取引所 株式や債券といった、有価証券等の売買を行う場所。現在は全国4ヵ所に取引所がある。金融商品取引法により、法律上の名称は金融商品取引所になった。

個人が証券取引所に行っても売買はできません。投資家は取引所の会員である証券会社に注文を出し、売買取引を仲介してもらいます。

現在、日本の**証券取引所**（**金融商品取引所**）は東京、名古屋、札幌、福岡の4ヵ所です。ほかに**デリバティブ**に特化した大阪取引所があります。

多くの投資家がどこかに集まって、売りたい、買いたいと取引を行うことは実際には不可能なので、証券取引所に証券および**金融商品**の売注文と買注文を集めて取引を行います。市場に大量の売買注文が集まることで流動性が高まり、公正な価格形成が図られます。

証券取引所の役割

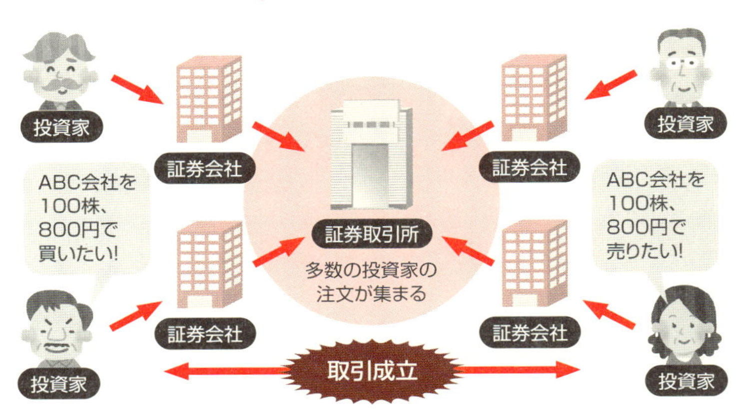

上場

有価証券等が証券取引所などの市場で取引可能であること。上場するには、証券取引所が定めた上場基準を満たしているかどうかの審査を受ける必要がある。

上場すると知名度が上がり、社会的信用も高まります。反面、企業情報はガラス張り。自由に取引されるので買収されるリスクも。

株式や**債券**などの**有価証券**は、**上場**すると広く一般の投資家がその証券を売買、保有できる状態となります。上場していない株式会社が新しく株式を**証券取引所**に上場することを**IPO**と言います。

株式が上場されていない株式会社は、「非上場会社」と言います。経営者の縁故者や取引関係者、銀行などが出資し、株式を保有しているケースがほとんどです。上場会社は、自社と特別な関係がない人でも投資判断ができるように、自社の情報を広く開示する**ディスクロージャー**の義務が課せられます。

非上場の債券は、通常、取扱**金融機関**との相対(あいたい)取引で売買されます。投資家が非上場債券を償還日前に換金したい場合は、取扱金融機関が提示する価格で買い取り、現金化されます。

非上場株式会社と上場株式会社の情報開示

非上場株式会社

・創業者一族、縁故者、知人、取引銀行、取引先企業など出資者が限られる
・情報開示も出資者の範囲でよい

上場株式会社

・広く一般の投資家から出資を募ることができ、株式の売買により株主が異動する
・情報開示は、株主のみならず、投資を検討している人にも広く開示しなければならない

上場するということは、会社を公にすること

上場廃止

証券取引所の上場廃止基準に基づき、市場で有価証券等の売買取引ができなくなること。また、発行体自らの選択で上場を取りやめること。

株主優待にこだわるあまり、会社の最期までおつきあいをしていた株主も少なくないようです。上場廃止になったら本末転倒です。

上場廃止とは、**株式**や**債券**などの**有価証券**が**証券取引所**を通じて取引ができなくなる状態です。上場会社が倒産した場合は、その会社の株式が上場廃止になります。また、それぞれの証券取引所が株式の**時価総額**や取引量などの上場廃止基準を設けており、それに抵触すればたとえ会社が存続していても、上場廃止になります。

上場廃止基準に該当する恐れがある場合は、事実関係の調査中として「監理ポスト」で売買されます。後に上場廃止決定となれば「整理ポスト」へ移され、廃止日まで周知期間として取引が行われます。上場廃止が決定すると、**株価**が急落することがほとんどです。

上場廃止されると、その証券を売買する場所を失います。その証券を売却したい場合には、相対(あいたい)取引で**金融機関**や発行会社などを相手方として買い取ってもらうか、自分で買い手を探すしかありません。

上場廃止に至るまで

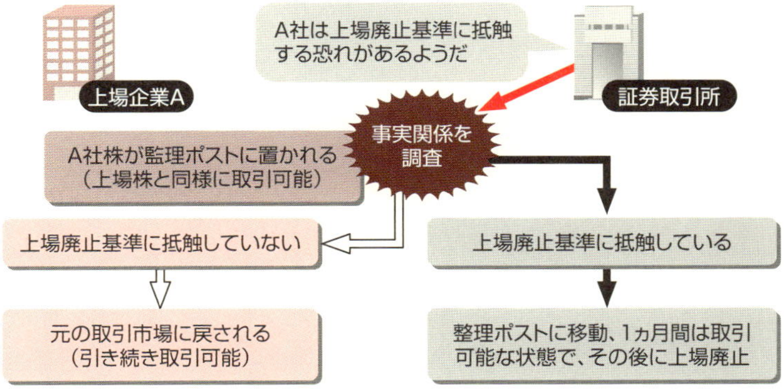

上場企業A

証券取引所

A社は上場廃止基準に抵触する恐れがあるようだ

事実関係を調査

A社株が監理ポストに置かれる（上場株と同様に取引可能）

上場廃止基準に抵触していない

元の取引市場に戻される（引き続き取引可能）

上場廃止基準に抵触している

整理ポストに移動、1ヵ月間は取引可能な状態で、その後に上場廃止

PTS

証券会社が設営する証券売買システム。取引所の立会時間外でも取引でき、私設市場や夜間取引とも言う。PTSから撤退する証券会社も相次ぐ。

スマホやモバイルでネット取引が容易になり、帰宅後に夜間取引をする必要が薄れたため、PTS取引が縮小傾向です。

PTS（Proprietary Trading System：**私設取引システム**）は、**証券会社**が**金融庁**の認可を受けた証券市場、もしくはそこでの証券取引です。公設の**証券取引所**を介さず、個々の証券会社や提携証券会社同士で運営する証券取引ネットワークになります。その証券会社の顧客のみに開かれた私的な市場で、個人投資家向けの**株式**や**ETF**（**上場投資信託**）、**機関投資家**向けの**債券**などの取引に利用されています。

PTSは、証券取引所の立会時間外にも証券取引を行いたいというニーズから生まれました。帰宅後に株式取引を行う個人投資家には売買の機会が増えると期待されていました。既存の証券取引所では実現できない投資家ニーズを満たすため誕生したPTSでしたが、取引金額が伸びずに、廃止または休止する証券会社が相次ぎました。現在は、大手のインターネット証券のうちの数社が取り扱っています。

PTSの仕組み（相対取引の場合）

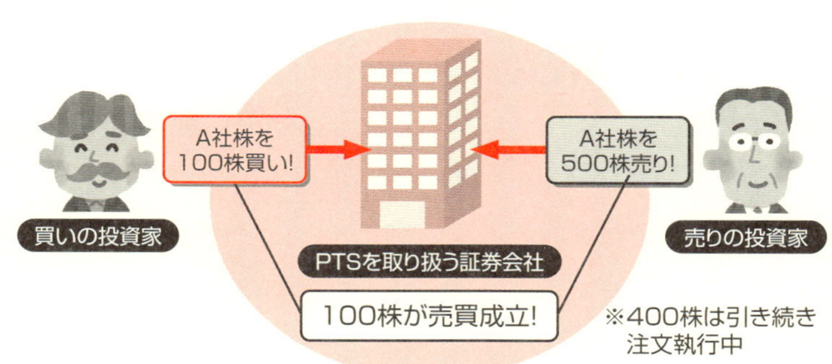

証券取引所ではなく、PTS業者が顧客同士の注文を成立させる

TOPIX

東京証券取引所が算出、公表している株価指数で、上場銘柄全体の浮動株ベースによる時価総額の変動を表す指標。

TOPIXは、大型株の値動きに影響を受けやすい指数です。日経平均株価より上昇率が高い時は「大型株が動いたな」と判断します。

TOPIX（トピックス）（Tokyo Stock Price Index：**東証株価指数**）は、東京**証券取引所**（東証）第一部の全銘柄を対象に算出される**株価**指標です。1968年（昭和43年）1月4日の東証第一部の**時価総額**を100とし、日々の時価総額を指数で示しています。市場全体の規模の変動を見る「ものさし」です。東証一部全体の動向の把握や、**機関投資家**の運用成績の評価尺度に使われます。

TOPIXは、2006年7月に「浮動株指数」（長期間保有される株式を除いた、市場で流通している株式を対象とした指数）へ完全移行し、銘柄ごとの流動性に応じたウェイト付けがなされました。そのおかげで、機関投資家が大量の資金で流動性の低い銘柄を売却する際、**需要と供給**のバランスが崩れる懸念が薄れました。

2022年4月4日に東証の上場区分が新しくなるのに伴い、TOPIXも段階的に移行することになっています。

東証再編におけるTOPIXの移行

新市場スタート

従来のTOPIX → 移行期間 → 移行完了後のTOPIX

2022年4月4日：既存の東証1部銘柄はすべて採用

2022年10月末：流動性が劣る銘柄のウェイト下げ開始

移行期間：流動性が劣る銘柄はTOPIXから段階的に比率を下げる

2025年1月末：流動性が劣る銘柄を最終的に除外

日経平均株価

日本経済新聞社が発表する、東京証券取引所第一部上場のうち代表的な225銘柄の株価水準を示す指数。

日本経済新聞の紙面では、常に日経平均株価が中心の報道で大きく掲載され、TOPIXは小さくこっそり載っています。

日経平均株価は、国内の**上場株式**の全体的な**株価**を示し、最も古くから用いられている株価指標です。日本経済新聞社が日本を代表する225銘柄を選出し、独自の方法で算出しています。

算出方法は、米国ダウ・ジョーンズ社が開発した算式で、225社の単純平均に権利落ちによる値下がり分を修正します。長期的な株価の推移を連続して追えるのが特徴です。

対象の225銘柄は、市場での流動性が低くなったものなどを定期的に見直し、別の銘柄と入れ替えることがあります。採用銘柄の入れ替えや採用銘柄の**株式分割**の後は、指標としての連続性を保つ目的で、その株価を修正します。そのため、日経平均株価は、実際の225銘柄の株価の単純平均より高い値になっています。

日本の主な株価指数とその特徴

株価指数	特徴
日経平均株価	東京証券取引所第一部上場のうち代表的な225銘柄の株価水準を示す
TOPIX （東証株価指数）	東京証券取引所が算出、公表している株価指標。東証の再編で流動性の劣る銘柄は除外される
東証プライム市場指数 東証スタンダード市場指数 東証グロース市場指数	いずれも、2022年4月4日の東京証券取引所再編により新設される。各市場に上場する全銘柄によって構成される。浮動株の時価総額を示した指数
JPX日経インデックス400 （JPX日経400）	流動性の高い銘柄のうち、ROEや営業利益、時価総額を基準に選出された400社の時価総額で算出

JPX日経インデックス

流動性が高い東証上場銘柄からROE、営業利益、時価総額を基準に選んだ400社で構成される株価指数。

「魅力的な会社ベスト400」だそうです。「イケメン・インデックス」なんていう指数はありませんか？

JPX日経インデックス400（**JPX日経400**）は、日本経済新聞社と日本取引所グループおよび東京証券取引所が共同開発した株価指数です。高い資本効率性や投資家を意識した経営姿勢など、「投資家にとって投資魅力の高い会社」という基準で選ばれた上場銘柄400社で構成される**時価総額**の指数です。

JPX日経400は、東証に**上場**している銘柄のうち、市場流動性の高い1,000銘柄の中で、「3年平均**ROE**」「3年累積営業利益」「時価総額」の3つの指標を点数化し、さらにガバナンスや**ディスクロージャー**の定性評価も加えて400銘柄が選ばれます。

2013年8月30日の値を10,000ポイントとして、2014年1月6日から算出されています。毎年1回、8月末に「定期見直し」が行われ、構成銘柄が入れ替えられます。

JPX日経インデックス400の銘柄選定基準

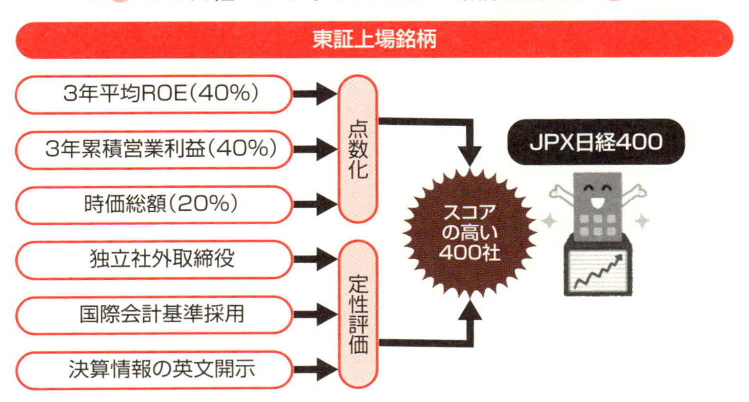

NYダウ

米国株の動きを示す代表的な株価指数。通信会社ダウ・ジョーンズが30の米国優良銘柄の株価を単純平均する方式で算出している。

米国では、経験則により、大統領選挙の年に株価が上がると言われています。景気を良くする政策を打ち出すからでしょうか。

NY（ニューヨーク）ダウ（**ダウ30種平均**）は、米国ダウ・ジョーンズ社が開発した平均**株価**の修正算式で、米国を代表する世界的な超優良企業30銘柄の株価で構成されます。構成銘柄の株価を平均し、**株式分割**などの際には修正を加えて連続性を持たせた方式をダウ方式と言います。

ニューヨーク証券取引所は、ニューヨークのウォール街にある世界最大の**証券取引所**で、米国の伝統企業をはじめとした多くの**株式**が売買される取引所です。「NYSE（ナイス）」と表記されています。

このほか、米国株の代表的な指標としては、**S & P500種指数**、**ナスダック総合指数**などがあります。一般に運用のベンチマークに使用される指標としては、NYダウよりもS & P500の方が主流です。

米国の主な株価指数とその特徴

株価指数	特徴
NYダウ （ダウ30種平均）	米国株式市場上場株のうち、代表的な30銘柄の株価を単純平均した株価指数 ➡日本でいうと日経平均株価のようなタイプ
S&P500種指数	格付け会社スタンダード・アンド・プアーズ社が選定する500銘柄の時価総額加重平均指数。採用銘柄が比較的多いことと小型株の影響を受けにくいところが特徴 ➡日本でいうとTOPIXのようなタイプ
ナスダック総合指数	ナスダックとスモールキャップに上場する全銘柄の時価総額加重平均指数 ➡日本でいうとジャスダック指数のようなタイプ

S＆P500種指数

米国の時価総額が大きな約500社を対象に算出される株価指数。米国市場全体の相場の動きを表す。

ウォーレン・バフェット氏自身はアクティブ投資家ですが、「ほとんどの投資家はS＆P500インデックスファンドを信頼した方がいい」と。

S＆P500種指数（Standard & Poor's 500 Stock Index）は、S＆Pダウ・ジョーンズ・インディシーズが1957年3月4日から算出している株価指数です。米国株式市場に連動する**ETF**（**上場投資信託**）や**インデックス型投資信託**の代表的なベンチマークとなっています。

対象は、ニューヨーク証券取引所やNSDAQなどの米国株式市場に**上場**する米国企業です。浮動株を調整し、時価総額比率で加重平均した指数です。**時価総額**の大きな銘柄で構成され、米国市場の時価総額の70～80%を占めます。組入銘柄はバランスが考慮され、時価総額、流動性、浮動株の比率、業績などの条件を満たす工業株400種、運輸株20種、公共株40種、金融株40種の各指数で構成されています。

時価総額の大きな銘柄の**株価**の動きにつられやすい特徴を持ちます。現在は、アップル、マイクロソフト、アマゾン・ドットコム、アルファベット（グーグル）、メタ（フェイスブック）が組入上位となっています。

S＆P500の動き（2011/10/31～2021/11/12）

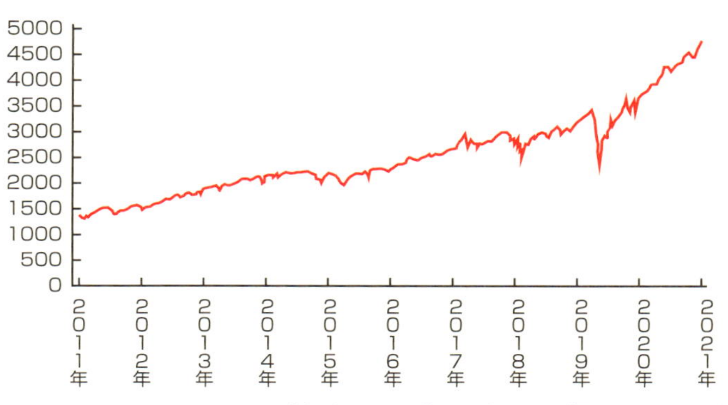

（出所：S&Pダウ・ジョーンズ指数公式サイト）

ナスダック総合指数

主に新興企業が上場する米国NASDAQで取引されている銘柄のすべてを、時価総額で加重平均して算出した株価指数。

ナスダックは、コンピュータ取引なので取引所はありません。さらに会社はウォール街ではなく、NYのタイムズスクウェアにあります。

ナスダック総合指数とは、米国NASDAQ（ナスダック**証券取引所**）で取引されている米国内外のすべての銘柄を**時価総額**で加重平均した株価指数です。**NYダウ**や**S＆P500種指数**と並んで、米国の株式市場を示す代表的な株価指標となっています。算出の基準値は1971年2月5日の**株価**で、この日を100とした指数で表されています。

NASDAQは、全米証券業協会が運営する店頭株市場です。NASDAQの公開基準は、ニューヨーク証券取引所に比べると緩やかなため、ベンチャー企業向けの証券取引所でもあります。アルファベット（グーグル）やアップル、メタ（フェイスブック）、アマゾン、マイクロソフト、インテル等のハイテク株のほか、電気自動車のテスラや民泊のエアビーアンドビーなど、新業態の企業の**株式**が多く**上場**しています。ITや新技術に関する銘柄の株価動向を示す指数としても知られています。

本文で紹介した以外の代表的なナスダック銘柄

業種	代表銘柄
半導体	テキサス・インストゥルメンツ
半導体製造装置＆試験装置	アプライド・マテリアルズ
通信機器＆ネットワーク	エリクソン
無線通信サービス	Tモバイル
インターネットサービス	イーベイ、ネットフリックス、百度（バイドゥ）
ソフトウェア	アドビ
医薬品	モデルナ
製靴	クロックス
小売/ディスカウントストア	コストコ・ホールセール
飲料/清涼飲料	ペプシコ
レストラン＆バー	くら寿司USA、スターバックス

第3章

金融機関に関する用語

金融機関には、銀行や証券会社、保険会社、ノンバンクなど幅広い業態が含まれています。

3-1 金融機関とは何か？

日本の金融機関は、大きく分けると中央銀行、政府系金融機関、民間金融機関の3つです。

金融機関 資金を余らせている者と資金を必要とする者の間に立ち、資金を融通する会社組織。銀行、証券会社、保険会社などがある。

破綻しそうになると公的資金で救済するなど、国民としては腑に落ちないと思われがち。しかし公共性の高い業務ですから（苦笑）。

金融機関とは、金融仲介サービス提供を事業とする会社組織です。日本の金融機関は、**中央銀行（日本銀行）**、民間金融機関、**政府系金融機関**の3つに大別されます。

民間金融機関は**預金取扱金融機関**と、預金を取り扱わない金融機関に分かれます。預金取扱金融機関には、**普通銀行**、**信託銀行**、中小企業金融専門機関、農林漁業金融機関があり、預金を取り扱わない金融機関には、**証券会社**、**保険会社**、**ノンバンク**、短資会社などがあります。

日本の主な金融機関の分類

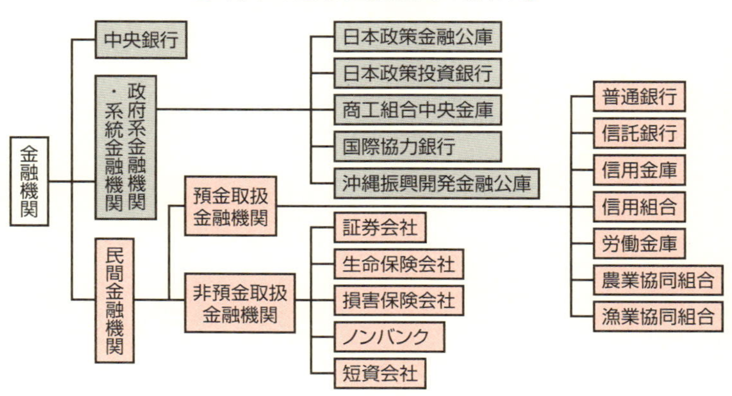

預金取扱金融機関

預貯金の受け入れを行う金融機関。いわゆる「銀行」。普通銀行、信託銀行、農林漁業金融機関、中小企業専門金融機関などがある。

預金をする時、このお金が誰の手に渡るかを考えたことはありますか？　金融機関の向こう側には、お金の借り手がいるのです。

預金取扱金融機関は、以下の４つに分けられています。

①短期金融を主業務とする**普通銀行**（**都市銀行**、**地方銀行**、**第二地方銀行**協会加盟の地方銀行、在日外国銀行）。

②長期資金の供給を主業務とする長期金融機関（**長期信用銀行**、**信託銀行** ※現在、長期信用銀行に該当する金融機関はない）。

③中小企業金融を主業務とする中小企業金融専門機関（**信用金庫**、**信用組合**、**労働金庫**など）。

④農・林・漁業金融を主業務とする農林漁業金融機関（**農林中金**、**農協**、**漁協**など）。

預金取扱金融機関は、経営が破たんすると社会に多大な影響を与えるため、厳しい監督の下に、規制を受けています。

非預金取扱金融機関とは、預貯金の取り扱いをしない金融機関のことで、**証券会社**、**ノンバンク**、**保険会社**などが該当します。

預金取扱金融機関は信用第一

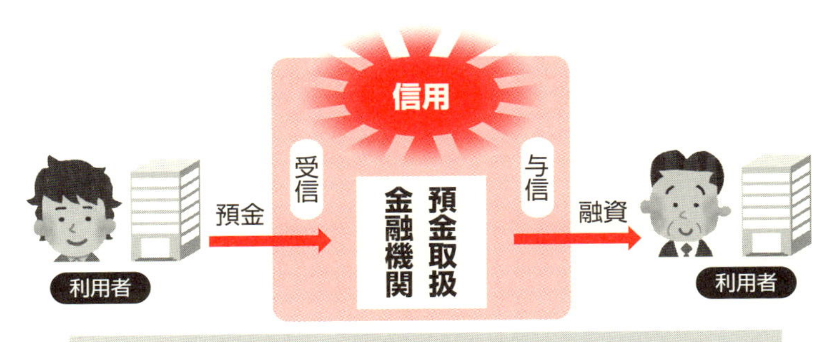

ユニバーサルバンク

銀行業務だけでなく、証券・生損保、リース業など幅広い業務を営む総合金融機関。欧州で発祥、日本や米国でも自由化された。

2008年の金融危機では「大きくてつぶせない」とされ、「銀行は本業だけやっていれば良いのでは?」と事業モデルを疑問視する声も。

従来、日本の**金融機関**は、銀行業務は銀行、証券業務は**証券会社**、保険業務は**保険会社**でというように垣根が設けられていました。

2004年の改正証券取引法の施行で金融の自由化が進み、銀行が証券子会社を設立したり、保険会社の代理店になったりするなど、グループ内で様々な**金融商品**を取り扱うようになりました。金融業界の再編が**ユニバーサルバンク**化を後押ししています。

欧州では、過去の日本のように銀行業務と証券業務を分離していないので、欧州（特にドイツ）の大手金融機関は、以前から1つの金融機関が**間接金融**と**直接金融**の両方の業務を行っています。

ユニバーサルバンクの形態の例

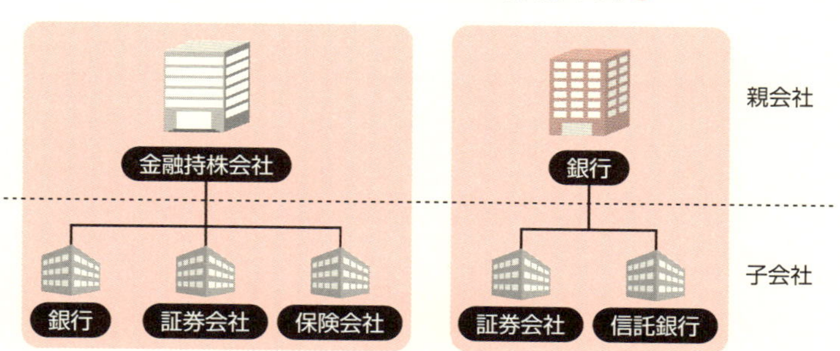

日本では、持株会社や親会社の傘下に、銀行、証券、信託銀行など個別業務を営む子会社を置く形態をとる

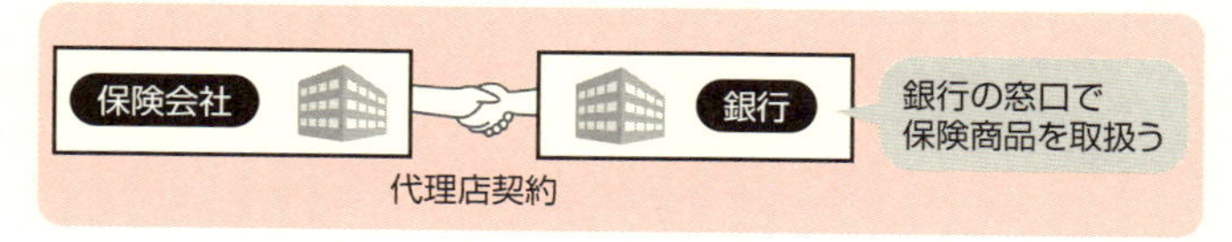

インベストメントバンク

預金と融資という間接金融中心の銀行業務でなく、M&Aや証券化、投資ファンドなど直接金融に関わり手数料を稼ぐ業態の金融機関。

大きな会社の買収などの大型M&Aや事業再編の裏にインベストメント・バンクあり。影の主役です。

インベストメントバンク（**投資銀行**）とは、預金と融資が中心の商業銀行に対する業態で、**直接金融**に関わる業務を行う**金融機関**です。

主に、**有価証券**の発行者から有価証券を取得する「引受業務（アンダーライティング）」と、発行者から引き受けた有価証券を一般の投資家に販売する「募集業務（セリング）」を中心に行っています。ほかには、**M&A**や**株式上場**などのコンサルティング業務、企業の資産運用受託など、業務は幅広く、**ホールセール**の**証券会社**に近い業態と言えます。

バンク（銀行）という名称が付くものの、預金と融資という**間接金融**を主業務にする日本の伝統的な銀行とは、業務内容が異なっています。

インベストメントバンクの主な業務

取引先企業	← インベストメントバンク	インベストメントバンク
事業拡大のために資金を集めたい	株式発行による資金調達	株式の新規発行で投資家から資金を集めましょう!
異業種に新規参入したい	M&Aの仲介	その業界の企業を買収して子会社化しましょう!
金融資産の運用をしたい	資産管理、運用アドバイス	ファンドに投資しましょう!

取引先企業の財務課題・経営課題の解決支援コンサルティングを行う

ベンチャーキャピタル

新製品や新技術を持つ創業期の中小企業に事業資金を融資したり、出資したりする金融機関。または、その投資のこと。

ビジネスの優れたノウハウを持っているのに資金が不足している若い会社に資金を提供。見返りは成長した後に期待します。

ベンチャーキャピタルは、成長する可能性のある未公開の会社に投資する投資家や投資資金です。ベンチャーへの融資や出資は、高い**金利**が得られ、投資先企業の**株式**が**上場**して**株価**が上がった場合の投資利益が期待できます。ベンチャーキャピタルは、見込んだ投資の成果を得るため、投資先企業に経営者を送り込んだり、経営コンサルティングを行ったりして、資金面のみならず業績への支援も行います。

その反面、融資資金の貸し倒れや出資に見合うリターンが得られないなどの**リスク**を負っています。

ベンチャーキャピタル事業は、投資ビジネスだけでなく、重要な社会的役割も担っています。一般的に、新興企業や未上場企業は、融資や出資が容易に受けられません。将来性のある成長企業を育成するベンチャーキャピタルは社会的に意義のあるビジネス事業です。

ベンチャー投資の手法

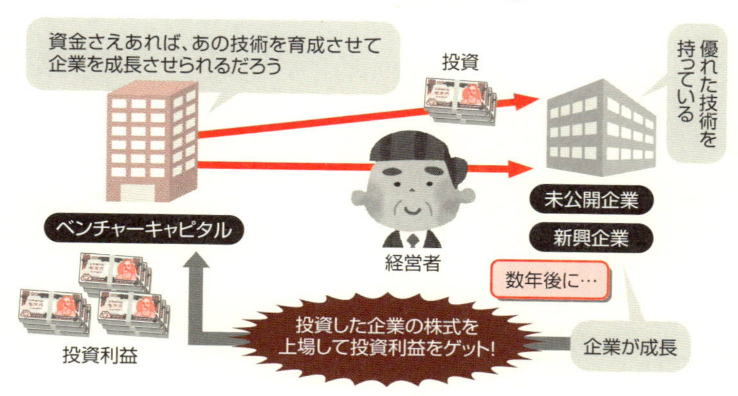

シャドー・バンキング

本来は、銀行免許を持たない金融機関の総称。投資銀行や信託、ファンドなどの業態から貸金業者まで含まれる。

本来は「銀行以外の金融機関」という意味なのに、数年前に台頭した中国のシャドー・バンキングの印象が強く、怪しげな印象に。

シャドー・バンキングは**影の銀行**とも呼ばれ、ダークなイメージですが、このシステム自体は健全で、合法的な**金融機関**です。銀行の**固有業務**以外の金融システムに携わる業務が該当します。**証券化**に携わる運用会社や**インベストメントバンク**などが隆盛したことが、**サブプライムローン問題**の一因ともなりました。

最近では、中国当局の厳しい規制下にある銀行を通さない個人や企業の資金のやり取りに、シャドー・バンキングが使われています。理財商品と呼ばれる高**利回り**の取引の**リスク**管理や**デフォルト**懸念が問題視され、中国当局が販売規制をかけています。

世界的視野で見れば、中国の**金融市場**は閉鎖的です。そのため、仮に中国のシャドー・バンキングのデフォルトが起こっても、世界に連鎖するような金融問題に発展する可能性は限定的と見られています。

中国の金融改革とシャドー・バンキングの理財商品

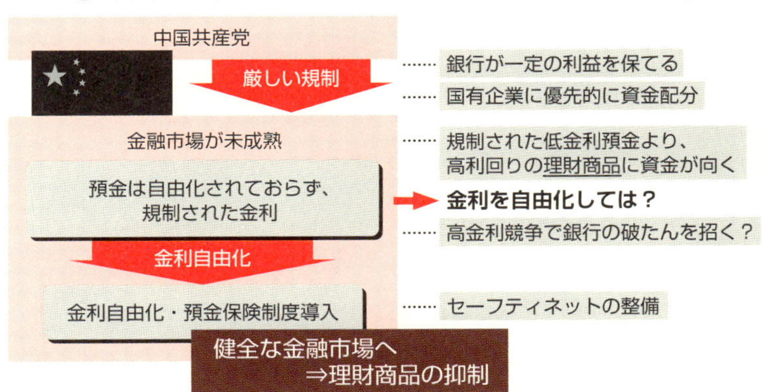

地下銀行

不正に海外に送金する業者のこと。正規の銀行を利用できない不法就労者などが、母国などに送金するために利用している。

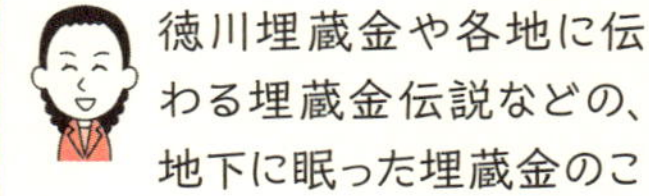

徳川埋蔵金や各地に伝わる埋蔵金伝説などの、地下に眠った埋蔵金のことではありません。もちろん霞が関の埋蔵金でもありません。

銀行法では、送金などの為替業務は、銀行の**固有業務**として、銀行業の免許を持つ**金融機関**のみに認められています。しかし、現実には、この免許を持たずに不正に海外などに送金する組織が違法に存在し、**地下銀行**と呼ばれています。

本来、金融機関で取引をする者は、住民票やパスポートなどの**本人確認**が必要です。在留資格のない不法滞在の外国人や犯罪行為などで得た資金を送金（**マネー・ローンダリング**）する場合は、銀行法に基づいた金融機関の利用を避けるのが通常です。そこで、このような資金の送金を担う地下銀行が重宝され、海外送金やマネー・ローンダリングの際に利用されます。地下銀行の営業は、銀行法違反です。

日本国内で働く外国籍の人が、違法と知らずに不正送金をする事件が起こっていることから、在日外国人への啓発の必要性が指摘されています。

正規の銀行と地下銀行

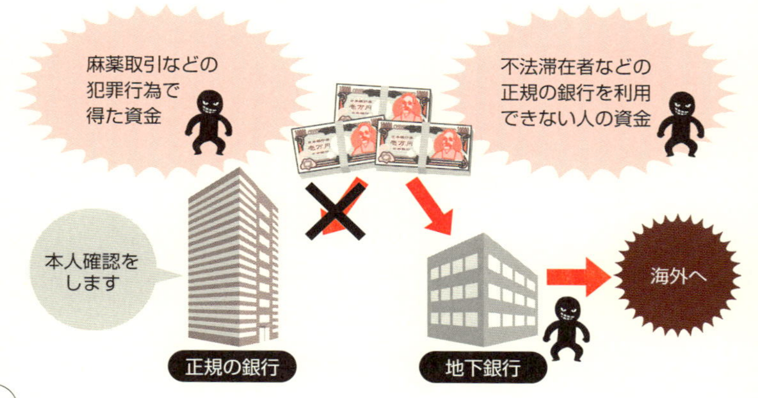

3-2 政府系金融機関には、どのようなものがあるか？

政府系金融機関はかつて9つありましたが、整理・統合されて現在は5つ、最終的には4つに再編されることになります。

政府系金融機関

国の政策のために、国の出資で設立された金融機関。民間ではできない分野や、リスクが高い分野の金融業務を行う。

民間金融機関よりも審査が比較的緩く、低金利で長期の借り入れができます。しかし融資までの手続きが煩雑で時間がかかる欠点も。

政府系金融機関は、**商工中金**を除き、全額政府出資で特別法に基づいた特殊会社です。9つあった政府系金融機関は段階的に再編されています。民間金融機関を補完し、民業を圧迫してはいけないとされています。特殊法人改革や財政投融資改革、政策金融改革は、郵便貯金や年金積立基金などの資金を旧大蔵省資金運用部を通じて政府系金融機関に流れていた仕組みにメスを入れました。

政府系金融機関

金融機関名	主な業務内容
日本政策金融公庫	【国民生活事業】個人企業や小規模企業向けの小口融資 【中小企業事業】中小企業向けの長期事業資金融資 【農林水産事業】農林漁業や国産農林水産物を取り扱う加工流通分野の長期事業資金の融資
国際協力銀行	日本企業や日系現地法人等の輸出入や海外投資事業に対する投融資や開発途上国等金融など
沖縄振興開発金融公庫	・沖縄における地域的な政策課題に応じた、地域限定の政策金融機関 ・個人や中小企業、各産業向けの融資
日本政策投資銀行	・主に大企業・中堅企業を対象とする危機対応業務 ・長期の事業資金の出資・融資・債務保証 ・国の財政投融資計画に基づく財政融資資金、政府保証債等
商工組合中央金庫	・中小企業等協同組合等及びその構成員に対する金融。 ・主に中小企業を対象とする危機対応業務

日本政策投資銀行

政府の政策のために設立された政策金融機関のうちの1つ。政策金融改革で2008年10月に株式会社化され、政府が100%出資する。

民営化の足取りが何度も見直し。しかし民間では手掛けられない投融資で、大規模災害や世界的な危機に存在感をアピールします。

日本政策投資銀行は**政府系金融機関**の1つで、全額を政府が出資する特殊会社です。政策金融改革により、それまで特殊法人で特殊銀行であった日本政策投資銀行が解散し、2008年10月に特殊会社として株式会社日本政策投資銀行が設立されました。かつての日本政策投資銀行との違いは、資金調達の手段として、預金受け入れと民間企業からの借り入れができるようになった点です。

日本政策投資銀行の業務は、「投融資一体型金融サービス」というビジネスモデルです。具体的には、インフラ整備や排出権取引ファンド、防災対策の促進などにおける融資や投資、コンサルティングなどです。

政府が保有する日本政策投資銀行**株式**の処分時期は、当初、株式会社化の5年から7年後がめどでした。ところが、完全民営化は先延ばしになり、当面、政府が株式を保有し続けるとされています。

日本政策投資銀行の業務内容国民生活金融公庫

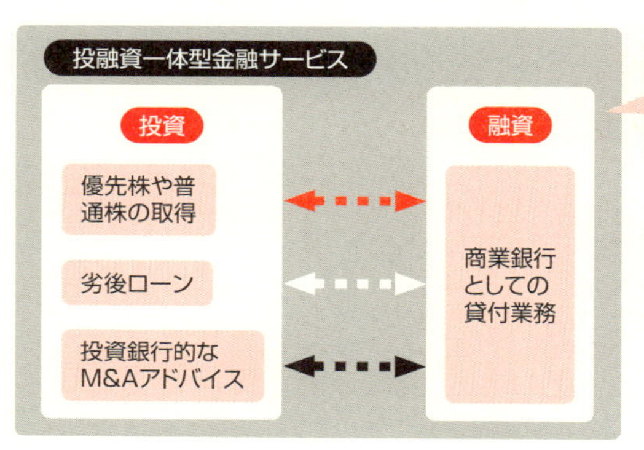

日本政策金融公庫

政策金融改革により、4つの政府系金融機関が統合して発足した、新しい政府系金融機関。

円安の進行で輸入コストが増え、経営が圧迫される中小企業。その資金繰りや事業再生のために低利融資などで活躍しています。

日本政策金融公庫は、2008年10月に国民生活金融公庫、中小企業金融公庫、農林漁業金融公庫、国際協力銀行のうちの国際金融業務部門という4つの**政府系金融機関**が、それぞれ業務を縮小・廃止した上で、統合された株式会社形態の新しい政府系金融機関です。また、将来的に、沖縄振興開発金融公庫が日本政策金融公庫に統合予定です。

事業資金の融資先は、主に小規模企業や個人事業です。災害や大型企業倒産など不測の事態に際しては、**セーフティネット**としての役割も担います。また、創業企業の支援や地域活性化につながるソーシャルビジネスへの支援を行っています。

日本政策金融公庫への統合

統合前

国民生活金融公庫
小規模企業向けの融資

中小企業金融公庫
中小規模企業向けの融資

農林漁業金融公庫
農林漁業者や食品産業事業者向けの融資

国際協力銀行
国際金融の秩序安定や開発途上国の経済安定のための融資

沖縄振興開発金融公庫
沖縄の産業活性化のための融資

統合後

日本政策金融公庫

国内金融業務
- 国民一般向け融資
- 中小企業向け融資
- 農林水産業向け融資

国際金融業務
- 日本の国際競争力向上、維持のための金融
- 海外の資源開発等のための金融
- 国際金融秩序安定のための金融

いずれ統合予定

商工中金

中小企業に対する危機対応業務を担う指定金融機関。政府によって設立された金融機関で、政策金融改革により2008年10月に株式会社化。

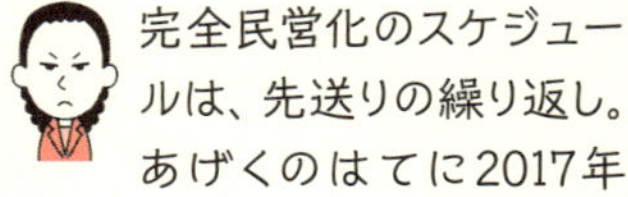

商工中金（**商工組合中央金庫**）は、政府や中小企業組合、およびその組合員などが**株式**を保有する株式会社で、特別法に基づく**政府系金融機関**です。主に中小企業金融を円滑にすることを目的に、株式会社商工組合中央金庫法に基づいて事業を行っています。

2008年の株式会社化までは、中小企業者の組合等が出資する団体として設立され、融資対象を出資者の構成員などに限定していましたが、現在は法改正により、制限が撤廃されています。

政策金融改革の当初の計画では、株式会社化後の5年から7年後に完全民営化の方針でしたが、その時期を明言することなく、事実上、完全民営化は先送りされています。

商工中金の業務上の特徴

ほかの政府系金融機関との大きな相違点

融資以外に預金、債券発行、経営コンサルティング等の業務を行う

一般の金融機関と比べた大きな特徴

募集債の発行で資金を調達する

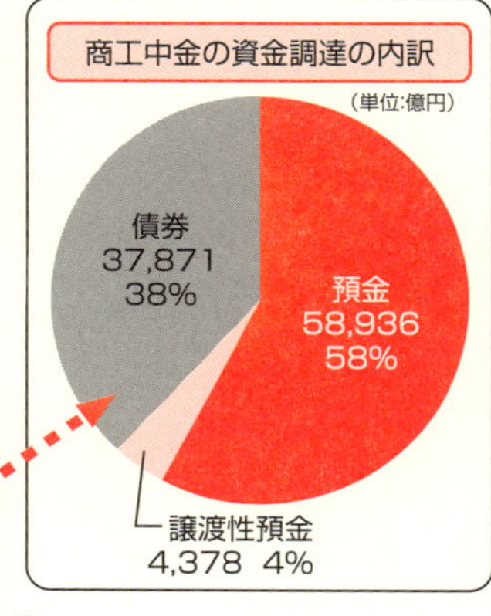

業務の特徴が、資金調達の内訳に表れている

2021年3月期ディスクロージャー誌
2021年3月31日現在

住宅金融支援機構

政策金融改革により、それまでの住宅金融公庫が再編されて発足した政府系の系統金融機関。

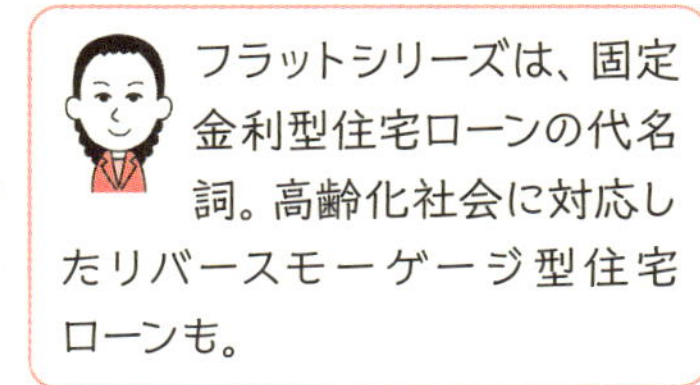

住宅金融支援機構は、2007年3月までの住宅金融公庫が再編され、それまでの業務を受け継いで、新たに2007年4月に発足した独立行政法人です。旧住宅金融公庫の公庫融資や財形住宅融資の管理を引き継ぎました。民間の**金融機関**と提携し、**住宅ローン**を**証券化**した、長期・**固定金利**の「フラット35」に代表される住宅ローンを提供しています。

「フラット20」「フラット35」「フラット50」は、民間金融機関の業務を補完する住宅ローン商品です。銀行などの民間金融機関ではローンの資金源が預金などで短期のため、長期固定金利の住宅ローンの取り扱いが難しいからです。

住宅金融支援機構では、フラットシリーズを取り扱う民間金融機関からローン債権を買い取ります。ローン債権を担保に、住宅金融支援機構が**債券**を発行して投資家から資金を集めます。

住宅金融支援機構の「フラット35」の仕組み

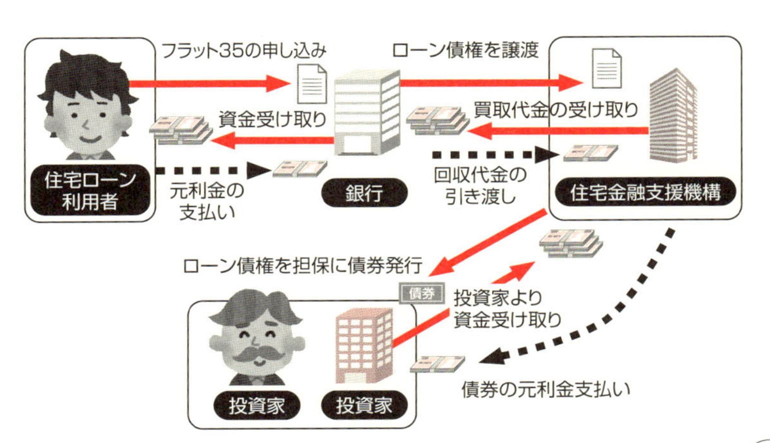

3-3 銀行は、どのような業務を行っているのか？

主に普通銀行が果たす役割と業務内容を理解しましょう。

(銀行の)固有業務/付随業務

銀行の本業である預金、貸付、為替の3つの業務が固有業務、本業に伴って必然的に行う業務が付随業務。

低金利が長く続き、融資では利益が上げられないようで(笑)。銀行はM&Aやビジネスマッチングなど付随業務に注力しています。

銀行が行える業務は、銀行法で定められ、本業である**固有業務**は、預金業務（預金の受け入れ）、貸出業務（資金を必要とする者への貸付）、為替業務（**現金通貨**の移動）の3つです。国内の為替取引は内国為替、海外との取引は**外国為替**と言います。

付随業務は固有業務の遂行上、必要な業務で、銀行業務の多様化で新しい業務が追加されることもあります。従来から担う債務保証・**手形**引受、**有価証券**の売買、貸付有価証券、**国債**・**地方債**・政府保証債の引受・募集、金銭債権の取得・譲渡に加え、2003年6月のガイドライン改正ではコンサルティング等の業務が付随業務として明確化されました。以後の銀行は、コンサルティング業務を強化する傾向となっています。

銀行の基本機能

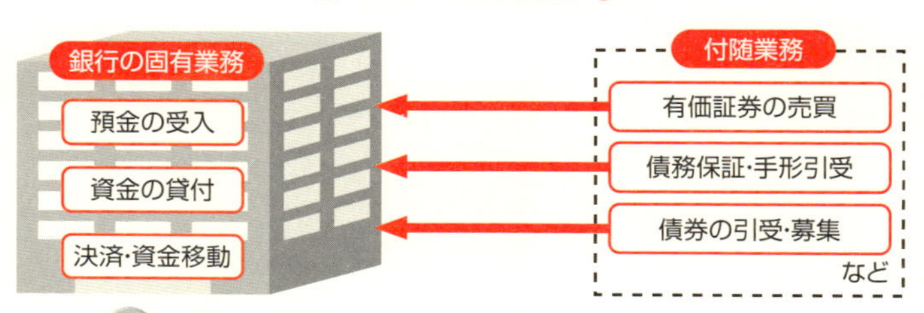

固有業務を営むためには、必然的に付随業務が必要になる

決済機能 個人やビジネスなどの商取引に伴って発生する代金の授受について、銀行の口座を利用して支払可能となる決済サービス。

遠く離れたお店に商品代金を支払えるのは、銀行の決済機能のおかげ。でもあなたの銀行口座に残高がなければ、無理な話です。

商品やサービスの購入代金や納税資金の支払いに際し、銀行は**現金通貨**を使わずに銀行の口座振替や振込を利用できるシステムを提供します。これが銀行の**決済機能**です。

決済機能は、ビジネスや日常生活の場において、代金支払いの安全性を保つと同時に、利便性を提供しています。銀行は、決済機能を通じて、経済活動を円滑に進める役割を担っています。

決済機能を利用するには、銀行に預金口座を開設していることが条件です。預金口座を持っている人や企業、団体は、所定の手続きを踏めば、預金口座の残高の範囲内で、口座振替や振込を利用して公共料金や商品・サービスの代金を支払うことができます。

決済機能の仕組み

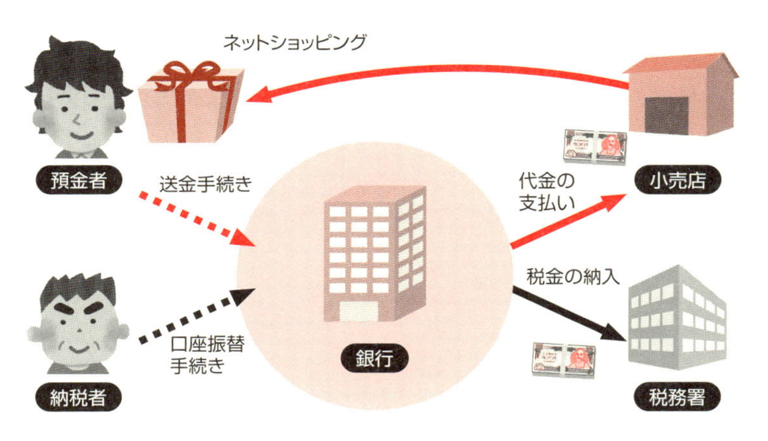

決済機能を利用すると、現金通貨を移動させずに支払いが完了する!

信用創造機能

信用創造機能が働くと、実際にある現金を無限大の残高に増やすことができます。中央銀行が世の中のお金を増やすトリックです。

銀行が預金と貸し出しを繰り返して預金残高を増やし、市中に流通する資金量を増やすこと。最初に受け入れた預金の何倍もの残高になる。

　預金者の銀行預金は、その一部分を除いて融資に回されます。融資された資金は、経済活動の中で利用され、再び銀行に預金されると考えられます。戻ってきた預金も一部を除いて融資され、再び銀行預金に戻るという循環をしています。この繰り返しで、銀行全体の預金残高総額は膨らみます。預金と融資の繰り返しが新しい預金通貨を増やした結果、市中の資金量が増加することを**信用創造機能**と言います。

　上記の**現金通貨**の流れのうち、預金から貸し出しに回されなかったお金は、預金準備金です。民間銀行は預金者の引き出しに備えるため、預金額の一定割合を、**日本銀行**に開設している日銀当座預金に預けておかなければなりません。預金額に対して預ける準備金の比率しだいで、市中に流通するお金の量は変わります。**預金準備率操作**が日本銀行の**金融政策**に利用されるのは、このためです。

信用創造機能とは？

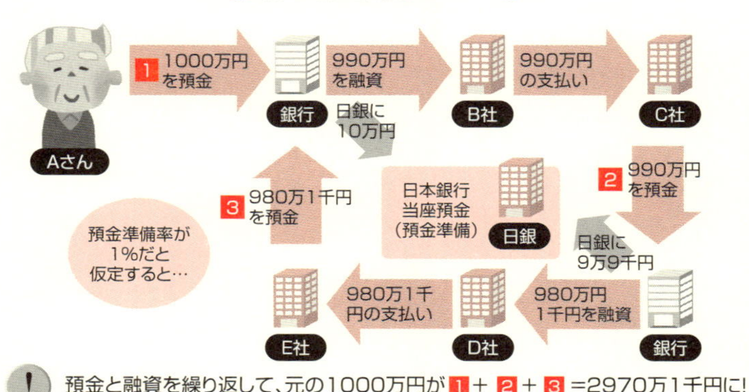

リテール 主に個人や個人事業主を対象にした金融サービスのこと。住宅ローンを柱とした融資と資産運用コンサルティングに注力。

どんな業界でも、比較的割に合わないと敬遠される傾向があるようですが、「お客様は神様です」は今でも通用するでしょうか……。

リテールとは「小売り」という意味で、小口の顧客を指しています。大口の法人営業（**ホールセール**）に対する言葉です。

小口の取引では1回の取引での収益性が低く、以前の銀行はホールセールが中心でした。しかし、大企業が事業資金を集める際に債券発行など銀行融資以外の手段も増え、銀行としては、リテール営業にも取り組む必要性が高まってきました。

また、金融の自由化で銀行の扱う**金融商品**が増え、**投資信託**や**保険商品**の販売手数料などリテールでも効率的な収益源が増えています。銀行は総合的な金融コンサルティングにも注力、特に富裕層を対象に、様々な金融商品を1つの銀行の窓口で取引できるワンストップサービスを展開しています。

広がるリテール営業

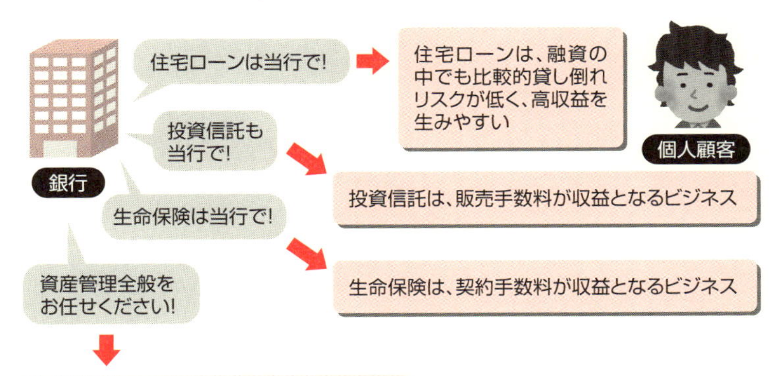

ホールセール

中央銀行と市中銀行の間の取引。または法人や機関投資家、地方自治体などを対象にした大口顧客向けの金融サービスを指す場合もある。

私が新人の頃、「ホール」は「hall」だと思っていました。広いフロアのイメージ。組織を意味する「Whole」と知ったのは数年後。

ホールセールは、「卸売り」という意味です。そもそもは**中央銀行**と市中銀行との間の資金決済です。さらに事業の運転資金や投資家の運用資金などを融資したり、**社債**の発行や**M&A**、ビジネスコンサルティングなどの業務を指す場合もあります。

ホールセールと個人向けの**リテール**では、取引金額の規模が大きく異なります。ホールセール営業では、1回の取引額が大きく、**金利**や手数料が多額なので銀行は効率良く収益を上げられます。また、企業向けの融資なら**財務諸表**で経営状況を把握できるため、返済能力を査定する特別なノウハウが必要ない点も効率的です。さらに大企業などでは、子会社や関連会社も含めて大勢の従業員を抱えていることから、給与振込等の手数料も多額に得られます。しかし、返済が滞ると**不良債権**も規模に応じて大きくなりやすい**リスク**もあります。

ホールセール業務のいろいろ

銀行：金融を通じて、御社の総合的な経営コンサルティングを承ります!

法人顧客：
- 設備投資資金が必要だ → 大口融資・シンジケートローンの取りまとめ・株式引受・資産や債権の流動化
- 海外取引を円滑化したい → 外国為替
- 企業買収で新規事業に参入したい → M&Aのコンサルやアドバイス

ALM 金融機関が為替や金利の変動などによる影響を把握してリスクを抑えつつ、最大の収益を得る目的のリスク管理手法。資産と負債（資金運用と資金調達）を総合的に管理する。

時に銀行業務は実業に対して、虚業とも言われます。しかし資本主義経済には必要なシステムで、存続するためにはリスクを管理することが大前提。

ALM（Asset Liability Management）は、日本語で**資産負債管理**と訳されています。近年における**金融機関**の業務は、**金融**の自由化やグローバル金融の影響で、より経営上の**リスク**が高まっています。**金利**や**為替相場**の変動は、金融機関の経営にとって避けられないリスクです。そのため、「想定されるリスクをすべて考慮して資産や負債を一元的に管理し、損失額をなるべく小さく、収益はできるだけ大きく」という総合的なリスクコントロール手法が求められます。金融機関の経営面において、自己資本比率を一定水準以上に保つためには、リスクコントロールは不可欠です。

ALMが米国で導入された1970年代後半頃は、金利変動リスクに備えて、資産と負債を残存期間別に分析していました。近年では、ALMの手法がより高度になり、あらゆるリスクを測定し、全体のリスク量を対象にするようになりました。

ALMのモデル

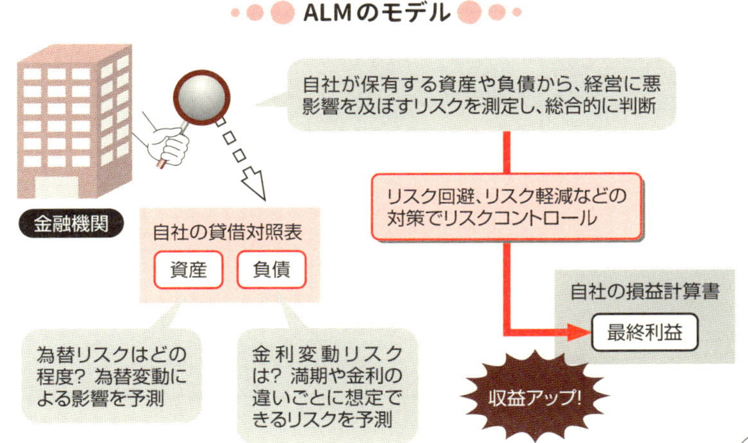

（銀行の）窓口販売

銀行の窓口で、主に個人向けとして債券、投資信託、保険など従来は取り扱えなかった金融商品を販売すること。「窓販」と呼ばれる。

銀行の主業務との関係で、顧客の状況や取引によっては窓口販売による保険の取り扱いに制限がある場合もあるので注意が必要です。

従来、**固有業務**と**付随業務**が中心だった銀行の収益源は、預金と融資の利ザヤや為替交換手数料などでした。経済構造の変化や金融ビッグバンを背景に銀行融資や預金の低迷が懸念されると、**金融庁**は銀行救済策として、証券分野や保険分野への参入を認めるようになりました。

証券分野では、1997年、銀行店舗の一部を**証券会社**に貸して証券業務を展開、翌1998年には**投資信託**の銀行本体での**窓口販売**が解禁されました。保険商品は、2001年に長期**火災保険**や海外旅行の**傷害保険**などの銀行窓口での販売が解禁されました。翌2002年には**個人年金保険**などが、そして2007年には募集代理店という位置付けで保険商品が全面解禁されました。外貨建ての**生命保険**などに注力しています。銀行は顧客と**保険会社**が結ぶ保険契約の媒介をするだけです。

窓口販売の手数料は、いまや銀行の貴重な収益源となっています。

銀行が取り扱える金融商品、業務

銀行の固有業務（従来からの業務）
- 預金業務
- 融資業務
- 為替業務

→

銀行の付随業務（固有業務の遂行に必要な業務）
- 債務保証・手形引受
- 有価証券の売買や引受・募集
- 金銭債権の取得や譲渡
- 両替

銀行で窓口販売が可能に！

証券分野	●投資信託、個人向け国債などの販売
保険分野	●募集代理店として、個人年金保険、一時払終身保険、火災保険、海外旅行保険などの契約締結の媒介

金融商品仲介業

金融商品取引法に基づいて、証券会社等の委託を受けて有価証券の売買などの証券取引の媒介を業務として行うこと。

銀行店舗に証券会社のコーナー、ネットバンキングに証券会社へのリンクがあったら証券仲介業者。預金とは別の口座が必要です。

金融商品仲介業は、内閣総理大臣の登録を受けた者が**証券会社**等と顧客の取引を仲介（媒介）する業務です。**有価証券**売買のコンサルティングなどを行い、取引契約を証券会社等に取り次ぎます。

金融商品の仲介は、銀行の**窓口販売**とは異なります。銀行などの金融商品仲介業者は、証券会社等の委託を受けて顧客と証券会社の取引を仲介します。対象になるのは、**株式**や**社債**、**外国債**などの有価証券の売買の媒介、有価証券の募集や売出などです。

銀行は、1975年の**国債**大量発行をきっかけに、1983年に国債の募集で証券業務に参入、**公社債**を中心に証券業務を拡大しました。その後、金融の規制緩和が加速、2004年の改正証券取引法で銀行の証券仲介業が認められ、現行の**金融商品取引法**では金融商品仲介業に改称されました。

金融商品仲介業の取引の仕組み

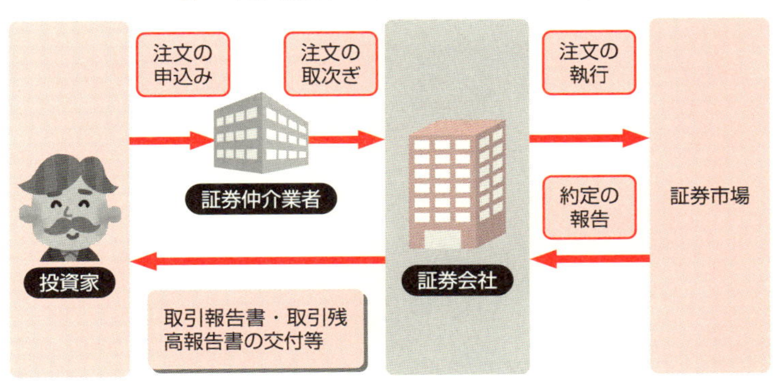

投資家は証券会社に証券口座を開設、
金融商品の取引は証券会社との取引になる

BIS規制

国際業務を行う銀行に課した、経営の健全性を保つルール。金融危機により規制が見直された。自己資本の水準8%以上で、内容もより資本性の高いものを多く保有することとなった。

新しい規制で銀行が自己資本を強化する動きになるのは必至。となると、審査ギリギリの中小企業の融資はどうなるでしょう？

グローバル化した**金融**に、もはや国境がありません。1国の問題で金融システムが揺らぐと全世界の金融問題に発展する時代です。そこで**BIS**（**国際決済銀行**）では**自己資本**を一定に保つ国際ルールを定め、国際業務を行う銀行に課しています。

最初の**BIS規制**は1988年に規定され、金融環境の変化で改正された新BIS規制が2007年から適用されています。「自己資本比率を最低8%以上に保つ」「計算の対象外の**リスク**も銀行自身が管理し**金融庁**が監視をする」「適切な情報開示」の3つが柱です。次のバーゼルIII（新新BIS規制）では自己資本の量と質を見直し、2012年末から段階的に導入、2019年から完全施行となりました。

BIS規制の変遷

1980年代

米銀行破綻

世界の銀行に波及？

1990年代後半

デリバティブなど

2007-2008年

金融危機

悪影響の連鎖を断ち切る！

BIS規制（バーゼルⅠ）

・国際業務を行う銀行は「自己投資比率8%以上」

市場リスク、後に信用リスクを追加

商品の多様化で相場変動リスク拡大

新BIS規制（バーゼルⅡ）

・自己資本比率算出でリスクの質と量を見直し

オペレーショナルリスクを追加

銀行の監督に問題！

新新BIS規制（バーゼルⅢ）

・銀行監督の強化

不良債権

金融機関が融資をした後、融資先の経営悪化などで、貸したお金の利子や元本が、約束どおりに支払われず滞っている貸出金のこと。

借金を棒引きにするなんてとんでもない？ 確かにそうなのですが、返済が滞っている貸出金が停滞したままの弊害の方が大きいのです。

不良債権は、1990年代後半から2003年頃まで社会問題となりました。バブル崩壊や**デフレ**の影響で不動産等への貸付が返済不能になったことから、不良債権は残高を増やしました。不良債権を抱えた**金融機関**は、貸し倒れに備えて穴埋めのための資金を「引当金」という形で用意しなければなりません。返済不能になればこの引当金を取り崩し、損失として**決算**に計上します。また、引当金を積むと金融機関としての経営の自由度が劣るうえ、業績にも悪影響を及ぼします。

当時は、顧客からの貸付申し込みが不良債権となることを恐れた金融機関が、財務内容にさほど心配のない顧客に対しても貸付が消極的になってしまう「貸し渋り」も問題となっていました。

不良債権が金融機関を圧迫

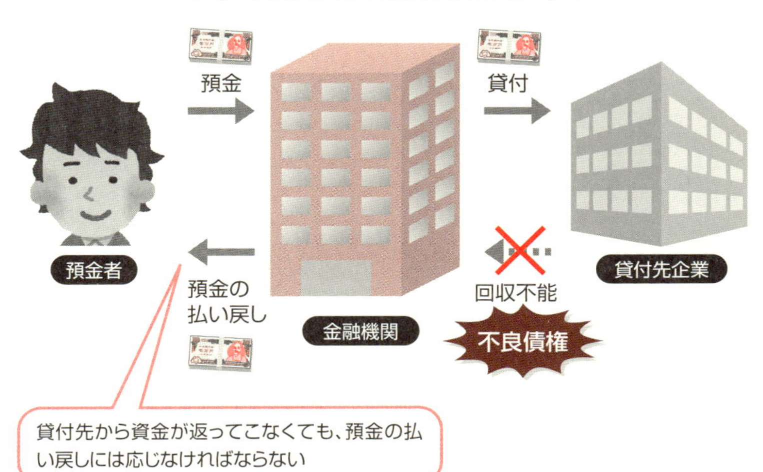

3-4 銀行には、どのような種類があるか？

銀行は、業務内容の特徴によって区分されています。

普通銀行 一般個人や企業から集めた資金を元に短期金融を営む銀行。具体的には都市銀行、地方銀行、第二地方銀行のこと。

預金通帳を廃止してWeb通帳にしたり、預金者から口座維持手数料を徴収したり。いよいよシビアになってきました。

普通銀行は、銀行法第2条第1項に規定される商業銀行で、融資を主な業務とする**預金取扱金融機関**のうちの1つです。普通銀行という呼び方は、**信託銀行**などと区別するような場合に使われます。

普通銀行は、規模や営業基盤などによって、**都市銀行**、**地方銀行**、**第二地方銀行**に分類されます。ほかに近年ではインターネットを営業基盤とする**インターネットバンキング**やATM事業を主とする銀行などが新業態の銀行として存在感を増してきています。

普通銀行の主な仕事

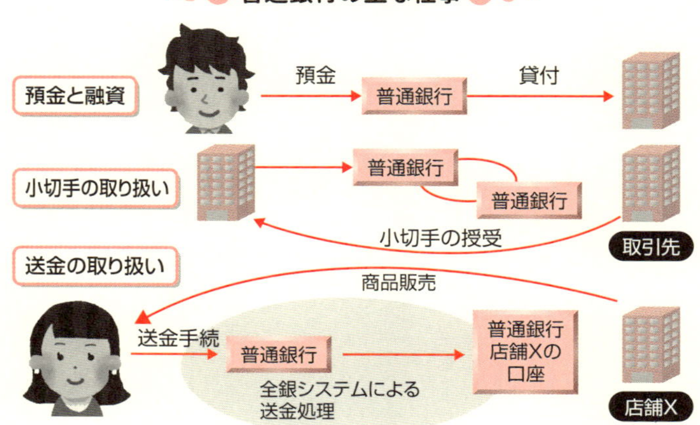

都市銀行

主に短期金融における事業を営み、大都市に本店を置き、全国に店舗がある銀行。顧客は個人や法人。「都銀」と呼ばれる。

金融ビッグバンが起こる前までは、都銀は13行もありました。ゆうちょ銀行は、民営化した今でも都市銀行とは呼びません。

都市銀行とは、東京や大阪などの大都市に本店を置き、店舗網が全国に広がっている銀行を指します。預金を資金源にして融資を行う**預金取扱金融機関**であり、短期金融を主業務とする**普通銀行**です。

とはいえ、都市銀行という枠組みにどの銀行を含めるかの判断は分かれているようです。**金融庁**の規定では、2021年12月現在の都市銀行は、みずほ銀行、三井住友銀行、三菱UFJ銀行、りそな銀行の4行です。一方、**日本銀行**や**全銀協**の統計では、金融庁の規定する4行に、埼玉りそな銀行を加えた5行を都市銀行として集計しています。

なお、メガバンクとは、都市銀行の中でも特に規模が巨大な銀行グループのことを指します。三菱UFJフィナンシャル・グループ、みずほフィナンシャルグループ、三井住友フィナンシャルグループが国内メガバンクの3大グループです。

3大メガバンクの合併・再編の歴史

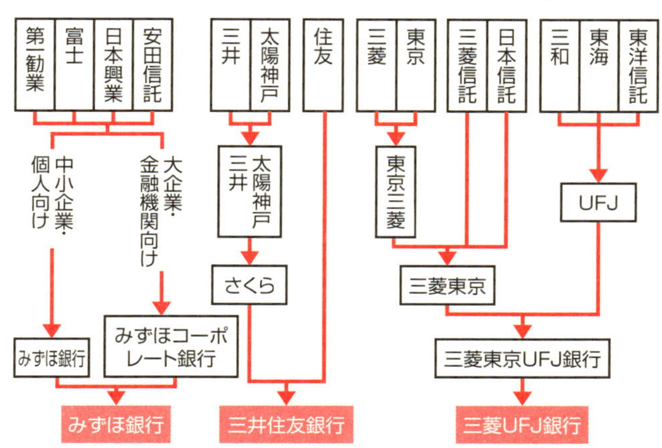

地方銀行

営業基盤を地方に置き、主に都道府県レベルで地域社会と密接に結び付いて金融事業を行っている、普通銀行。近年は、再編が進んでいる。

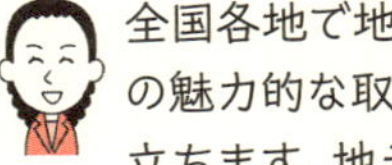

全国各地で地銀ならではの魅力的な取り組みが目立ちます。地元の特産品のブランド化支援など地域活性化のコーディネイター。

地方銀行は、預金を資金源に融資を行う**預金取扱金融機関**で、**日本銀行**では「全国地方銀行協会に加盟する銀行」と定義されています。全国地方銀行協会の定款では、加盟会員を「銀行法により免許を受けた銀行であって、主たる営業基盤が地方的なもの」と定めています。

地方銀行は、営業基盤のある地域とともに発展する**金融機関**として、利便性の向上や金融サービスを通して街づくりや地域経済の活性化に力を注いでいます。

地方銀行の中には、まさしく地域密着で地元企業や自治体の指定金融機関になり、強みを発揮している例が多くあります。地元でのATM端末台数に圧倒的な数を誇ったり、ユニークなビジネスモデルを看板にするなど、業務を拡大している地方銀行は珍しくありません。

地域密着型金融における企業支援の例

創業・新事業支援	・創業や新事業のための融資 ・起業育成ファンドへの出資 など
経営改善支援	・経営相談会等の開催 ・商談会等の開催 など
事業再生支援	・中小企業の再生計画策定 ・地域再生ファンドとの連携 ・劣後ローン など
中小企業に適した資金供給	・農畜産物や事業用車両、知的財産を担保とし、不動産担保や個人保証に過度に依存しない融資の実施 など

第二地方銀行

小規模の法人を対象とした融資業務を行っていた相互銀行などが、転換して普通銀行となった銀行。地方銀行と業務内容にほとんど違いはない。

消費者金融の自動契約機の語源である「無尽」は、相互銀行の起源。商工ローンのような役割から銀行に転換したのが第二地銀です。

第二地方銀行は、かつての相互銀行が**普通銀行**に転換したものがほとんどで、「第二地方銀行協会に加盟する銀行」と定義されています。預金を資金源にして融資を行う**預金取扱金融機関**です。

第二地方銀行は、営業基盤を地方に置く「地域金融機関」で、地域密着型金融を特徴としています。主に中小企業を顧客とする地域金融では、昨今の厳しい経済環境への対応が求められています。中小企業の資金繰り支援、起業・創業支援を目的とした地域ファンドへの出資、地域再生プロジェクトへの参画など、金融サービスを中核にしたビジネスサポートには期待が寄せられています。

金融庁が、地域金融を活性化するための規制緩和に乗り出しました。経営統合した地銀同士で、資金を自由に融通し合うことを認めています。これにより、地元の中小企業に融資を増やすことができます。

第二地方銀行と地方銀行の違い

長期信用銀行

長期の産業用資金を貸し出しするために金融債を発行して資金集めをする銀行。現在、日本国内には存在しなくなった。

「ワリチョー」「ワリコー」の満期のたびに、少しずつ資金を足して継続する顧客が大勢いました。バブル期の懐かしい光景です。

かつては、日本興業銀行、日本長期信用銀行、日本債券信用銀行の3行が**長期信用銀行**として存在していました。長期信用銀行では、「ワリチョー」「ワリコー」などの愛称で知られる**金融債**を発行して資金を集め、産業用の資金調達のパイプ役として、戦後から高度経済成長期には重要な役割を果たしていました。しかし、近年では事業会社が**社債**を発行するなど、資金を市場から直接調達するケースも増え、長期信用銀行が資金調達の役割を担う時代とは言えなくなりました。

日本興業銀行は、2000年9月に統合してみずほフィナンシャルグループになり、日本長期信用銀行は、新生銀行となった後に2004年4月に**普通銀行**になりました。2006年4月1日にあおぞら銀行（かつての日本債券信用銀行）が普通銀行に転換したことをもって、現在では長期信用銀行に分類される銀行は日本には存在しなくなりました。

長期信用銀行の役割の終焉

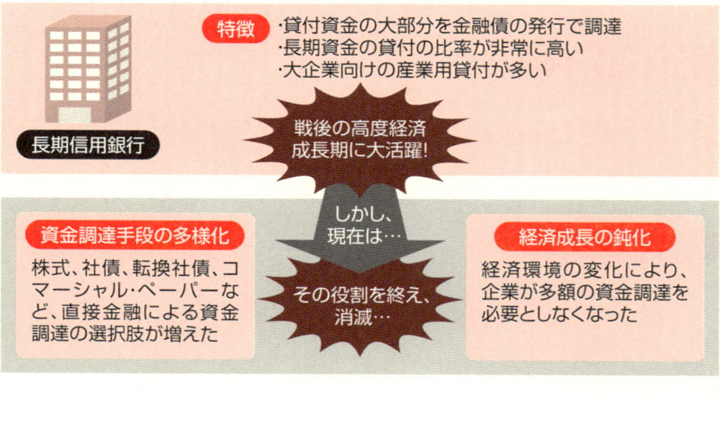

長期信用銀行

特徴
・貸付資金の大部分を金融債の発行で調達
・長期資金の貸付の比率が非常に高い
・大企業向けの産業用貸付が多い

戦後の高度経済成長期に大活躍!

しかし、現在は…

資金調達手段の多様化
株式、社債、転換社債、コマーシャル・ペーパーなど、直接金融による資金調達の選択肢が増えた

その役割を終え、消滅…

経済成長の鈍化
経済環境の変化により、企業が多額の資金調達を必要としなくなった

信託銀行

普通銀行の業務と、貸付信託や金銭信託など、顧客から預かった信託財産を管理・運用する信託業務の両方を営む銀行。

財産管理を強みとする信託銀行は、遺言信託、相続コンサルティング、事業承継、相続財産管理などの業務に力を入れる傾向です。

信託銀行とは、**信託**業務を取り扱う長期**金融機関**です。

信託業務は、**現金通貨**、**株式**、土地などの資産を預かり、本人に代わって資産を運用・管理します。信託法では、信託業務で受託する信託財産と、銀行が保有する固有財産の分別管理を義務付け、信託銀行の財務は信託勘定と銀行勘定の2つに分けられています。

金銭信託の「ヒット」は、委託者（顧客のこと）から預かった資金を手形割引や**有価証券**で運用し、収益を配当します（顧客は受益者でもある）。「年金信託」は、企業や個人からの年金基金の運用です。「土地信託」は、地主から依頼された業務代行としてビルや住宅の建設・管理・運用を行い、家賃収入から諸経費を引いて地主に配当します。

なお、2004年に改正信託業法が施行され、一般事業者も信託業務に参入できるようになりました。

信託銀行とは？

信託銀行

普通銀行の業務

信託銀行の業務

兼営

信託の引受
- 金銭の信託
- 有価証券の信託
- 金銭債権の信託
- 動産の信託
- 不動産の信託

など

財産の管理
- 処分等に関連する各種サービス
- 不動産関連業務
- 証券代行業務

など

全銀協

国内の都市銀行、信託銀行、地方銀行、第二地方銀行のほとんどが会員となっている組織。銀行業発展のための任意団体。銀行間の決済システムを持つ。

LIBORの不正操作問題を受け、TIBORを算出する全銀協は、公正性や透明性を高めるための改革に乗り出しています。

全銀協（全国銀行協会）は、国内で活動している銀行や銀行協会などを会員とする任意団体です。

全銀協は、日本の銀行業界の代表として、銀行業の発展のために、決済システムの安定的・効率的な運営や金融犯罪の防止のための活動を行っています。また、銀行業務に関する調査・企画や、様々な課題に関する政策提言・情報発信等の機能を担っています。従来からの銀行業の業界団体として銀行の利益向上を目指す活動に加え、現在では銀行業界全体のコンプライアンス意識の徹底や環境問題への対応などのCSR（企業の社会的責任）活動も手掛けています。

全銀協では、**短期金利**の指標として幅広く利用されている全銀協TIBOR（タイボー）の集計や公表を行っています。

全国銀行協会の活動

決済システム等の企画・運営
全国銀行データシステム、外国為替円決済制度、手形交換制度などの企画・運営

適正な消費者取引の推進
消費者保護、金融犯罪、多重債務問題、広告表示の適正化、個人情報保護等の対応など

社会貢献活動・コンプライアンスの推進
CSRへの取り組み、コンプライアンス推進、人権擁護の取り組み、調査研究活動など

銀行業務の円滑化
銀行業務・事務・経理の円滑化、税制改正要望、公的金融問題に関する提言など

インターネットバンキング

銀行の店舗に出向かずに、インターネットを使って取引ができるサービス。リアル店舗を持つネットバンクと持たないネットバンクがある。

不正送金の被害が拡大、ウイルス感染させるマルウエアやフィッシングが急増。防止には利用者のセキュリティ意識も重要です。

インターネットバンキングは、「オンラインバンキング」ともいい、インターネットを使った残高照会、送金指示、**投資信託**の買い付けなどの取引サービスです。スマホアプリでも取引可能です。携帯電話でできるサービスは「モバイルバンキング」、フリーダイヤルの電話で取引するのは「テレフォンバンキング」です。

インターネット専業銀行（「ネットバンク」とも言う）は、一般の銀行のように街の中に店舗を置くことなく、インターネットを通じてのみ、取引サービスを提供する銀行です。入出金は提携先のATMなどを使います。人件費を抑えることができるため、通常の銀行よりも預金金利を高く設定したり、**ローン**金利を低く抑えたりできます。

インターネットバンキングの仕組み

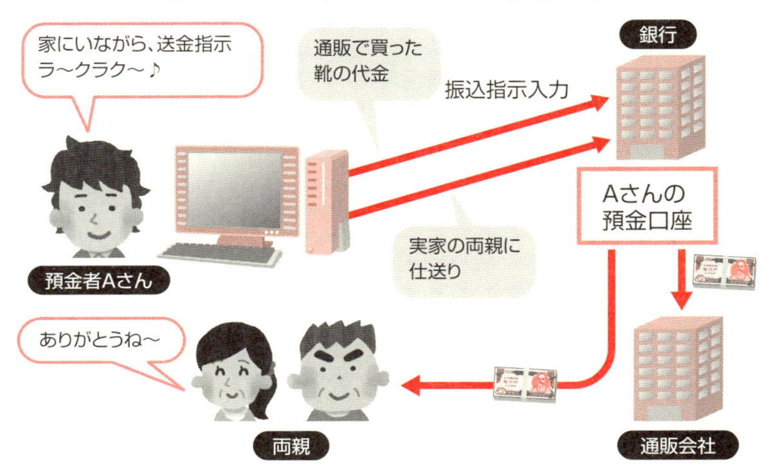

異業種の銀行参入

銀行業以外の事業会社が銀行業務に参入すること。業務開始から3年目までに黒字化が義務付けられている。

どんな商売もお金の出入りが伴います。小売業や携帯キャリアが顧客情報を活用して銀行業を手掛けたいのも理解できます。

2001年に銀行法が改正され、異業種から銀行業に参入できるルールが確立しました。流通業からの参入と商社やメーカーがタッグを組み、**インターネットバンキング**に参入する例が相次ぎました。

セブン銀行は、コンビニのセブンイレブン店舗内に設置したATMの手数料で利益を上げるビジネスモデルです。預金と**ローン**で収益を上げる従来の銀行とはまったく異なる収益構造で成功した事例です。イオン銀行は、従来型の銀行と同様、個人顧客の預金とローンが収益源です。グループ内のショッピングセンターやスーパーに銀行店舗を設けた対面サービスで、買い物のついでに立ち寄る層に絞った営業戦略が特徴です。

近年は**電子マネー**の普及拡大に伴い、**フィンテック**の事業者が金融業に参入する例があります。現金の流通量が減少し、異業種から参入しやすいことや、ビッグデータを扱うIT技術が金融業務に不可欠となっていることなどが背景です。

セブン銀行のビジネスモデルの概要

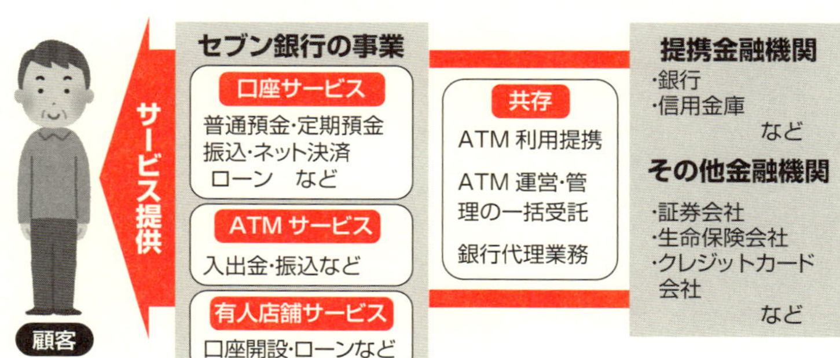

3-5 協同組合には、どのような種類があるか？

相互扶助の理念を掲げ、非営利で金融サービスを行う金融機関を紹介します。

信用金庫/信金中央金庫

信用金庫は、中小企業や地域住民を会員とする相互扶助を目的とした金融機関。信金中央金庫は、信用金庫の預金を運用する信金業界の中央機関。

信用金庫は普通銀行と違って、相互扶助の理念で設立された共同組織の非営利法人です。ただ単に小規模な銀行なのではありません。

信用金庫は、会員や地域社会の利益が優先です。融資は原則的に会員のみが対象です。預金は会員以外も利用できます。営業地域に在住か在勤、小規模の事業所を置く者が会員になれます。

信金中央金庫（信金中金）は、信用金庫からの預金と**金融債**の発行で調達した資金を、**有価証券**や貸出金で運用する**機関投資家**です。信用金庫の中央**金融機関**で、個人の口座は開設できません。

信用金庫と信金中央金庫は、**預金保険機構**の加入金融機関です。

信用金庫と信金中央金庫

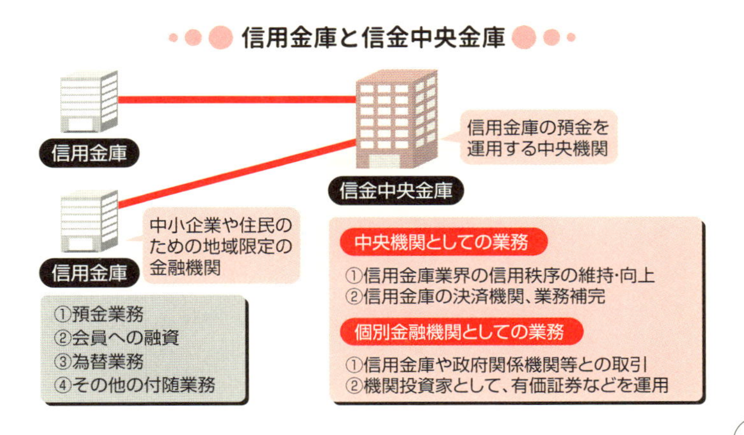

信用組合

相互扶助の理念で、地域の組合員が預金し合い、必要な融資を受ける協同組合組織の地域密着型金融機関。正式には「信用協同組合」と言う。

雨が降る時に傘を貸さず、晴れた日に貸したがる銀行に比べると、地元企業の困った場面で傘をさしてくれる頼れる存在かも。

信用組合は、中小企業や生活者のための**金融**を担う協同組合組織で、非営利の**金融機関**です。お金のない時代に仲間同士がお金を持ち寄って助け合ったことが起源で、相互扶助が理念です。組合員資格は、信用組合の営業地域在住または在勤者、小規模事業者やその役員です。組合員は、利用者であり運営者です。信用組合は**預金保険機構**の加入金融機関であるため、**外貨預金**などの保護対象以外の**金融商品**は、預金保険制度により保護されます。

なお、信用組合は**信用金庫**と同様に協同組織の金融機関ですが、根拠法や会員（組合員）資格が異なります。また、預金の受け入れについても、信用組合は原則として組合員が対象ですが、信用金庫は制限がないなど業務の範囲もやや異なっています。

信用組合、信用金庫、銀行の違い

	根拠法	組織	業務範囲
信用組合	中小企業等協同組合法、協同組合による金融事業に関する法律	組合員の出資による共同組織の非営利法人	預金 原則は、組合員対象。総預金額の20％まで員外預金も可 融資 原則は、組合員対象。制限付きで員外貸出も可
信用金庫	信用金庫法	会員の出資による共同組織の非営利法人	預金 制限なし 融資 原則は、会員対象。制限付きで員外貸出も可（成長して会員資格の範囲を超えてしまった場合には、卒業生金融もあり）
銀行	銀行法	株式会社組織の営利法人	制限なし

労働金庫　労働組合や生活協同組合の組合員が、お互いを助け合うために出資して作った共同組織の金融機関。全国に13の組織がある。

勤務先の労働組合と、労働金庫は直結しています。労働組合ごとに担当するろうきんの営業店舗がついています。

労働金庫は、「ろうきん」の愛称で親しまれ、営利を目的としない**金融機関**です。労働金庫の出資者は、労働組合等の団体会員や個人会員で、また労働金庫の利用者でもあります。労働金庫は、労働金庫法に基づいた働く人のための金融機関で、所轄官庁は**金融庁**と厚生労働省になり、共管による検査・監督を受けています。したがって、主務大臣も内閣総理大臣および厚生労働大臣です。

労働金庫が扱う**金融商品**は、預金や融資など**普通銀行**とほぼ同様ですが、詳細について労働金庫ごとに異なる部分がある場合もあります。労働金庫は**預金保険機構**の加入金融機関で、**外貨預金**などの保護対象以外の金融商品は、預金保険制度により保護されます。

全国の13労働金庫の営業エリア

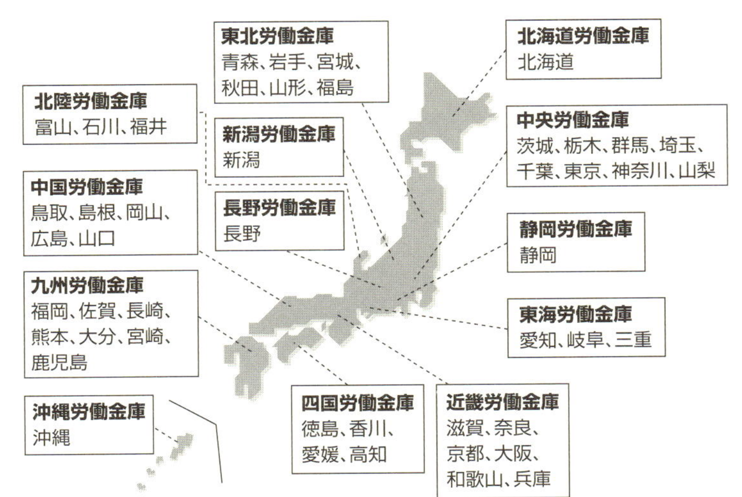

農協

農業者および小規模農業法人によって組織された会員の相互扶助を目的としている協同組合。JAバンクで金融総合サービス、JA共済で保障サービスを行う。

JAバンクの公式キャラクターが「よりぞう」。おっとりした性格で、頑張っている人に出会うと得意なチアダンスを踊って励ますそうです。

農協（**農業協同組合**）は、農業協同組合法に基づき、相互扶助の精神で事業を行う組織です。**金融機関**としては、生命共済や自動車共済などを扱う**共済**事業、貯金や**ローン**などの**金融**サービスを提供する信用事業を行います。また、組合員の農業経営改善や生活向上のための指導事業、農産物の集荷・販売や生活資材の供給を行う販売・購買事業、地域医療や福祉に貢献する厚生事業などもあります。

「JAバンク」は、農協（Japan Agricultural Cooperatives：JA）と信連（農協の事業運営をサポートする都道府県レベルの連合会組織）、**農林中央金庫**で構成するグループの名称で、1つの金融機関として信用事業を展開しています。JAバンクでは、普通貯金や定期貯金など4種類の貯金と**国債**や**投資信託**、**住宅ローン**やマイカーローンなどの融資と農家向けの農業融資、クレジット事業など、**金融商品**を幅広く取り扱います。

「JA共済」は、農協の理念「相互扶助」が事業活動の原点で、組合員や利用者に「ひと・いえ・くるまの総合保障」を提供しています。

農協の主な事業、農協の会員資格

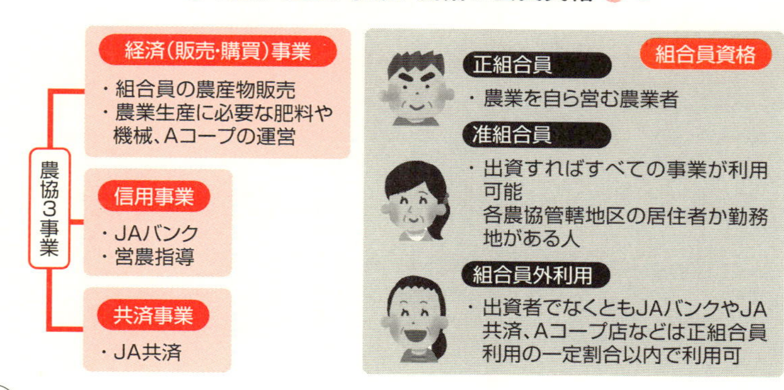

漁協

水産業共同組合の1つで、地域内の漁業者を構成員とする地区漁協と業種別漁協がある。JFと略され、金融業務はJFマリンバンクと名付けられている。

漁協のマリンバンクは「浜の金融機関」。全国の水産業を支えます。NHK朝ドラ「あまちゃん」では漁協に海女クラブがありました。

漁協（漁業協同組合）は、水産業協同組合法に基づき、相互扶助の精神で事業を行う協同組合組織です。**金融機関**としては、信用事業を行う全国の漁協、水産加工協、信漁連、**農林中央金庫**および全漁連で構成する「JFマリンバンク」、全国の漁協、水産加工協、JF共水連が運営する「JF共済」を運営しています。

JFマリンバンクでは、普通貯金や定期貯金などの貯金と、漁業者向けの制度融資や各種の**ローン**、**クレジットカード**事業などの金融商品を取り扱っています。

JF共済では、**医療保険**機能を持つ「チョコー」（普通厚生共済）、不慮の事故への備えや船員保険・労災保険の上乗せ保障として「ノリコー」（乗組員厚生共済）、**公的年金**に上乗せする年金共済、**火災保険**などの機能を持つ生活総合共済や火災共済などを取り扱っています。

JFマリンバンクが取り扱う金融商品

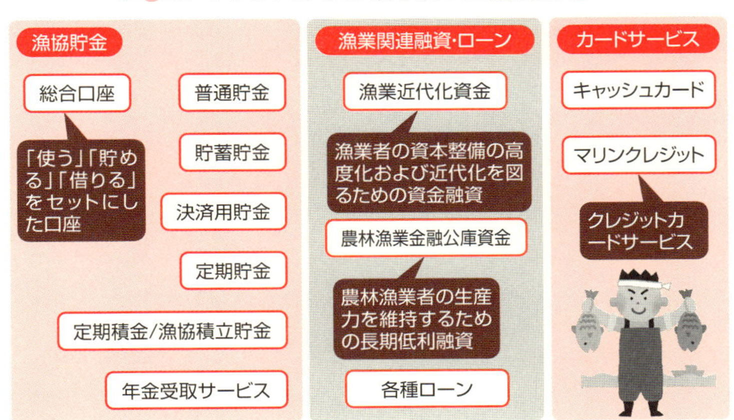

農林中金

農協や漁協など、農林水産業の協同組合や連合会などの団体を会員とする、共同組織の全国金融機関。政府の出資を受けない民間法人。

ウォール街で「ノーチュー」と言えば大御所。存在感のある機関投資家、いえ、政府系ファンドとして国際金融界で通用します。

農林中金（**農林中央金庫**）は、農林中央金庫法に基づいた**農協**、**漁協**、森林組合やそれらの連合会などの団体を会員とする共同組織の**金融機関**です。主な業務は、会員等に対する預金と融資、**有価証券**等への投資、農林漁業金融公庫などの代理業務、農林債の発行などです。

資金調達源は、主に会員団体や地方公共団体などの非営利法人からの預金と、農林債の発行、市場からの調達です。農林債は、現在、主に**機関投資家**向けに募集している利付農林債（5年）のみです。

かつて個人向けに発行されていた割引**金融債**「ワリノー」や利付金融債「リツノー」の募集は、2005年3月をもって終了しています。集められた資金は、国内外の**株式**や**債券**などの有価証券や**金銭信託**等での運用と会員団体等への貸し出しに利用されていました。

農林中金では、以前は**投資信託**を取り扱っていましたが、2014年11月末をもって新規の販売を終了しています。

農林中金の基本理念と主な業務

金融機能の提供を通じて会員とその構成員の経済的・社会的地位の向上を図り、農林水産業の振興に尽くすとともに、国民経済の発展に資するという使命を担う

主な業務

- ・会員や会員以外からの預金の受け入れ
- ・会員や会員以外に対する資金の貸付
- ・国内外の有価証券や市場性金融商品等への投資
- ・農林漁業金融公庫などの代理業務
- ・農林債の発行

出典 農林中央金庫 HP

ノンバンクとは何か？

融資業務を行いますが銀行ではないノンバンクとは、どのような金融機関なのでしょうか。

ノンバンク　預金業務をせず、融資が主業務の金融機関。銀行や金融市場から調達した資金を貸し出す。消費者金融、カード会社、リース会社など。

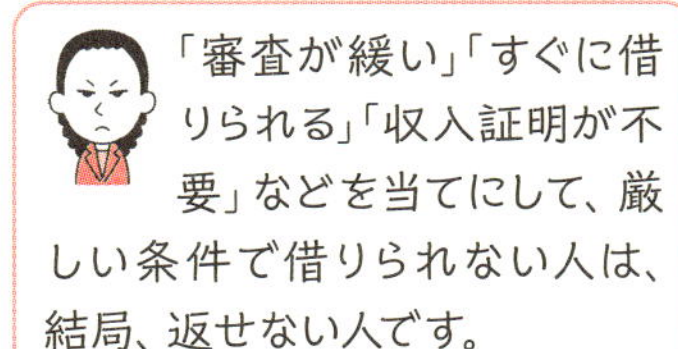

銀行や**信用金庫**などの**金融機関**の**ローン**は顧客から担保を取りますが、**ノンバンク**では借り手の信用力を担保に融資やショッピングの立て替え払いを行います。個人向けでは無担保の融資が中心で、利用時の審査が銀行より早く、返済方法を柔軟に変更できる利便性から**金利**は高くなっています。

ノンバンクは**金融市場**から集めた資金と銀行からの借り入れを元手にして融資業務を行っています。調達コストがかかる面でも高金利です。

主なノンバンクの種類と特徴

種類	特徴
消費者金融会社	無担保で消費者の信用をもとにお金を貸し付け。審査が早く、金利は高め。借入限度額は比較的少額
信販会社	無担保で消費者の信用をもとに、商品やサービスの購入代金を立替払い。返済は、一括と割賦（分割）
クレジットカード会社	後払いで消費者が商品・サービスを購入。カード会社は小売店に立替払い。返済は、決済日に銀行引き落とし。キャッシングも扱う
リース会社	物品、機械、設備などを長期間貸し出し（短期はレンタルということが多い）

消費者金融

信用を担保にした個人向けの小口融資。銀行やほかのノンバンクから借りた資金を消費者に貸し出すサービス。

銀行系のロゴマークが光る、子会社のキャッシングやカードローン。銀行本体にとっても取りこぼした顧客の受け皿として好都合。

消費者金融は、無担保の個人向け融資です。銀行や**信用金庫**などの**金融機関**が預金を資金源とするのに対し、消費者金融は**金融市場**からの調達以外に、銀行やほかの**ノンバンク**からの借り入れを資金源とするため、調達コストがかかる分、**金利**が高くなります。

消費者金融は、すぐにお金を借りたい人のニーズに合わせた審査スピードの早さが特徴です。融資申し込みや返済の方法が店頭、自動契約機、電話、郵送、インターネットなど多様で、返済方法を柔軟に変更できます。返済方法は、一括払いのほか、あらかじめ設定した借入限度額で自由に融資を利用できるリボルビング払いなどがあります。

貸金業者は、財務局長または都道府県知事への申請・登録が義務付けられています。お金を借りる際は、無登録業者に気を付けましょう。

消費者金融を利用する際の留意点

- ☑ 貸金業の貸金業者登録票が掲示されているかを確認する
- ☑ 日本消費者金融協会の会員かどうかを確認する

消費者金融は、財務局や知事へ申請し、登録番号をもらうことが消費者金融法で定められています!

契約書記載の借入金額・期間・利率・返済方法等はきちんと確認してください。また、契約書の写しや返済時の領収書は大切に保管すること!

- ☑ 契約書をよく読んでから署名する
- ☑ 不明な点は納得がいくまで説明を受ける

- ☑ 本当に必要な借入れかどうかもう一度よく確認する
- ☑ 返済計画をしっかりと立てる

借入額は、必要最小限の額で。また、無理のない返済計画を立てましょう!

リース業　主に高額な機械や情報機器などの設備を購入し、利用者である企業に一定期間、有料で貸し出す事業を行う。主に企業向け。

会社のパソコンやコピー機、スーパーのレジ、コンビニの冷凍・冷蔵棚、航空会社の飛行機……。実はこれらの多くがリースなんです。

日本国内で**リース業**が意味するのは、多くの場合「ファイナンス・リース」です。ファイナンス・リースは、リース会社が契約企業（利用者）の希望する新品の物品や設備を購入して、比較的長い期間貸し出すビジネスです。利用者は、リース期間中にリース料をリース会社に支払って物品や設備などを使います。リース期間中の物品や設備など所有権はリース会社にあり、リース期間終了後に利用者に移転するため、実質的には分割払いと同様です。契約期間中には解約ができません。

これらはファイナンス・リースの特徴で、レンタルや一般の賃貸借と異なる点です。一見、物の貸し借りに見えますが、利用者側が購入代金を分割払いしているようなものなので**金融**サービスとみなされ、リース業は**ノンバンク**の一種になるのです。

リースの対象になる物件、ならない物件

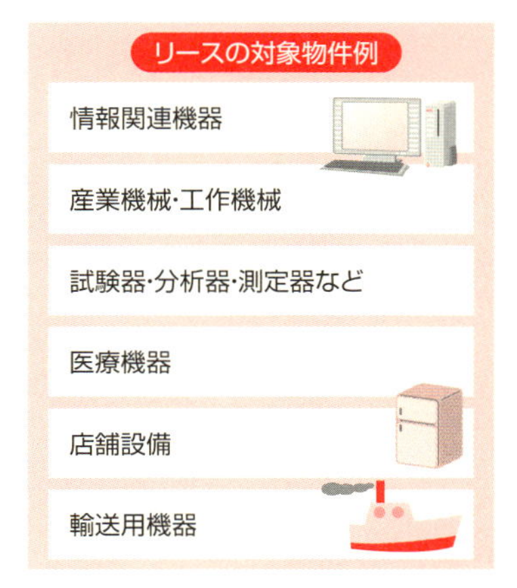

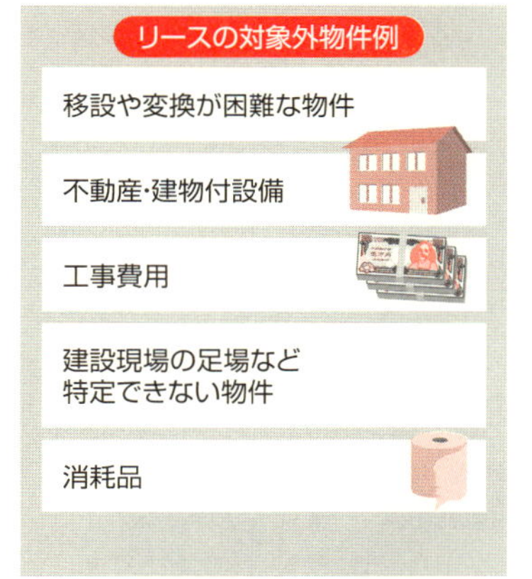

3-7 証券会社とは何か？

金融商品取引法により、証券会社の正式な名称は金融商品取引業者となりました。

金融商品取引業者

金融商品取引法に基づく、有価証券の売買等を営む証券会社や、投資助言を行う投資顧問会社、金融先物取引業、投資ファンドなどの呼称。

「上場間近」「値上がり確実」「強いコネで入手」「あなただけに特別に譲渡」と言う人は、金融商品取引業者ではないですからね！

金融商品取引業者は、2007年9月施行の**金融商品取引法**で新しく定められた、金融商品取引業を営む事業者です。内閣総理大臣の登録を受け、**金融庁**の監督下に置かれています。金融商品取引業者は、業務内容により、下の図のように4つに区分されています。

金融商品取引業者には、顧客に登録業者だということを知らせるため、業務の種別を記載した標識を営業所または事務所ごとに掲示し、顧客に登録業者だと知らせること、**金融商品販売法**に基づく「勧誘方針」を策定・公表することが定められています。

金融商品取引業者の種別

証券会社

有価証券の売買の取り次ぎ、自己売買、引受、募集・売出という証券業を営む株式会社。法律上の名称は金融商品取引業者。

証券会社は、資産を「預ける会社」というよりも、資産の「取引を取り次いでもらう会社」です。売買の窓口といったところですね。

2007年9月30日施行の**金融商品取引法**で、**証券会社**は**第一種金融商品取引業者**となりました。とはいえ、業界内で慣れ親しんだ「証券会社」という呼称は当面、使用しても良いこととされています。

証券会社は、内閣総理大臣の登録を受けて、証券業を営む株式会社です。主な業務は、**有価証券**の売買の取り次ぎ（ブローカー）、自己売買（ディーラー）、引受（アンダーライター）、募集・売出（ディストリビューター）です。これらは、会社の**資金調達**に関わり、資本主義社会の重要な役割を担っています。

発行市場では有価証券を発行する国や自治体、会社の資金調達のアドバイスと有価証券の発行、**流通市場**では投資家同士が有価証券を売買する際の取り次ぎなどを行っています。

証券会社の役割

事業資金を出してください!
会社
証券の発行
発行市場
証券会社
募集
売出
オッケー! がんばれよ!
投資家
換金する時
オーナーを代わってくれないか?
流通市場
オッケー!
売りの投資家
売買の取次
証券会社
証券会社
売買の取次
買いの投資家

オンライントレード

証券会社の店舗に出向かなくても、インターネットを使って証券会社に委託注文の発注などの取引ができるサービス。

一時期、インターネット証券が手数料引き下げ競争を繰り広げていましたが、最近では特色あるサービスに注力するようになりました。

オンライントレードは、「インターネット証券取引」「ネット取引」などとも呼び、一般的に**売買委託手数料**や保護口座管理料が低額か無料の証券取引です。スマホアプリでの取引も増えています。

インターネットを通じて、投資家の注文は**証券会社**に委託され**証券取引所**で売買が行われます。また、**株価**や企業情報、**株価チャート**分析など投資情報を手に入れることも可能です。

これに対して、リアル店舗を構えた証券会社での取引は、「対面取引」です。対面取引の証券会社がオンライントレードサービスも提供するケースと、オンライントレード専業の証券会社があります。

オンライントレード専業の証券会社では人件費が抑えられるため、破格の売買委託手数料で取引ができるところもあります。オンライントレードでは、手数料や管理料の安さだけでなく、取引の命でもあるサイトの画面構成や注文発注のシステムが充実しているか等もよく吟味してから、証券会社を選ぶことが賢明です。

オンライントレードの仕組み

3-8 保険会社とは何か？

契約者との保険料を将来の保険金や給付金のために運用するという意味で、保険会社も金融機関です。

保険会社 保険業法に基づいて、内閣総理大臣の免許を受け、保険事業を営む会社のこと。保険契約上、保険者と呼ばれる。生命保険会社と損害保険会社の2種類がある。

保険選びは、保険会社選び。保険会社の財産は、契約者が払い込んだ保険料です。保険金を受け取るまで大切に運用してくれなくちゃ。

保険会社の免許には、**生命保険**業免許と**損害保険**業免許があります。保険会社は、株式会社または**相互会社**でなければなりません。生命保険会社は、人の生命や疾病による経済損失に対し**受取人**に**保険金・給付金**を支払う約束をし、**保険料**を受け取ります。

損害保険会社は、事故や災害などによる損害に対し保険金・給付金を支払う約束をし、保険料を受け取ります。保険代理店は、保険会社から保険商品の販売を委託され、保険会社を代理して契約者と保険契約を締結し、保険料を領収する業務を行う個人事業主や法人です。

保険会社の経営指標契約

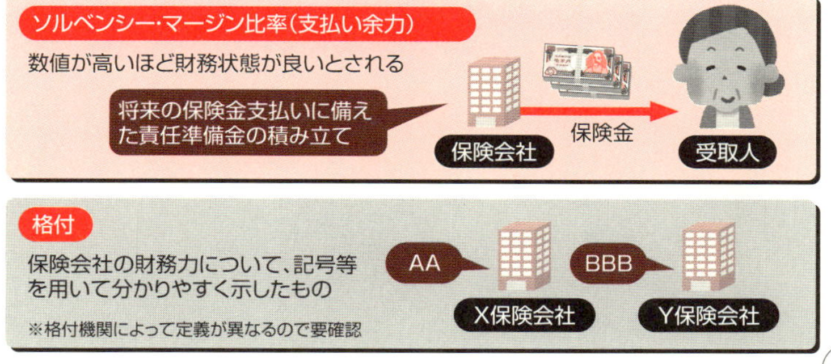

相互会社

保険業を行う目的で設立され、保険契約者をその社員(構成員)とする社団法人。保険会社にしかない独自の経営形態の会社組織。

相互会社の社員は、保険の契約者。社員代表が経営します。営利も公益も目的にしないという、なんとも中途半端な経営形態です。

相互会社は、保険業法に基づいて設立された非営利法人です。目的は、社員にできるだけ安い**保険料**で保険契約を提供することです。相互会社の形態では、**保険契約者**（**無配当保険**を除く）が社員です。この社員は相互会社の構成員であり、株式会社でいう株主のようなものです。利益は社員（契約者）だけに還元されます。現在の保険業法では、社員（契約者）の責任は保険料が限度で、相互会社の構成員として運営上の意見や要望を述べる権利を持ちます。

相互会社の最高意思決定機関は、社員総会です。社員総会は、株式会社でいうところの**株主総会**にあたり、**決算**書類の報告のほか、利益処分や役員の選任などが審議、決議されます。社員が多すぎて社員総会の開催が難しい場合、社員総会に代わる機関として、社員から選ばれた総代をメンバーとする総代会を設けることもできます。

相互会社は株式会社に組織変更することもできる

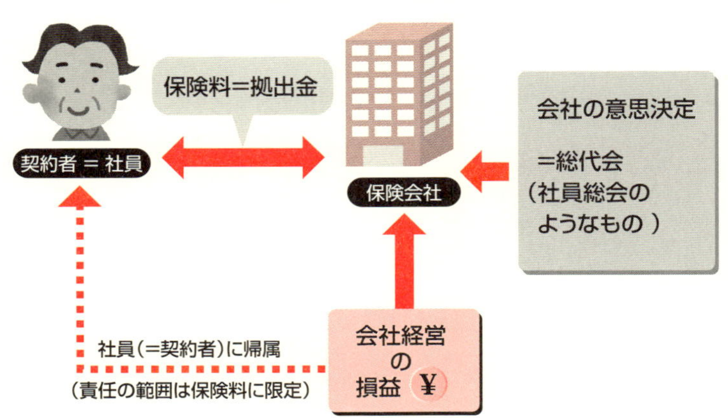

共済 農協、生協などの組合や各種共済団体が、その組合員と家族の生命や財産への災害を主な対象にした相互扶助の制度。掛け金を支払い、万が一の事態に備える。

「民間の保険会社の保険より共済の方が割安」という意見もあるようですが、じっくり比較して結論を出した方が良いですよ。

共済とは、**農協**、**漁協**、生活協同組合などの組合組織や各種共済団体が行っている相互扶助の制度です。それぞれの組織の組合員と家族などを主な対象者にし、生命や財産などに対して被る災害への備えのために設けられています。一般の**保険会社**による**生命保険**事業や**損害保険**事業と同様の商品が用意されています。基本的に加入方法が簡単で、掛金が低い傾向にあります。

なお、共済には、「農業協同組合法」や「消費生活協同組合法」などの根拠法のある共済のほかに、根拠法のない「無認可共済」と呼ばれる、保険業に該当しない共済がありました。保険業法が適用されず、トラブルが多発していたことから、法律が改正され、無許可共済は**少額短期保険**業者として登録制になりました。いずれにしろ、加入にあたっては、その共済の信用力などをよく確認するようにしましょう。

主な共済組合

農業協同組合（JA共済）	全国労働者共済生活協同組合連合会（全労済）	日本生活協同組合連合会（Co-op共済）
農業協同組合法	消費生活協同組合法	消費生活協同組合法
･農家以外の地域住民でも利用可 ･生命共済、建物構成共済、自動車共済 ･ほかに金融、農産物販売、医療など、総合的な事業展開も	･厚生労働省認可 ･各都道府県に47の共済生協、職域ごとの生協、生協連合会 ･出資金を払い込めば組合員になれ、各種共済が利用できる	･地域、職域、学校など生活に密着した分野 ･全労済と協定を結んだCo-op共済 ･ほかに生鮮食品、家庭用品などの供給事業、旅行事業なども

生保の株式会社化

1996年施行の改正保険業法に基づき、相互会社の運営形態だった生命保険会社が、株式会社に組織変更すること。自己資本の充実が要求されていることが遠因。

ノホホンと生命保険に入っていた契約者が、株式会社化で突然、株を持つことになって右往左往。しっかり勉強してください。

実は第二次世界大戦前は、日本の**生命保険**会社のほとんどが**株式**会社でした。戦後、生命保険会社は相互扶助の精神の下、営利を目的にせずお互いのための組織として**相互会社**の形態をとり、営利目的の株式会社とは一線を画してきました。

しかしバブル崩壊後、保険経営が厳しくなってくると、経営再建のためにスポンサーが求められるようになりました。**自己資本**の強化には資本提携やM&Aで資本調達の環境を整える必要性が出てきたため、2000年に保険業法が改正され、株式会社への組織変更をする生命保険会社が相次いだのです。

相互会社が株式会社に組織変更すると……

相互会社が株式会社に組織変更

相互会社の社員
- ➡株主になる
- ➡新たな株式会社の保険契約者になる

株式会社化のメリット

- ・資本を得やすい
  - ➡経営再建でスポンサーが付きやすい
- ・成長、発展の可能性が高まる
- ・経営の透明性が高まる

株式会社化のデメリット

- ・利害関係者が増える
  - ➡契約者以外の株主が増える
  - ➡保険の契約者配当と会社の株主配当の利益相反
- ・手続きにコストがかかる
- ・株価を意識した経営の視点が入る

第4章

金融商品に関する用語

本章では、金融商品の基礎と預貯金、債券、投資信託、外貨建て金融商品、デリバティブ、ローン、株式投資、保険商品に関わる用語を解説します。

4-1 個人資産の運用方法には、どのようなものがあるか？

高齢化社会の到来や公的年金への不安などから、資産運用が以前より身近なものになってきました。

ファイナンシャル・プランナー

顧客が描く人生設計に基づいたお金の出入りについて、将来の予測を元に見積もり、実行可能な人生計画を立てるサポートをする人。

マニアックな節約術を教えたり、ローンや保険を販売したりしていると思われがちですが、お金の面の生活設計をしています。

価値観が多様化し、人生の夢や好みが一人ひとり違うという時代を迎えています。その一方で、日本経済は不透明で、自分の将来を描きにくい時代でもあります。人生を楽しく順調に歩むためには、明確な価値観や目標を持ち、それに必要な資金額を確認することです。

こうした予測、計画立案を行うことを「ファイナンシャル・プランニング」と言います。そして顧客が自ら行う計画立案を、豊富な経験を元にサポートする職業が**ファイナンシャル・プランナー**（**FP**）です。

ファイナンシャル・プランニングの手順

①人生を通して自分のやりたいことを思いつくまま挙げてみる
→ ②それらは、いつ頃、いつから、いつまで、やりたいのか年表にする
→ ③それらにいくら必要か調査をしたり考えて、予算を決め、年表に加える
→ ④継続的に出入りするお金を将来にわたって予測し、年表の各年に記入する
→ ⑤各年の収入の差し引き残高を貯蓄額として毎年累計する
→ ⑥一生の分の年表で、資金の足りない時期があれば、対処の方法を考える
→ 人生プランの完成

マイナンバー制度

住民1人に1つの番号を付け、個人情報を一元的に管理する制度。社会保障、税、災害対策等で利便性が高まると期待される。

マイナンバーの不正利用、悪用を心配する声も。安心して使えるための法的措置もありますが、自分自身で厳重な管理も重要です。

マイナンバー制度（社会保障・税番号制度）は、2016年1月から利用されている、個人情報を効率的に管理する制度です。住民票の登録がある国民1人に対し、12ケタの個人番号が付与されています。番号は一生変わりません。

マイナンバーは、年金、医療、ハローワーク、福祉等の社会保障と、確定申告等の税、被災者支援等の災害対策の3つの分野で法律に定められた行政手続きについて使用されています。証券や**金融商品**の納税においては、**金融機関**が個人に代わって手続きを行うため、投資家が金融機関にマイナンバーを提示する必要があります。また、給与からの源泉徴収税についてもマイナンバー制度を利用するため、勤務先にも提示することになっています。

マイナンバーを使用する場面

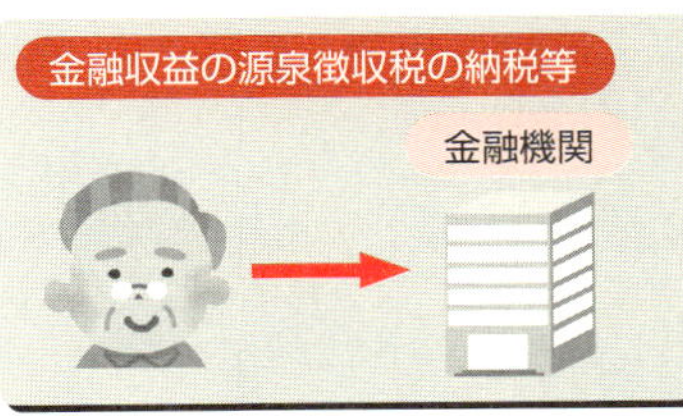

アセットアロケーション

投資家それぞれが取れるリスク許容度やライフプランに応じて、様々な資産の中から最適な預け先や投資先を選び、配分する方針のこと。

たまに、儲かりそうなものばかりを取りそろえて資産配分をする人がいます。そういう人ほど、予想が外れて大変な目に。

アセットアロケーションは、資産運用の基本です。**金融商品**をはじめとした資産は特徴に応じた利用をしないと、予想外の損失を被ったり必要な時に資金が使えなくなったりすることがあります。

私たちが預けたり、運用したりしているお金は、ライフプラン上の様々な出来事に必要なお金です。ライフプランは一人ひとり異なります。収入と支出、保有する資産もおのおの違います。個々を取り巻く状況や**リスク**許容度を踏まえたライフプランに応じて組み合わせた最適な資産配分と、定期的な見直しや**リバランス**が必要です。

資産形成は、**ポートフォリオ**全体で考えましょう。金融商品がそれぞれ価格変動をしても、性格の異なる金融商品にバランス良く**分散投資**されていれば、中長期的にリスクは低く抑えられます。

アセットアロケーションを構成する代表的な6つの要素

要素名	運用方法	特徴
流動性資金	普通預金、MRF	いつでも自由に出し入れができる
国内債券	日本の国債や社債	比較的時価の変動が大きくなく、定期的な利子収入がある
海外債券	米国債など世界の債券	為替の変動による影響を受け、金利水準は現地に準ずる
安全性の高い預貯金	定期預金など	換金に制限あり。元本保証だが、物価上昇に負けることも
国内株式	日本の株式	日本の企業や景況感で時価が変動するが、物価上昇に強い
海外株式	世界各国の株式	為替の変動や、現地株式市場の株価変動による影響を受ける

リバランス

運用を始めてから時間が経過し、資産価値の変動でポートフォリオ内の配分が変わってしまった場合に、元の比率に戻す作業。

運用対象を選ぶ時は熱心に研究をするけれど、一度買ったら目もくれず……という方もお見受けします。時にはメンテナンスを。

ポートフォリオは、作って終わりではありません。作りっぱなしでは最適な状態を保つことができないのです。

自分が希望する運用に沿って**金融商品**などを選んで組み合わせたものの、ポートフォリオの価値は、持ち続けているうちに経済環境や相場の影響を受けて、変動していきます。ある資産が値上がりし、別の資産が値下がりすれば、ポートフォリオ内の配分比率が変わります。これを当初の配分比率に戻す作業が**リバランス**です。

具体的には、価値が増えた資産の一部を売却・解約し、価値が減少した資産を買い増します。これを踏まえると、**投資信託**のように少額で取引できる資産は、部分的な解約や小口の買い増しができ、リバランスを行いやすい金融商品と言えます。ただし、購入手数料等を考慮すると、頻繁なリバランスはコスト負担がかかり逆効果になることもあります。

リバランスとは？

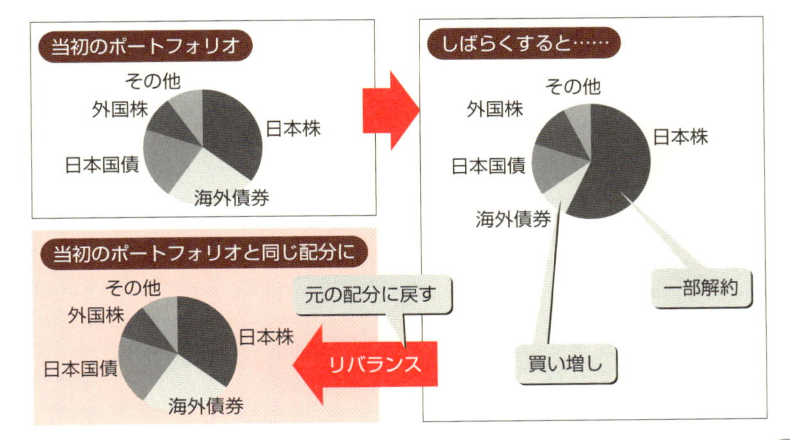

リスク

ある程度の可能性で起こりそうなことだが、どれだけの確率で起こるかが不確実なこと。不確定要素。

投資家自身の心が揺れて投資判断がブレる……それも1つのリスクかもしれませんね。

一般に**リスク**というと、日本語では「危険」という意味にとられがちですが、資産運用の世界でのリスクは、「不確定要素」のことです。「利益が得られそうだが、その通りに利益が得られるか、それ以上になるか、それとも損失を被るか、その時になってみないとどうなるか分からない」というニュアンスを含みます。

より大きなリターンを得ようとするならそれに見合うリスクが伴います。リスクが小さければリターンも小さく、リスクが大きければリターンも大きいという関係にあるのが通常です。投資や資産運用をする際には、それぞれの**金融商品**が持つリスクをよく確認しましょう。自分が負えるリスクの範囲を知っておくことも大切です。

資産運用における主なリスク

リスクの種類	リスクの内容
価格変動リスク	金融商品の価値が市場の需給関係などの影響で変動し、購入時よりも時価が下落することもある
信用リスク	預金先の金融機関、債券や株式の発行体、保険契約の保険会社の経営状態が悪化し、元本や契約した保険などが受け取れなくなることもある
流動性リスク	換金したくても、規制や買い手がいないために利用している金融商品を換金できないこともある
為替変動リスク	外国為替相場の変動を受ける金融商品の場合、購入時の元本より時価が下落することもある
インフレリスク	預け入れた金融商品の金利が、預け入れ期間における物価上昇よりも低かった場合、その物価の上昇により、お金の価値が目減りすることがある

分散投資

資産運用の際に、タイプの違う金融商品に分けること。異なる地域や通貨、種類の違う金融商品、タイミングをずらすなどの方法がある。

「儲かりそう」と「儲かりそうにない」の組み合わせも立派な分散投資。読みが外れて儲かりそうになかった銘柄で助かることも。

金融商品の特徴は様々です。安全性、流動性、収益性の性質や程度が違うものを金融商品から選び出し、組み合わせて**分散投資**することで、**リスク**を抑えられます。その結果、投資のトータル・リターンのブレが小さくなり、全体として安定的な運用結果が得られます。

例えば、**株式**と**債券**のように異なる性質の金融商品を組み合わた運用は、それぞれのリスクをお互いに打ち消し合うことができ、個々の運用対象を単独で利用するよりリスクが軽減されます。

リスクを分散する方法

分散の方法	内容	効果
金融商品の分散	株式、債券、預貯金、不動産投資信託など多様な金融商品をバランスよく保有	特定の金融商品の価格変動などの影響を抑える
時間の分散	購入予定資金の全額分を一度に購入するのではなく、タイミングをずらして購入	購入するタイミングで価格や金利が違うので、買付価格や申込時の金利が平準化する
国際分散	債券や株式、投資信託の対象となる国や地域の異なる組み合わせ	国ごとに政治や経済の環境が異なっていることがリスク分散になる
通貨の分散	投資家本人の暮らす国の通貨だけではなく、複数の通貨を通じた金融商品への投資	自国通貨や特定の通貨の価値が下落した場合の資産保全

ポートフォリオ

いくつかの金融商品や不動産などを組み合わせて分散投資した時の、投資先や預け先の運用一覧のこと。資産構成。

ポートフォリオを組むためには、資産の使い道や使う時期、取れるリスクなどを考える必要があります。

そもそも**ポートフォリオ**とは、「書類カバン」を意味する言葉で、書類をカバンの中に分け入れることが語源です。転じて、資産運用において、いくつかに**分散投資**された資産や銘柄の組み合わせのことを言います。投資家の持つ「資産一覧表」といった意味合いで使われます。保有資産の明細を指すだけでなく、資産全体をひとまとめにした意味で使われることがあります。

同じ時期に投資をしても、ポートフォリオ内の資産の組み合わせが違えば、運用成果は異なります。

「ポートフォリオ理論」とは、投資家の**リスク**許容度とリターンへの期待の大小に応じて、その投資家にとって最も効果的な資産配分の組み合わせを実現させる方法論のことを言います。

分散投資をしたポートフォリオの効果

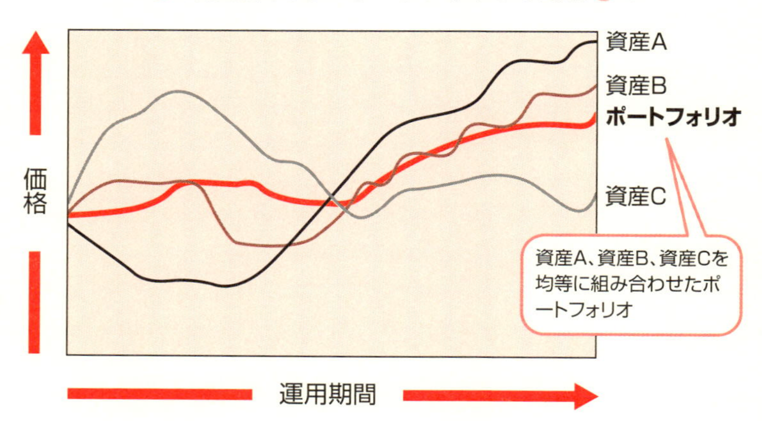

資産A、資産B、資産Cをそれぞれ単独で保有しているよりも、ABCを組み合わせたポートフォリオは、価格変動が小さくなる

積立投資

投資信託や株式などを、毎月など定期的に継続して購入すること。「ドル・コスト平均法」が代表的。

「投資は安い時に買わなければ」なんて言う人ほど、買うタイミングを逃すから、積立投資をしたら？

金融商品をまとまった金額で購入するのではなく、決まった金額を定期的に買い付けていく方法です。対象は、**投資信託**や**株式**、**外貨預金**など、値動きのある金融商品を指していることが多いです。1回の積立金額は数千円が一般的。購入のタイミングは、毎月決まった日付など、自動引き落としで契約するケースがほとんどです。銀行の普通預金口座や、**証券会社**の**証券総合口座**専用の投信である**MRF**からの引き落としのほか、給与天引きなどで利用できる場合もあります。

積立投資は、まとまった金額で一度に投資をするよりも、購入する元本の価格変動**リスク**を抑えられます。また、日常の生活に負担がない金額での積立投資は、ライフプランに合わせた資産形成ができます。

まとめ買いと積立の違い

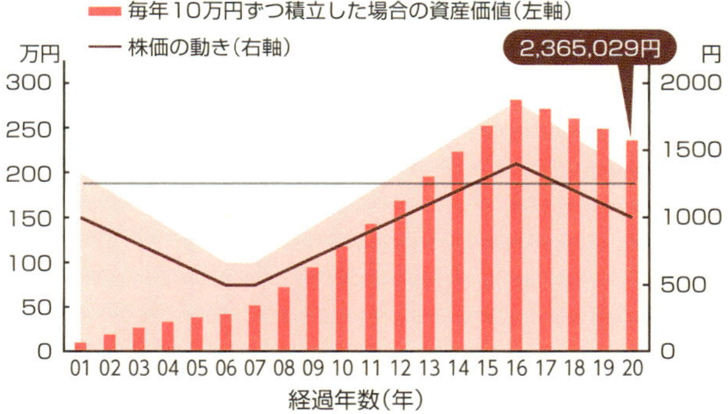

20年間、株価は下げた後に元の1000円に回復したと仮定。1年目に200万円を投資した人は、株価の動きに連動して資産価値も変動するが最終的には200万円。毎年元本10万円ずつ20年間積立投資をした人は、値下がりした頃の積立分が効いている（課税前）。

ドル・コスト平均法

株式や投資信託など価格が変動する金融商品に、定期的に毎回同じ金額を継続して投資する方法。

ドル・コスト平均法で積み立てをしても、見込みのない投資対象だった場合は要注意。値下がり続ければまったく意味がありません。

ドル・コスト平均法は、値動きのある**金融商品**を毎回同じ金額で購入するため、買い付けできる数量が1回ごとに異なります。数量に端数が出ることがほとんどです。金額を固定させると、価格の高い時には少しの数量しか買えません。しかし、価格の安い時には多くの数量を買うことができます。その都度これを続けていくと、結果的に平均購入価格が安い価格の方により近くなります。

ただし、元本の価格変動のある商品で行いますから、平均購入価格を安く抑えることができたとしても、その後の価格が低迷していたら意味がありません。単なる積立貯蓄の感覚で投資するのではなく、企業業績が悪化していないか等の定期的なチェックも必要です。

ドル・コスト平均法と一定数量買い付けの差

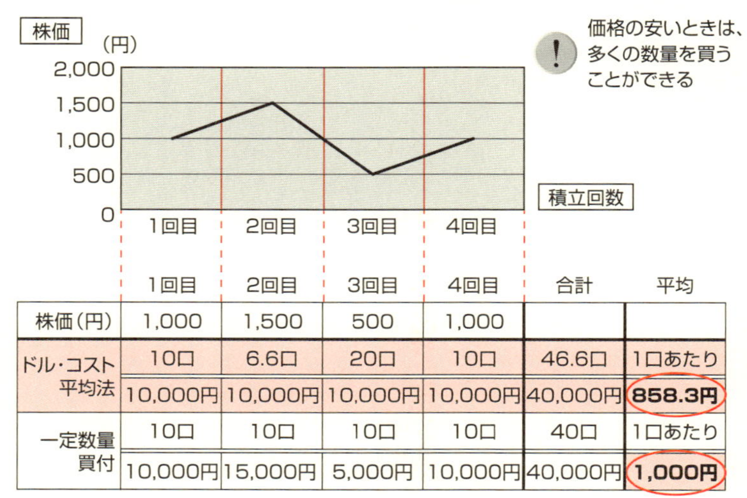

	1回目	2回目	3回目	4回目	合計	平均
株価（円）	1,000	1,500	500	1,000		
ドル・コスト平均法	10口	6.6口	20口	10口	46.6口	1口あたり
	10,000円	10,000円	10,000円	10,000円	40,000円	**858.3円**
一定数量買付	10口	10口	10口	10口	40口	1口あたり
	10,000円	15,000円	5,000円	10,000円	40,000円	**1,000円**

ラップ口座

個人投資家が、金融商品取引業者と資産の運用や管理を一任する契約を結んで総合的に運用を任せるための口座。

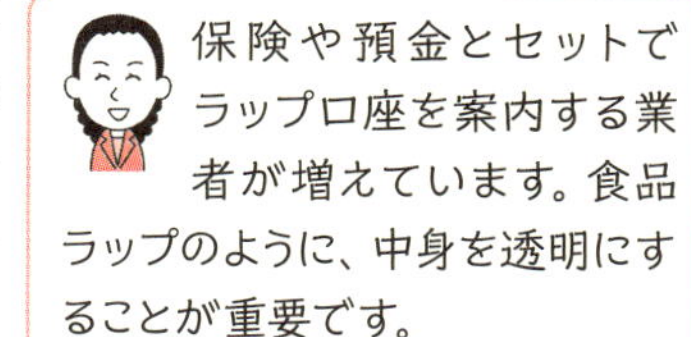

「ラップ（wrap）」は「包む」という意味です。資産をひとまとめにして顧客資産の運用や管理を業者に任せることを「投資一任契約」と言います。日本では、証券取引法の規制緩和（かんわ）で本格的に普及しました。現行法の**金融商品取引法**では、投資運用業者および投資助言業者として**金融庁**に登録している業者が営めるサービスです。**証券会社**や**信託銀行**などで行っており、最近では数十万円から利用できる業者が増えました。

投資一任契約を結ぶ際には、まず顧客の要望や運用方針を明確にし、それに基づいた資産運用プランを作成します。すべての投資判断や売買注文の発注は、業者の判断で行います。

売買のたびに委託手数料を支払う必要はなく、費用は運用資産残高に応じた手数料および成功報酬との2本立てが一般的です。

ラップ口座の開設手順

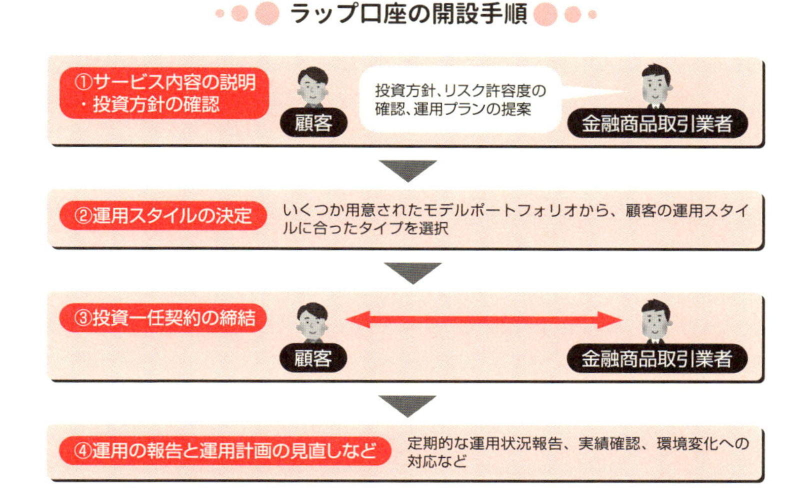

プライベートバンキング

金融機関が個人の富裕層の財産について、資産運用や管理、必要な情報提供、手続き代行などの質の高いサービスを総合的に提供する業務。

資産や事業の次世代への承継や不動産の運用・管理に関するコンサルティングをウリにしています。私には縁がなさそうで(笑)。

一般に**プライベートバンキング**は、通常の銀行の一部門としてのプライベートバンキング業務を指し、プライベートバンクといった時は、プライベートバンキング業務に特化した銀行を指します。

もともとプライベートバンキングは、15世紀の欧州の大富豪のためのサービスでした。現代でも富裕層（資産家）向けの資産運用・管理のサービスを指します。内容は、**株式**や**債券**などへの投資、不動産の運用・管理、保険・年金などのコンサルティング、相続対策や事業承継、税金対策など幅広い情報提供と管理・運用です。顧客の資産の状況や家族構成、ライフプランに応じたオーダーメイドの総合的なコンサルティングを行います。また、必要に応じて税理士、弁護士、公認会計士、不動産鑑定士など専門家とも連携します。

銀行をはじめ、**証券会社**などがプライベートバンキング業務に参入し、収益拡大のチャンスとして取り組みを強化してきています。

日本のプライベートバンキング業務の例

- 資産運用、資産管理
- 不動産の管理、不動産活用
- 相続、事業承継コンサルティング
- 海外投資
- リスクマネジメント
- 資金調達

税理士と連携

弁護士と連携

会計士と連携

オフショア市場

国内の市場と切り離し、規制を緩めて、非居住者(外国企業や外国政府など)の自由な資金調達や金融取引ができるようにした国際金融市場。

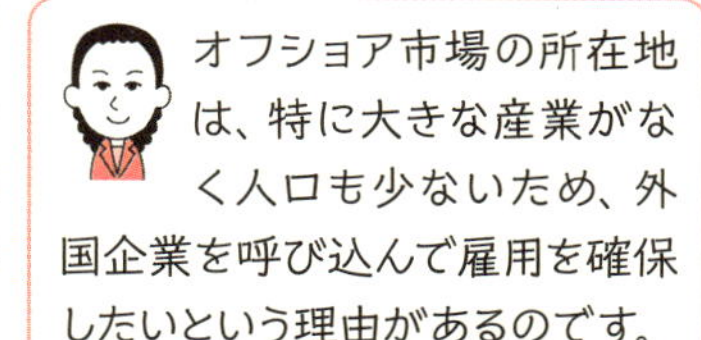

オフショア市場は、税制や為替の管理などの規制を緩めた特別区域です。非居住者（外国人）から資金を集め、非居住地（外国）に投資をする「外ー外取引」を可能にした国際金融市場です。オフショアは「海岸から離れた」という意味で、国内市場と切り離された自由な取引になります。法人税率を低くし、外国企業を誘致する**タックス・ヘイブン**は代表的なオフショア市場の1つです。オフショアは違法ではありませんが、富裕層の節税に使われることが多く、問題視されることも少なくありません。

財務大臣の承認を得てオフショア勘定を設けた**金融機関**は、非居住者との間で、預金や貸付、証券取引が行えます。1986年に開設された「東京オフショア市場」では、資金を貸し出す側が提示する**金利**をTIBOR（タイボー）と言い、金融機関が資金調達をする時の基準金利となっています。

オフショア市場の3つのタイプ

市場のタイプ	代表的な市場	市場の特徴
内外一体型	ロンドン、香港	国内市場とオフショア市場との間で、資金移動が自由にできる市場
内外分離型	ニューヨーク、東京、シンガポール	国内市場とオフショア市場間の取引が遮断され資金移動が制限されている市場
タックス・ヘイブン（租税回避地）	バハマ、ケイマン	低税率など税制上の特別措置が適用されている地域に、ペーパーカンパニーを作り、取引をする市場

4-2 金融商品とは、どのようなものか？

まずは、金融商品を理解するために必要な用語から学びましょう。

金融商品 投資や貸付、運用の結果、利子や配当金を生んだり、その資金の価値が変動して利益を生む性質を持つ取引契約。

預金や投資で運用している間、自分はそのお金を使えません。その代償として、手元に戻ってくる時に稼ぎが上乗せされるのです。

2007年に施行された**金融商品取引法**では、従来の証券取引法で「証券」としていたものが**金融商品**という表記に置き換わりました。一般に、金融商品とは、資金取引の総称です。預貯金、**株式**や**債券**といった**有価証券**の取引、**投資信託**や**金銭信託**、貸付信託、**商品ファンド**、**先物取引**、**オプション取引**などがあります。**生命保険**や**損害保険**などの保険契約や**ローン**契約も金融商品の位置付けです。

金融商品は、資金が自分の手元を離れ、付加価値（その価値はマイナスのこともある）が付いて手元に戻ってくる契約です。付加価値は、支払いが約束されている利子や、資産価値が増加した場合に利益の一部を分配する**配当金**という形で資金の出し手に還元されます。また、元本の価値が増減する金融商品もあります。

代表的な金融商品

種類	具体的な金融商品
預貯金	普通預金、定期預金、定額貯金、定期積金、外貨預金など
有価証券	株式、国債、社債、投資信託、外国債など
信託	貸付信託、金銭信託（ヒットを含む）など
保険・共済	生命保険、簡易保険、損害保険、医療保険、介護保険など
その他の金融商品	金貯蓄、商品ファンド、先物取引、オプション取引など

インカム・ゲイン

投資元本を保有する投資家に支払われる、債券や預金の利子収入や、株式の配当金収入、信託商品の収益分配金などのこと。

毎月決算型の投資信託が、一時ブームになりました。基準価額の変動よりインカム・ゲインが最重視される、摩訶不思議な現象です。

運用資産を預けたり投資している間に、投資家が受け取れる収入（インカム）を**インカム・ゲイン**と言います。具体的には、利子や**配当金**・収益分配金などです。これに対して、運用資産の値上がりによる利益を**キャピタル・ゲイン**と言います。

投資で得られる収益とは、運用期間中の定期的収入であるインカム・ゲインと、元本の値上がりによる利益（キャピタル・ゲイン）の両方です。インカム・ゲインとキャピタル・ゲインの合計（もし値下がりすればキャピタル・ロスとして差し引く）は「トータルリターン」と言います。

インカム・ゲインとキャピタル・ゲイン

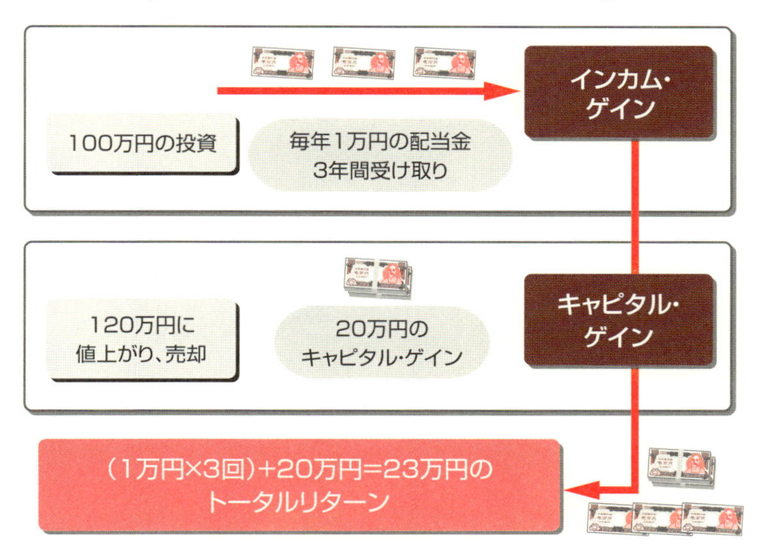

キャピタル・ゲイン

株式や債券、投資信託といった有価証券や、不動産などの資産が値上がりして売却した時に得られる利益のこと。

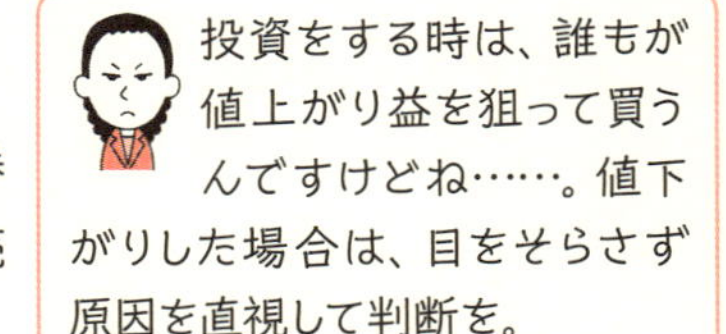

例えば、ある会社の**株式**を50万円で買ったと仮定して、その後70万円まで**株価**が上昇し、20万円の利益で売却したとします。この時の「差益」の20万円が**キャピタル・ゲイン（値上がり益）**です。もし、この株式が40万円に値下がりしたら、10万円の「キャピタル・ロス」です。

上場株式のキャピタル・ゲインに対して、個人の投資家の場合は所得税と住民税を支払います。本来は所得税15%、住民税5%ですが、2013年から2037年までは復興特別所得税が加算され、所得税が15.315%になるため、合計で20.315%の課税です。

納税の方法は、原則として確定申告を行いますが、**特定口座**で税金の源泉徴収を選択することもできます。また、NISA口座内で買った場合のキャピタル・ゲインは非課税になります。

キャピタル・ゲインとキャピタル・ロス

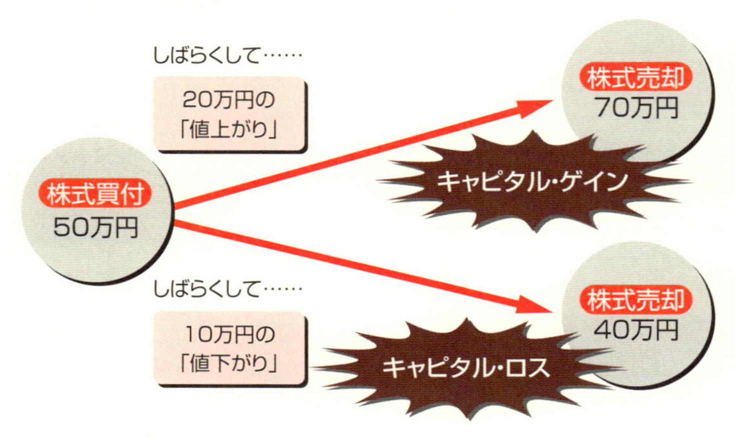

元本保証

金融商品を預けたり投資したりした当初の元本や額面金額が、運用期間中や償還時に、減少しないと約束すること。

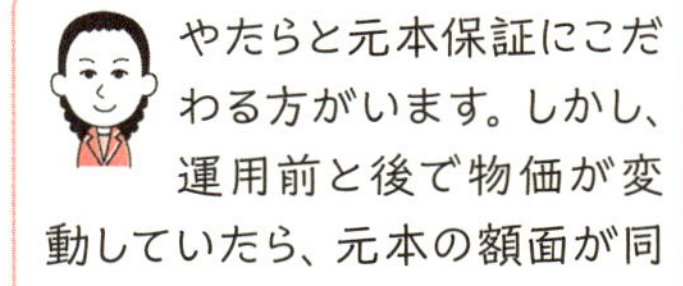

預金は、まずは預け入れた銀行で、運用の良し悪しや貸し倒れに関わらず、預金の額面は**元本保証**をしています。もし銀行が破綻した場合は、**ペイオフ**制度の対象の**金融商品**であれば、1人1**金融機関**で元本1,000万円までの元利金が保証されます。

債券の場合は、「償還時には元本保証」と説明されます（途中で換金する際には時価）。ただし発行体（国や会社など）による元本の保証であり、償還時に財務が悪化したら、投資家に満額を支払えるとは限りません。残った財産があれば、ほかの債権者と分け合います。

なお、「元本確保」型の金融商品もありますが、これは元本保証とはやや意味が違います。元本確保型は、償還の時点で最低限元本を割り込まないような設計で運用しますが、万が一償還時に元本割れとなった場合でも、運用会社も販売会社も元本の補てんはしてくれません。

元本保証と元本確保の違い

元本保証型
償還日が来たら投資元本を必ずお返しします
発行体・金融機関
債券
預金
投資家
値下がり
=発行体や金融機関が自らの資産を充当

元本確保型
償還時に限り最低でも資本元本は払い戻せる運用をします
発行体・金融機関
外国投信
金銭信託
商品ファンド
投資家
ハイリスク商品
債券などのローリスク商品
※商品設計上、償還時には元本が割れにくい
※中途解約時は元本割れも

短期金融商品

短期金融市場で取引される金融商品のこと。1年未満の金融商品を金融機関同士で取引するものが多い。

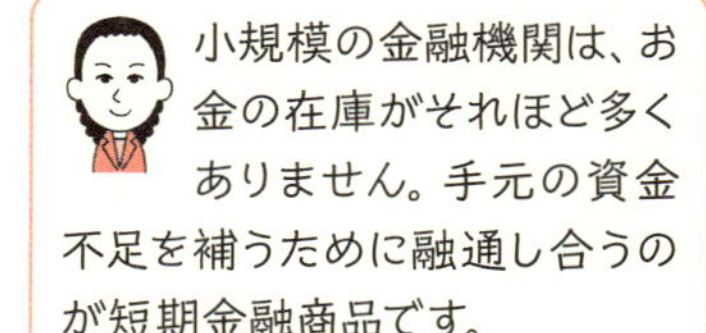

短期金融市場で取引されている**金融商品**には、コール、**手形**、CD（譲渡性預金）、CP（コマーシャル・ペーパー）、債券現先、FB（政府短期証券）、TB（割引短期国債）、ユーロ円などがあります。金融の世界での「短期」は1年未満を指します。特に**インターバンク市場**では、1日や1週間程度の短期資金の取引が活発に行われています。

短期金融商品の主な取引参加者は**金融機関**や**機関投資家**です。期間が短い取引が多いので、短期金融商品が債務不履行になる可能性は比較的低く、その面では**リスク**が低いと言えます。

個人投資家は、直接、ほとんどの短期金融商品の取引はできません。一部、CDの新規購入など個人でも取引できる商品もありますが、めったに個人投資家は取引していません。しかし、短期金融商品はMRFなどの**公社債型投資信託**や年金などの運用対象になっていることが多く、間接的には短期金融商品を利用している個人もいます。

短期金融商品とは？

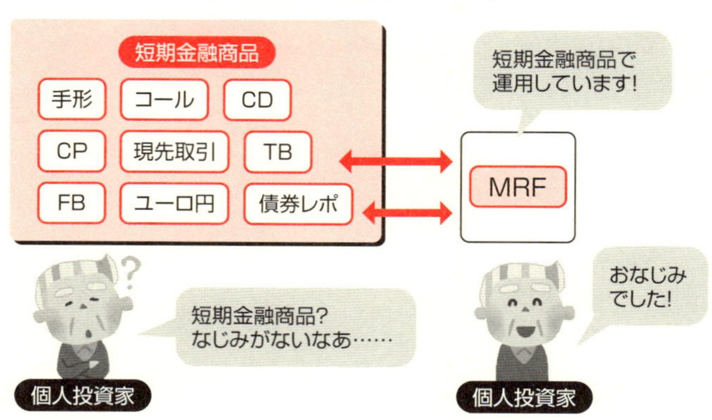

4-3 預金には、どのような特徴の商品があるか？

預金の特徴を知り、資金の使い道に合う預け方が大切です。

総合口座

普通預金、定期預金、積立定期預金、当座貸越(自動融資機能)などが1つになった複合口座のこと。

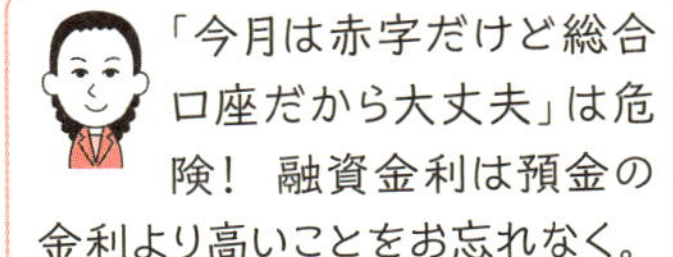

銀行や**信用金庫**などの**総合口座**は、普通預金や定期預金、**国債**の購入、自動借り入れなどをまとめた複合口座です。「決済する（受け取る、支払う）」「貯める」「借りる」を1つの口座の中で管理できます。

口座振替の支払いや、給与や年金などの受け取り、自動預払機（ATM）での引き出しや各種手続きができます。また、急にお金が必要になった場合や、残高不足などの時に、定期預金を担保にした自動借り入れ（自動融資機能）ができます。普通預金に入金すれば自動的に返済されます。

総合口座のサービス内容は**金融機関**ごとに異なり、各種手数料が優遇されたり、会員サービスが受けられたりします。最近では通帳を発行せず、アプリやインターネットで取引履歴を確認する方式に切り替えが進んでいます。

いろいろな金融取引を一括管理

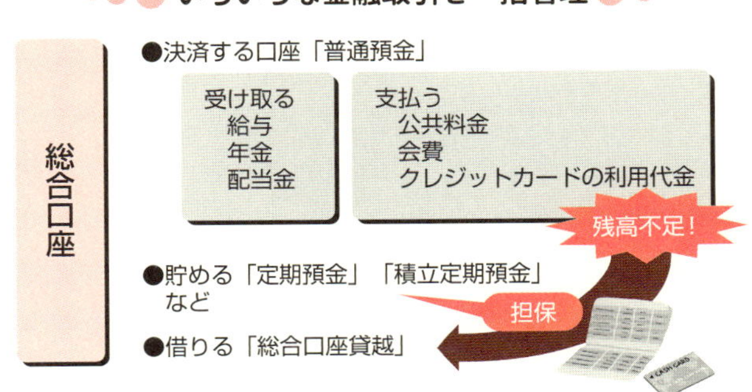

流動性預金

預け入れの期間が定められず、現金化がしやすく出し入れが自由なタイプの預金。要求払預金とも言う。

「何に預けても金利が低いから」と言って、すぐに使うわけでもないのに普通預金に預けっぱなしという人も多いようです。

流動性預金（**要求払預金**）とは、換金性の高い預金のことです。具体的には、「普通預金」「当座預金」「貯蓄預金」「通知預金」などです。満期が決まっていないので、預金者は自由に出し入れでき、便利に利用することができます。

出し入れが容易なことを「流動性が高い」と言います。しかし、**金融機関**の側から見れば、預金者の好きな時に出し入れされる預金で安定性のない資金です。そのため、**金利**は低く設定されています。

流動性預金のうちの「決済性預金」は、支払いや資金のやり取りができる特徴を持つ預金です。その中の1つ、「決済用預金」は、無利息、要求払い、決済性の3つの要件を満たし、預金保険制度で全額保護される預金のことです。

主な流動性預金の種類と特徴

種類	特　徴	預金保険制度の適用
普通預金	1円から預け入れと引き出しが可能。自動引き落としや自動振込みの利用可。金利は随時見直し。小切手、手形での預け入れも可。預け入れ期間の規定はない	預金保険制度対象
当座預金	小切手や手形の支払資金など法人の営業資金の決済口座。利子は付かない。1円から預け入れと引き出しが可能。預け入れ期間の規定はない	全額預金保険制度対象（上限なし）
貯蓄預金	一定額を保てば普通預金よりも高い金利を得られる。自動引き落としや、自動振り込みなどの決済機能はない。普通預金と定期預金の中間的な機能。個人向け。1円から預け入れ可能	預金保険制度対象
通知預金	普通預金より高い金利だが、預け入れ後、最低7日間据え置きが一般的。引き出しの2日前に通知。全額一括の払い戻し	預金保険制度対象

定期性預金

一定期間、引き出せないなどの制約があり、あらかじめ決められた満期日や解約可能日に初めて払い戻しができるタイプの預金。

ネットバンクや新規参入の銀行には、比較的高い金利の定期預金があるようです。研究熱心な人は上手に利用していますよ。

定期性預金は、預け入れの期間が定められ、一定期間払い戻せない預金で、出し入れが自由な**流動性預金**に対する用語です。具体的には、「スーパー定期」「大口定期預金」「積立定期預金」「期日指定定期預金」などの定期預金が該当します。

定期性預金の換金は、原則として満期日に限られます。通常は、中途解約をすると普通預金並みの金利になります。流動性預金より換金性が劣る分、**金利**は高めです。すぐには使わない資金のうち、元本割れをしては困る資金の運用先として利用すると良いでしょう。

主な定期性預金の種類と特徴

種類	特徴	預金保険制度の適用
スーパー定期	・満期は1ヵ月から10年まで選べる ・通常は1円から預け入れ可能 ・固定金利 ・利子は満期時一括受け取りが一般的	預金保険制度対象
大口定期預金	・最低預け入れ額が1,000万円以上で、満期は1ヵ月から10年まで選べる ・金利は金融機関との交渉で決定 ・固定金利	預金保険制度対象
積立定期預金	・毎月普通預金口座から振り替えて積立 ・契約期間（積立+据置）は、銀行によって異なる ・固定金利	預金保険制度対象
期日指定定期預金	・預け入れ時に満期日を決めず、後に指定する定期預金 ・据え置き期間は預け入れ後1年 ・その後1ヵ月前に満期日を指定して引き出す ・1年複利の固定金利	預金保険制度対象

解約自由型定期預金

一定の据え置き期間の経過後、一部または全額の解約が可能な定期預金。預け入れ期間が長くなるほど高い金利が設定されている。

地銀での取り扱いが多いようです。やはり、地域密着型の金融機関ということで、ゆうちょ銀行を意識しているのでしょう。

解約自由型定期預金は、取り扱う**金融機関**によっては「引き出し自由型定期預金」「据置型定期預金」などの名称が付けられています。また、「民間版定額貯金」とも呼ばれるように、ゆうちょ銀行の定額貯金の商品と同様の預金を、ほかの金融機関が新型の定期預金として導入した**金融商品**です。

解約自由型定期預金の特徴は、預け入れから一定期間（6ヵ月がほとんど）を経過すれば一部または全額をペナルティなしで解約することができる点です。ただし、解約後に一定水準の残高を残しておくことを条件とする金融機関もあります。**金利**は預け入れ時に利率が決定している**固定金利**で、預け入れ期間に応じて期間が長いほど適用金利が高くなる段階金利です。利子の計算は半年**複利**となっています。

解約自由型定期預金の利息計算

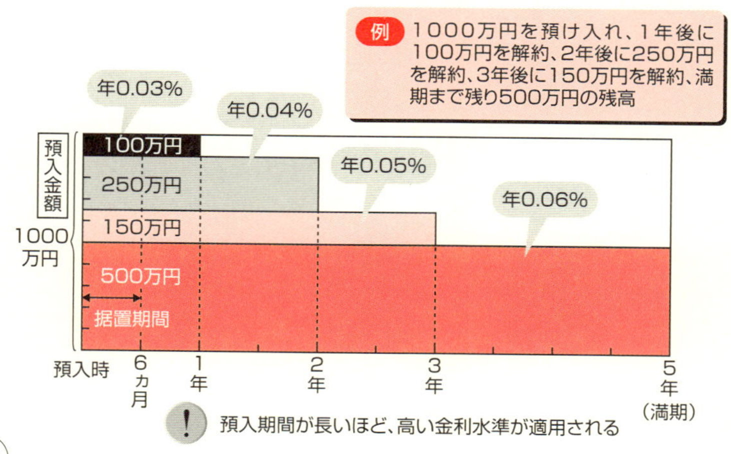

仕組預金

定期預金に、オプション取引などのデリバティブを組み込んだ運用の設計をした金融商品。高金利だが投資色が強い。

その名の通り、「仕組まれた」預金ですよ。どんな仕組みかをよく理解して預けることです。理解できないなら、利用しないこと。

仕組預金は、**先物取引**やスワップ取引、**オプション取引**などの**デリバティブ**を仕組んだ預金です。**仕組債**と同様の運用設計を預金に付けた、投資色の濃い**金融商品**です。

満期日を**金融機関**が決定する「期間延長特約付定期預金」「満期繰上特約付定期預金」などは、仕組預金です。高利率や預け入れ期間中の**金利**ステップアップなどで魅力を強調していますが、金融機関側が満期日を決定するため将来の金利環境によっては預金者が不利になることもあります。中途解約のペナルティが高いことが多く、元本割れでも解約するか、不利な状態で満期を待つかの選択になる場合もあります。

「条件付二重通貨定期預金」も仕組預金の1つです。預け入れ時の**為替相場**より基準日が円高なら外貨で償還されるタイプが代表的で、円に両替すると別途為替手数料がかかります。

仕組預金とは？

高い金利!

一見すると魅力的!

ところが

おっ!
高金利!

預金者

・預金期間に応じて利率がステップアップします。
・預入期間は、当行が決定します。中途換金の場合は違約金を頂きます。

・本来は満期金を円で受け取れます。
・基準日に外国為替相場が判定レートより円高なら外貨で償還します。

金利ステップアップ
期間延長特約付定期預金

金融機関

条件付二重
通貨定期預金

金融機関

財形制度

サラリーマンの安定生活のために事業主や国が援助し、財産や家などの資産づくりを促す給与天引きの貯蓄や融資の制度。

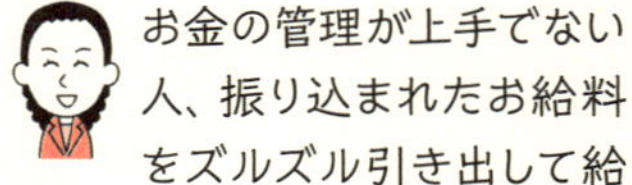

お金の管理が上手でない人、振り込まれたお給料をズルズル引き出して給料日前に足りなくなる人にお勧めです。

財形制度は、正式には「勤労者財産形成促進制度」と言い、基本的には貯蓄制度と融資制度の２本立てです。貯蓄制度は「一般財形貯蓄」「財形年金貯蓄」「財形住宅貯蓄」の３種類です。

原則として、1,000円以上・1,000円単位の積み立てで、財形年金貯蓄と財形住宅貯蓄を合わせて元利合計550万円（財形年金貯蓄の保険タイプは元本385万円）までの預け入れに対して、利子が非課税扱いになります。一般財形貯蓄は年齢要件はありませんが、財形年金貯蓄は契約締結時に満55歳未満の年齢要件があります。

融資制度は、「財形持家融資」と「財形教育融資」の２種類があります。

財形制度の要件

一般財形
- 勤労者であること
- 給与天引きで3年以上の期間の積み立て

財形年金
- 契約時に満55歳未満の勤労者
- 給与天引きで5年以上の期間の積み立て
- 据え置き期間をおく場合は5年以内
- 満60歳以降に5年以上20年以内の期間にわたり年金を受け取ること
- 年金受け取り以外の払い出し不可
- 1人1契約

財形住宅
- 契約時に満55歳未満の勤労者
- 給与天引きで5年以上の期間の積み立て
- 据え置き期間をおく場合は5年以内
- 住宅取得かリフォーム以外の払い出し不可
- 1人1契約

一般財形貯蓄の対象金融商品

定期預金
定額貯金
金銭信託
貸付信託
公社債投資信託
株式投資信託
利付金融債
公社債
貯蓄型の生命保険
損害保険
など

休眠口座

長期間利用のない預金口座や証券口座。その期限は金融機関によるが、目安は5年や10年が多い。

預金は銀行に貸したお金。「返して」と言わず長年放っておくと、銀行から返済を受ける権利が消滅します。

休眠口座は、一般に、長い間取引のない預金や証券取引の口座です。「長い間」の扱いは**金融機関**ごとに、また**金融商品**によって異なります。**全銀協**の自主ルールでは、どれだけ長い期間取引がなかった預金でも、原則的には払い戻しに応じることになっています。ただし、民営化する前の郵便貯金は、郵便貯金法が適用されるために例外です。定額貯金や定期貯金、積立貯金は、満期の翌日から20年間引き出されず、文書で通知した後も引き出されないと、その2ヵ月後に権利が消滅します。

国が休眠口座を活用するために、2018年に「休眠預金等活用法」が施行されました。2019年1月1日以降、最後の取引から10年以上放置されている預金を「休眠預金」として**預金保険機構**に移管し、福祉などの公益活動に役立てます。10年でいきなり移管されるわけではなく、最後の取引から9年経過した時点で、休眠預金"予備軍"として公告や通知されます。

休眠預金になるまでの流れ

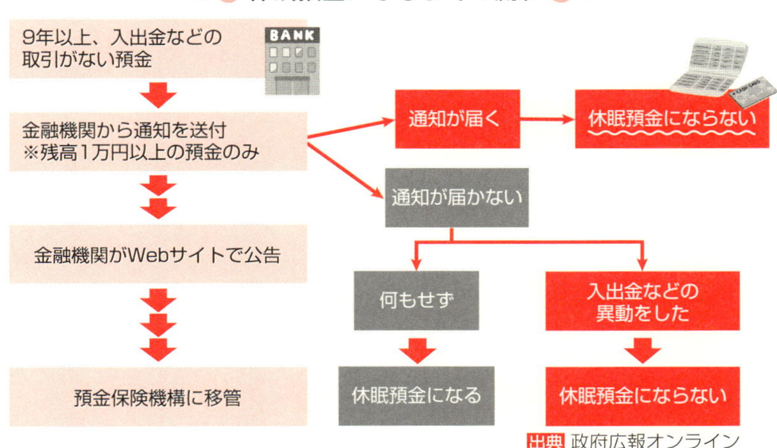

出典 政府広報オンライン

4-4 証券とは何か？

大きな財産を小口に分けたものが証券、その小口化された財産を売買するのが証券取引です。

有価証券

通常は、有価証券取引法上に定められた証券を指し、株券、債券、投資信託、貸付信託の受益証券などのことを言う。

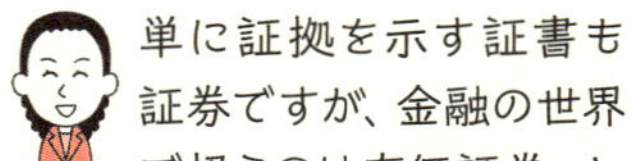

単に証拠を示す証書も証券ですが、金融の世界で扱うのは有価証券。とはいえ、価値が認められなければ「無価証券」になる場合も？

広い意味での**有価証券**は、財産に関する権利（財産権や商品、貨幣に対する請求権）や義務を持つ証書まで含めますが、通常は、**金融商品取引法**上で定められた資本証券を指します。

有価証券は、会社や不動産などのような額の大きな資産の取引に際して、取引金額を小口化できる点や、さらにそれを売買できる流動性が特徴です。近年は、銀行からの借り入れに比べ、有価証券である**債券**や**株式**を発行する**直接金融**による資金調達が活発です。

証券化のイメージ

会社1つ分のお金は出せないけれど、1株100万円なら1株分出してあげてもいいよ

5株ならいいよ

出資

株式

株主の権利

株式会社

2株ならいいよ

10株でもいいよ

株主＝会社の小口オーナー

財産を小口に分けた証券にすることで、売買がより容易になる

オフバランス

資産や取引を財務諸表から切り離すこと。資産効率が上がる。手段は単純売却から証券化・資産の流動化まで多種多様。

私たちの生活でも「捨てる」ブーム。使えないものを持っていても邪魔などころか使えるスペースが狭くなるだけ。それと同じです。

オフバランスとは、資産や取引を貸借対照表（バランスシート）から外す（オフ）ことです。その資産が生み出す**キャッシュフロー**に価値があると見た投資家は、お金を出して買い取ります。資産の元の保有者が抱えていた**リスク**は、投資家に移ります。**不良債権**や**住宅ローン**、賃貸ビルを**証券化**すると、投資家にローンの利子や賃料が入ります。オフバランスした資産や設備を元の保有者が賃貸やリース契約で引き続き使用すること、証券化のスキームで保有資産を**特別目的会社**などに売却することなどはオフバランスの活用例です。

必要以上の資産や利益を生まない資産を保有していると、事業や運用の効率が悪化します。オフバランスによる資産規模の圧縮は、収益性を高める狙いがあります。

オフバランスのイメージ

売掛債権の流動化

A株式会社

オフバランス効果

・売掛金や手形の早期現金化
・売却代金で有利子負債を返済
→ 手元流動性の向上
→ 資産の圧縮・財務指標の改善
→ 資金調達の多様化
→ 取引先に対する与信リスクのヘッジ

A株式会社 連結決算貸借対照表	
資産の部	負債・純資産の部
売掛金　手形 不動産	

売却

特別目的会社

証券化

もともと証券ではない資産を資本証券て小口化し、投資家に売却して保有してもらうこと。本体のバランスシートから切り離される。

まとめて売るには高額すぎて買い手が付かないものも、小さくバラして売れば、買ってくれる人も見つかるというものです。

証券化は、**オフバランス**の手法のうちの1つです。不動産やリース・ローン債権などの資産を小口にして売却します。資産をもともと保有していた会社などは売却によってその資産を貸借対照表（バランスシート）から切り離すことができます。大きな資産は一括で売るより小口に切り分けた方が買い手が見つかりやすく、また資産を手放す代わりに入るお金でリストラや新しい事業が展開できるため、資金調達の手段として注目されています。

映画ファンド、ラーメンファンドも証券化の1つです。例えば映画ファンドは、映画作成費用を小口で募り、興行収入によって得られた利益を投資した投資家に分配する仕組みです。

住宅ローンの「フラット35」も証券化を活用

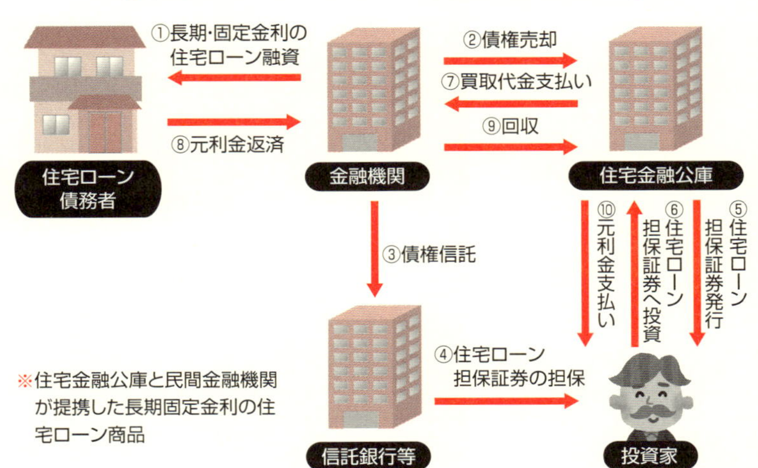

ABS 債権や資産から得られる収益を裏付けに、特別目的会社を設立して発行される証券。住宅ローン債権や商業用不動産、クレジットやリース債権などがある。

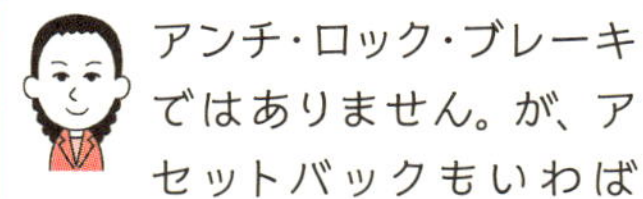

アンチ・ロック・ブレーキではありません。が、アセットバックもいわばキャッシュフローの安全装置。車と同じかもしれません。

広義の**ABS**（Asset Backed Security：**アセットバック証券**）は、**住宅ローン**や商業用不動産ローン、自動車ローン、**クレジットカード**ローン、リース債権などを裏付けにして発行される証券のことです。「資産担保証券」とも呼ばれます。事業法人や**金融機関**の資産や負債は、**証券化**という形で投資家の資金運用にも利用されます。資産や負債は、利子や売買益などの収益を生むからです。元の保有者のメリットは債務が流動化することで、投資家のメリットは投資対象の幅が広がることです。

米国の低所得者向けの住宅ローン（サブプライムローン）を担保として発行されたABSは、さらに証券化され、複数の証券がパックされた**金融商品**として世界中の**機関投資家**や金融機関が購入しました。その後、サブプライムローンの延滞や破綻が予想以上に急増して（**サブプライムローン問題**）、世界的な金融危機に発展しました。

ABSの仕組み

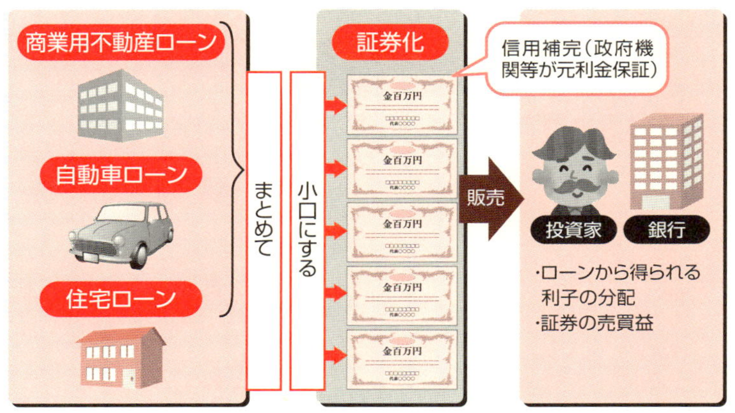

特別目的会社

証券化に必要な器として設立された法人の総称。自らが利益追求を行う事業体ではなく、資産を小口化するために存在する。

特別目的会社の命は短く、事業の目的を達したら解散します。与えられた使命のためだけに存在する、会社というより組織ですね。

通常、会社は事業による利益の追求を目的としますが、**特別目的会社**（Special Purpose Company：**SPC**）は、**証券化**の器になることを目的として設立された会社で、いわば「ペーパーカンパニー」です。

資産流動化のスキームでは、資産を特別目的会社に売却、特別目的会社はその資産を裏付けに証券等を発行して投資家に販売します。資産の元の保有者は、受け取った資金を事業に活用できます。

なお、「特定目的会社（TMK：Tokutei Mokuteki Kaisha）」は、特別目的会社の一種で、資産の流動化に関する法律（以下、資産流動化法）に基づいて設立される会社です。特定目的会社に対する規制は厳格ですが、反面、税金の軽減措置が適用できます。一方、特別目的会社の意味は幅広く、資産流動化法に関係なくとも、何か特定の目的のために設立された会社も含まれます。

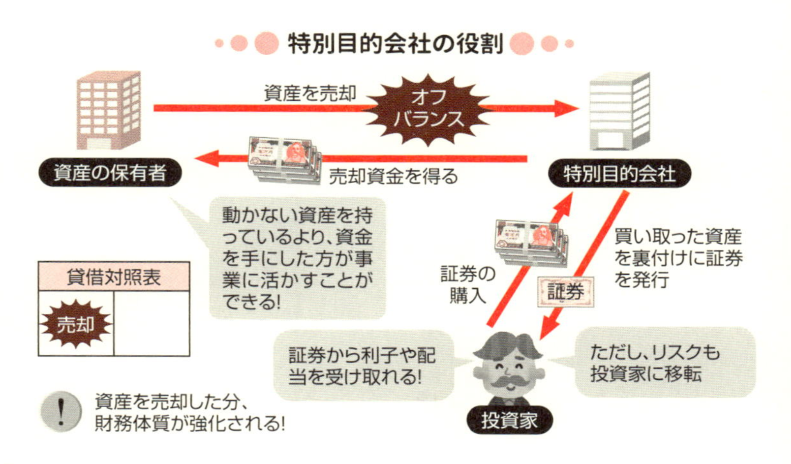

4-5 信託とは何か？

運用者を信じて、大切な財産を託すのが信託です。

信託 お金やその他の財産を自分が信頼できる人に託し、ある目的で、ある人のために管理、運用、処分などをさせる契約。他人を信じて託すこと。

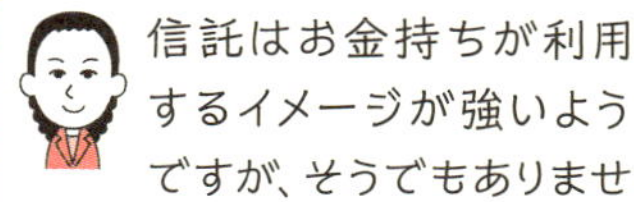

信託はお金持ちが利用するイメージが強いようですが、そうでもありません。小口で身近な信託商品も登場、小市民も利用可能です。

信託法における**信託**とは、財産を持つ人（委託者）が他人（受託者）に財産権を移し、受託者が一定の目的に従って、ある人（受益者、一般的には委託者と同一）のために財産を管理・運用・処分する制度です。

財産には、お金、**国債**、**株式**などの**有価証券**、貸付債権、動産、土地・建物、特許権、著作権などの知的財産まで含まれます。最近は、**教育資金贈与信託**、ペット信託、**生命保険**信託に関心が寄せられています。

委託者から受託者へ引き渡される財産は、「信託財産」と言います。信託財産は、受託者自身の財産や、別に受託している信託財産とは別に扱われます。そのため、万が一受託者が破産したとしても、受託者の債権者は信託財産には手を付けられません。

信託の仕組み

金銭信託

多数の委託者から集めた資金を信託銀行などの信託業務を行う者が管理・運用し、収益を金銭で分配する金融商品。

1980年代にヒットが大ヒット。募集開始日には、開店時刻前から信託銀行の店舗前に行列ができていました。懐かしい光景です。

金銭信託は**信託**の1つで、信託されたお金を受益者のために運用する**金融商品**です。信託とはお金や土地などの財産の管理・運用を信頼できる者に託すことで、金銭信託では信託期間が終了した時に受益者に金銭で財産を支払います。

金銭信託財産の運用・管理を受託者（**信託銀行**など）に任せる人を委託者と言い、運用の利益を受ける人を受益者と言います。金銭信託では、ほとんどの場合、委託者は受益者と同じ者ですが、委託者は受託者の承諾を得れば受益者を指定することもできます。

「ヒット」は1ヵ月据置型の金銭信託です。**元本保証**はなく、収益は信託銀行が独自に予想配当率を提示し、**金利**の変動に応じて見直す**変動金利**の金融商品です。最近では、金融環境の変化により、「ヒット」の取り扱いをやめる信託銀行も出てきています。

個人が利用できる金銭信託の主な特徴

種類	信託金額	元本保証	信託期間	配当率の提示	分配金
合同運用指定金銭信託（一般口）	5,000円以上1円単位	あり	1年以上	予想配当率を提示	年2回で複利運用可、20.315%課税
ヒット	1万円以上1円単位など（信託銀行により異なる）	なし	定めなし（ただし据え置き期間1ヵ月）	予想配当率を提示	年2回で複利運用可、20.315%課税
実績配当型金銭信託	募集の都度決定（一般的には100万円以上）	なし	商品による（3～5年が多い）	実績配当型のため提示されない	分配型と一括受取型、20.315%課税

参考 社団法人 信託協会HP

教育資金贈与信託

孫などの教育資金として、祖父母などが信託銀行等に1,500万円までをみなし贈与すると、贈与税が非課税になる信託のこと。

おかげで信託銀行は特需だそうです。しかしよく考えて。孫への教育費や生活費の援助は、そもそも贈与税がかからないものなのです。

教育資金贈与信託は、2013年4月1日から施行されている「教育資金の一括贈与に係る贈与税の非課税措置」に対応して誕生した新しい**信託**です。この法律の特例は、2023年まで延長されています。

高齢者世代のフトコロにとどまっている資産を、若い世代に移転させ、消費を通じて経済が活性化することを狙いとしています。若い世代にとっては、教育費の援助になることと、将来受け取る財産に課税される相続税の負担が軽減されることがメリットです。

注意点は、教育資金以外に使ったり、孫などが30歳を超えて使ったり、30歳の時点で残高が残ったりしていると、贈与税がかかることです。また、一度この信託を利用して孫などにみなし贈与した資金は、祖父母が引き出して使うことはできません。

教育資金贈与信託のイメージ

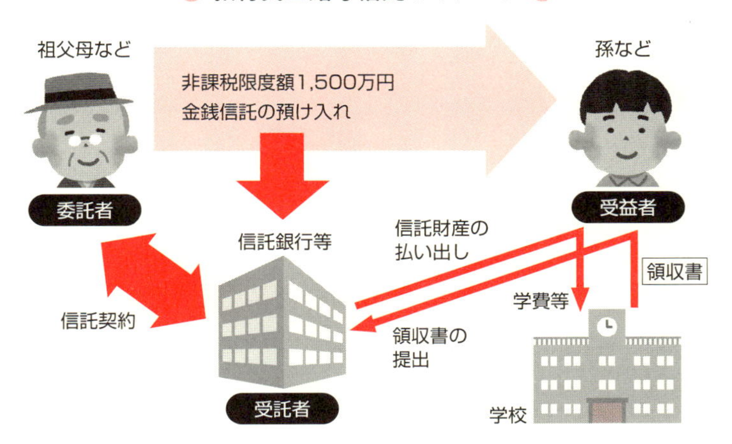

4-6 債券とは、どのような金融商品なのか？

債券は借用証書で、債券に投資することは、その債券を発行したところにお金を貸すことと同じ意味を持ちます。

債券/公社債

資金調達をしたい発行体(国、地方公共団体、会社など)が投資家から資金を借り入れ、その証拠として発行する証書。

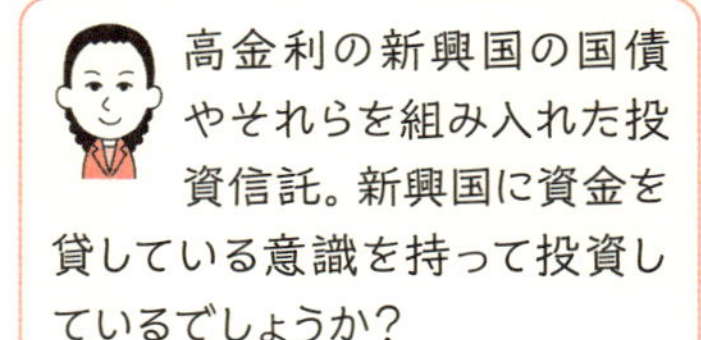

債券とは、いわば借用証書です。資金を借りる国や地方公共団体、一般事業会社、**金融機関**を「発行体」と言い、発行体が資金を借りている証拠に投資家に発行する証書が債券です。**公社債**とは、「公」が国や地方公共団体、「社」が会社で、それらが発行する債券の総称です。債券は、償還日を定め、その間に**金利**の支払いを約束しています。ほとんどの債券の償還は額面金額です。金利は**固定金利**と**変動金利**があります。債券は途中売却も可能で、取引相場のある債券は「債券市場」で取引し、なければ金融機関などと「相対取引」を行います。

発行体による債券の分類

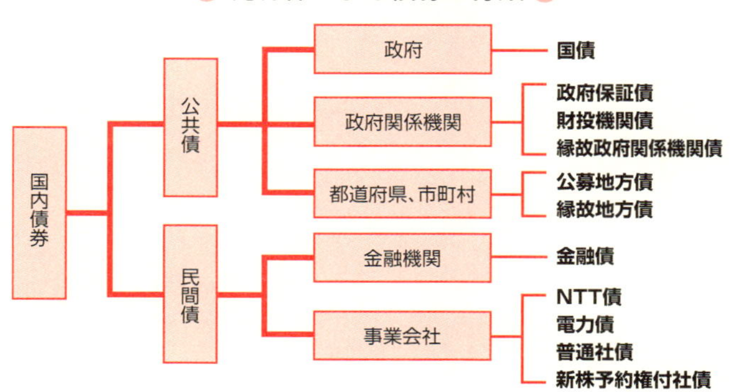

（債券の）現在価値

時間差で債券の価格変動を考えた時、その期間に債券の利子によって増加する価値の分を割り引いた債券価格のこと。

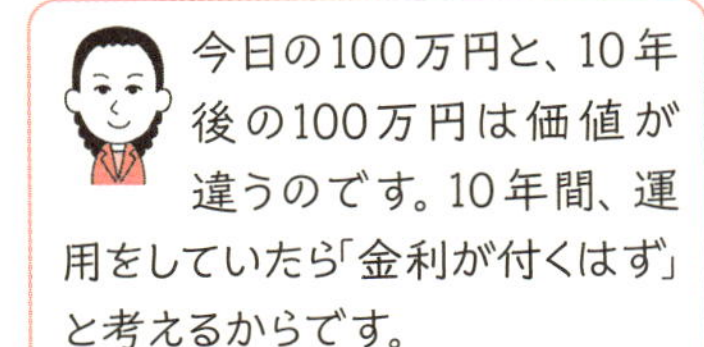

ある時点とある時点の間でお金の価値を比較する場合、時間の経過に応じて利子に相当する金額の差が発生します。将来の金額から、その期間内に付く**金利**分を割り引いた金額を**現在価値**と言います。

債券は、利子を生む**金融商品**です。債券の価値をある時点とある時点で比較する際、上記のお金の価値と同様に、利子相当分の差が生じると考えます。将来のある金額を現在の価値に置き換える場合は、現在から将来までに付く金利分を割り引きます。ここで考慮する金利のことを割引率と言います。

本来は、時間の経過とともに、そのお金を確実にもらえるかどうか分からないという**リスク**も考慮して現在価値を算出します。しかし**国債**は確実に償還される前提で「無リスク資産」という位置付けで、国債の現在価値はリスクを考慮せず割引率のみで求めます。

現在価値の概念

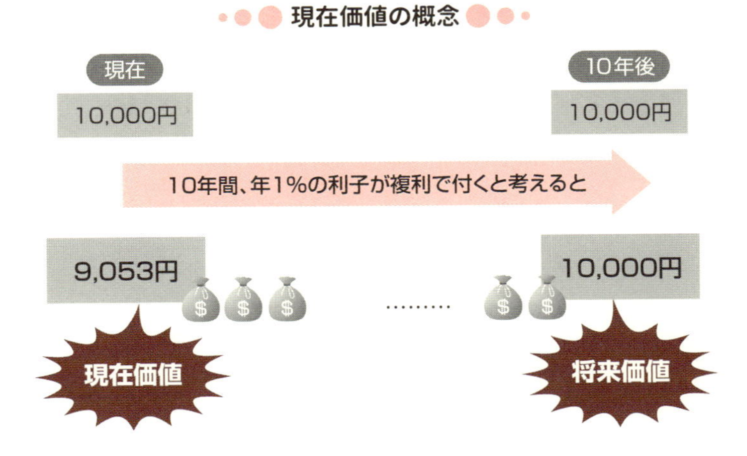

国債

国が歳入の不足を補うために発行する債券。発行量、流通量ともに多い新発10年物利付国債（長期国債）が取引の主流。個人向け国債も話題に上る。

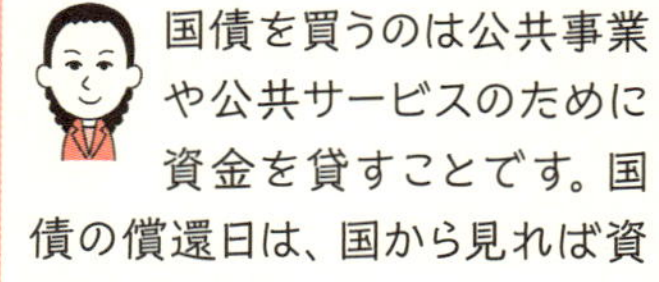

国債は、国の財政に必要な資金を調達するために発行する証書です。税収入だけでは財政資金が不足するので、資金を投資家から借り入れる目的で発行されています。国が発行する**債券**というだけあって、国内では信用性が高い位置付けです。

購入の取り扱いは、銀行、**証券会社**、郵便局、**信用金庫**などです。現在の国債は紙の証券が存在せず、電子化された振替決済口座で取引されています。国債は償還まで保有すると額面を国が保証しますが、途中で換金する場合は時価です。市場で取引されている新発10年物利付国債の**利回り**は、**長期金利**の指標として利用されています。**個人向け国債**は、個人だけが購入できます。**固定金利**の3年物と5年物、**変動金利**の10年物が発行されています。

国債のお金の流れ

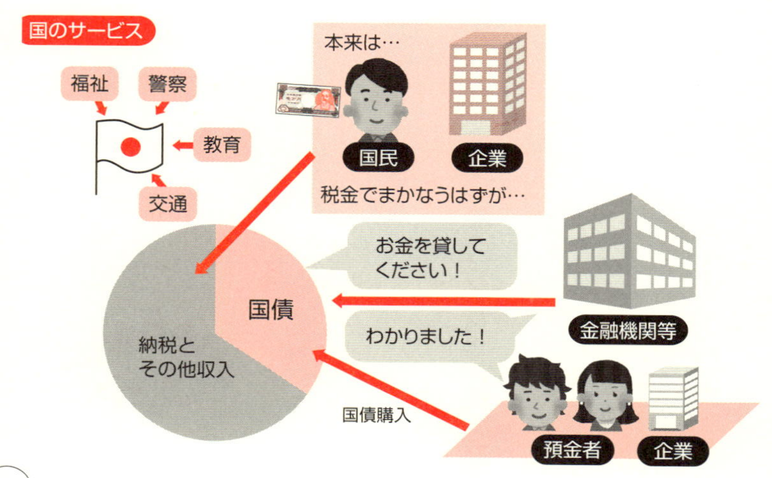

個人向け国債

購入が個人に限られ、個人が投資しやすい国債。国（財務省）が毎月発行する。販売窓口は銀行、証券会社など。

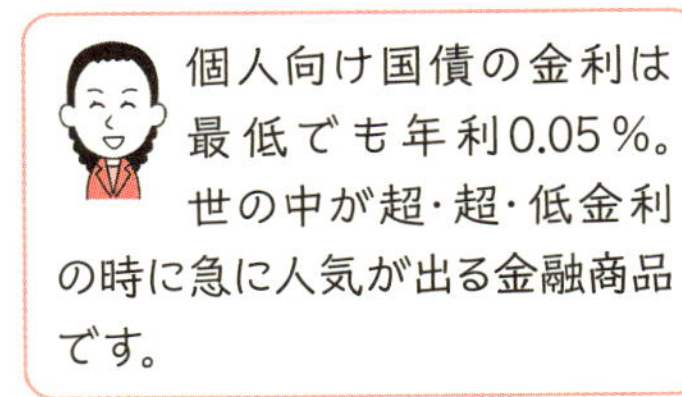

個人向け国債は、**国債**の一種です。国債は、国の事業資金を投資家から借り、定期的に投資家に利子を支払い、償還日には額面金額を投資家に償還するものです。国から見れば資金調達の手段、投資家の立場では**金融商品**となります。国債は、**機関投資家**の売買が多くのシェアを占めていますが、個人向け国債は個人投資家が資産形成に利用しやすい商品性に特化しています。

1万円から購入できる点や、通常の国債に比べて個人投資家のニーズを反映した点が特徴です。半年ごとの利払いには利率の下限が設けられ、市場金利が極端に低い時は、個人向け国債が有利です。中途換金は、通常の国債と違って時価での売却ではなく、元本金額での換金です。ただし、下の表にあるように、差し引かれるペナルティがあります。

期間は3タイプで、3年、5年、10年です。3年物と5年物は、発行時に決められた金利が償還まで続く**固定金利**で、10年物は、金利情勢によって利率が変動する**変動金利**です。

個人向け国債には3つのタイプがある

種類	変動10年	固定5年	固定3年
利払い	半年ごとに1回		
金利設定方法	基準金利×0.66	基準金利－0.05%	基準金利－0.03%
金利の下限	0.05%		
購入単位	1万円以上1万円単位		
中途換金	原則として発行から1年経過すれば可能 直前2回分の各利子（税引前）相当額×0.79685が差し引かれる		
発行月	毎月		

※基準金利は、各年限の国債の金利決定直前の市場金利を基に決定。

地方債

都道府県や政令指定都市などの地方公共団体が発行する債券。一般の個人投資家は市場公募債や住民参加型ミニ市場公募債を購入できる。

ふるさと納税人気に押されて影を潜めているようです。それにしてもふるさと納税、寄付をしたいのか、プレゼントが欲しいのか……。

地方債を発行して地方公共団体が借り入れた資金は、地域の公共事業や行政サービスに使われます。

地方債には、「市場公募地方債」と「銀行等引受地方債」があります。

市場公募地方債は広く一般の投資家から資金を募集して発行され、発行額が多く流通性に優れています。なお、「ミニ公募地方債」とも呼ばれる「住民参加型市場公募地方債」は、地域住民の投資家を対象に購入を募る**債券**です。住民参加型市場公募地方債は、地方分権や財政投融資改革などが叫ばれる中、地域住民の行政への参画意識の高まりと、地方公共団体における資金調達方法の多様化が背景にあります。資金の使い道などを明確にするなどの透明性が特徴です。

地方債を発行できる地方公共団体の事業

1 公共施設や公用施設の建設事業

学校　図書館　公園　厚生・福祉施設　など

2 料金収入により元利償還の財源が確保される公営企業施設

上下水道　地下鉄　病院　市庁舎　など

3 突発的に発生した災害復興などの事業

4 行政目的に沿う公共性の高い法人等に対する出資金、貸付金

出典 財団法人 地方債協会

社債　事業会社が資金を借りるために発行する債券。普通社債、新株予約権付社債など。不特定多数の投資家から集める公募債と、少数の投資家かに集める私募債がある。

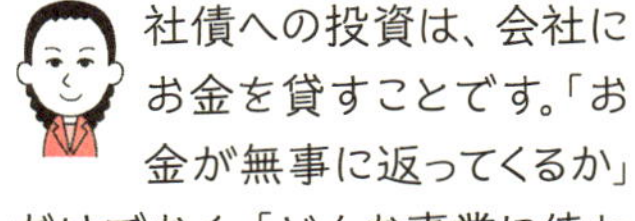

社債への投資は、会社にお金を貸すことです。「お金が無事に返ってくるか」だけでなく、「どんな事業に使われるか」も重要です。

国や地方公共団体が発行する**公債**に対して、民間の事業会社が発行する**債券**が**社債**です。特別法に基づく**金融機関**が発行する債券を特に**金融債**と言います。

「普通社債」は、償還まで借入金のまま**株式**などに転換しない債券です。ほとんどの社債が**固定金利**です。

償還までの期間は、発行会社の資金需要に応じて様々です。利率は、発行時の市場金利と発行会社の信用力で決定します。発行後の債券価格は、市場金利と発行会社の信用力によって変動しています。途中換金は時価での売却です。発行時より高金利の環境や発行体の財務悪化などでは、元本割れも生じます。

社債の発行

事業に必要な資金をつくりたい

会社

金融機関

お任せください。投資家から資金を集めてきます

社債発行に関わる事務の一切を行う

買います。目論見書の内容を確認

目論見書を投資家に必ず交付

投資家

目論見書

- 発行価格
- 申込期間
- 償還の方法
- 利率
- 利子の支払い方法
- 担保の有無

など

目論見書＝投資に必要な情報が記載

利率の水準を左右するもの

- 発行体の信用度
- 発行時点の金利情勢

金融債

特別法に基づいて認められた特定の金融機関が発行する債券。利付金融債と割引金融債があるが、現在は、個人投資家向けには発行されていない。

「無記名式」の割引債。保護預りをせずに証券を持っていれば、隠し財産になりました。今は絶対無理な話。古き良き時代でした。

金融債は、長期信用銀行法や商工組合中央金庫法などの特別法に基づいて認められた**金融機関**のみが発行できる**債券**です。中小企業向け金融の**商工中金**や、農林漁業事業者向け金融の上部組織である**農林中金**などは、融資に使うための資金として**自己資本**の30倍まで金融債を発行できます。

日本経済の成長期には企業の融資が多く、**長期信用銀行**の金融債は事業資金に使われました。しかし、企業融資が減少し金融債の発行も縮小、現在では、長期信用銀行に分類される金融機関はありません。

金融債には、半年ごとに利子が支払われる「利付債」と割引形式で発行される「割引債」があります。しかし、金融債の発行を終了する金融機関が増え、現在は農林中金と商工中金、**信金中金**が**機関投資家**向けに発行しているだけです。

金融債の現状

機関	商品名	現在	状況
旧・長期信用銀行（長銀）	ワリチョー リッチョー	→ 新生銀行 ※普通銀行に転換	金融債の発行終了
旧・日本債券信用銀行（日債銀）	ワリシン リッシン	→ あおぞら銀行 ※普通銀行に転換	金融債の発行終了
農林中央金庫（農林中金）			主に機関投資家向けの利付農林債を発行 個人向けの金融債は発行終了
商工中央金庫（商工中金）			ワリショー、リッショー、リッショーワイドの発行終了。主に機関投資家向けの商工債を発行
信金中央金庫（信金中金）			主に機関投資家向けの信金中金債を発行

WB

一定の期間内にあらかじめ決められた値段で発行会社の新株を買うことができる権利(ワラント)の付いた社債。新株予約権付社債。株式と社債の中間的な性格を持つ。

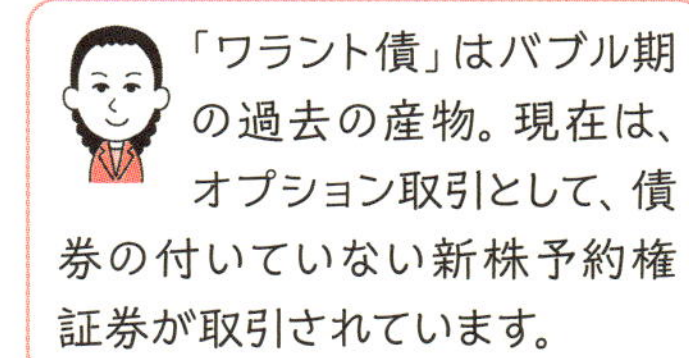

2002年4月の商法改正により、ワラント債の法的な位置付けが従来と変わりました。「ワラント」は一種のコールオプションで、「発行時に決められた権利行使価格で新株（新規に発行される**株式**）を買うことができる」という権利の部分だけです。その権利には価値が付いて売買されています。権利行使期間が過ぎるとワラントの価値はなくなります。権利行使とは、新株を買うことです。

ワラントと**債券**が一緒に付いているワラント債が**WB**（Warrant Bond：**新株予約権付社債**）と呼ばれるもので、従来の非分離型ワラント債のことです。**CB**と違う点は、権利行使をして発行会社の株式を買っても償還までは債券が消滅せず、債券部分の残高が変わらないことです。債券部分は普通社債と同じで、通常よりは低いですが**金利**が付き、額面金額で償還されます。

WBはワラントと債券がくっついたもの！

WB（新株予約権付社債）
↓
ワラント（新株予約権）　＋　社債

- ワラント（新株予約権）：値動きが激しく、権利行使期間が過ぎると価値がなくなる。コールオプションのようなもの
- 社債：**普通の社債** 権利行使をしても、社債としては存在する

CB

発行時に決められた条件で発行会社の株式と交換できる社債。交換するまでは、一定の金利を受け取れる社債としての側面も持つ。利率は、通常の社債より低め。

CBはバブル期に多く発行されました。バブル崩壊で額面割れCBが続出。償還まで持てば高利回りになり個人投資家に大ブーム。

CB（Convertible Bond）の正式名称は**転換社債型新株予約権付社債**と言い、発行時は**社債**ですが、投資家の選択により**株式**と交換（これを「転換」と言う）できます。転換の有利・不利は株式市場の状況しだいです。CBの発行会社の**株価**が転換価格より高い時、投資家はCBを株式に転換して売却すると差額分の**キャピタル・ゲイン**が得られます。株式に転換しなければ、普通社債と同様、一定の**金利**が付き、償還は**債券**として額面金額が投資家に返されます。

CBは株式に転換される可能性を持つので「潜在株式」と言われます。CBの市場価格は、ほぼ株価に連動します。債券としての側面と、株式としての側面を併せ持つ**金融商品**です。

転換価格は発行時に決められますが、最近では途中で転換価格が変わるCBも出ています。転換時期は、発行日の翌月から償還日の直前までに設定されるのが一般的です。

CBの発行、保有、転換、償還

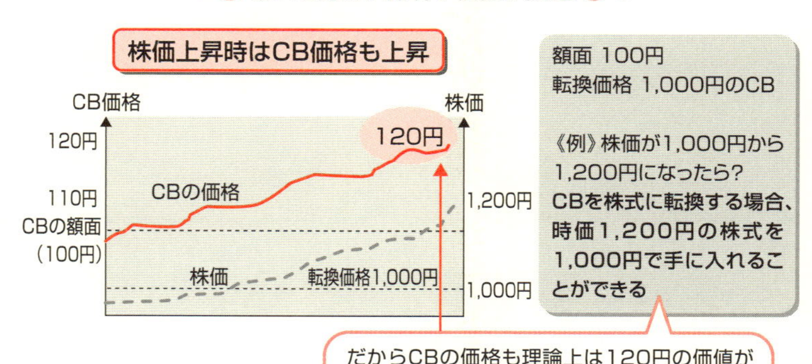

劣後債 「劣後特約」という、発行体の債務の中で弁済の優先順位が一般の債務や普通社債より後回しになる条件が付いた債券。普通社債に比べ、安全性が劣る。

定義どおりに説明すると、返済順位が「劣る」ですが、まあ、はっきり言えば、倒産すると紙切れになる債券、でしょうね。

債券の発行体が事実上倒産すれば、**デフォルト**となり、元本が額面どおりに返済されないこともあります。債券は負債であり、債券を保有する債権者は、株主よりも返済順位が高いです。しかし、負債の中でも返済の優先順位があります。**劣後債**は一般の借り入れや普通**社債**よりも元利金の支払いを受ける順位が低い**特約**（劣後特約）が付いています。

このように、劣後債は、普通社債より**リスク**が高いと言えます。そのため利率が高いことが多く、魅力があるようにも見えます。しかし、購入の際や保有期間中には、元利金の支払いが確実に受けられるよう、より信用リスクに気を付けなければなりません。

金融機関が劣後債を発行する理由

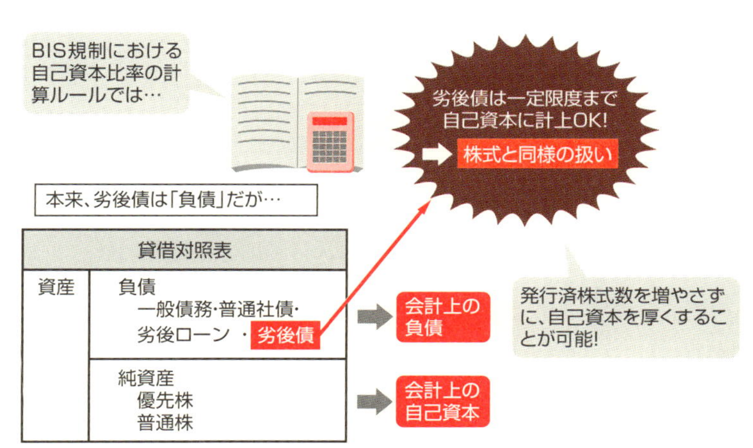

銀行の国際的ルールでは、本来は負債である劣後債について一定額までは株式と同様にみなされている!

無担保債

元利金の支払いのための担保を付けていない債券。元利金支払いの確実性は、発行体の信用に左右される。近年は、無担保が主流。

東電債などの電力債は、電力事業の全資産を担保とする一般担保保債。無担保融資や賠償金より優先して返済されるって……。

債券には、融資と同様に、償還と利払いの確実性を保証するための担保を付けることもできます。担保が付いていれば担保付債、担保が付いていない債券が**無担保債**です。担保付債は「一般担保付債」と「物上担保付債」に分けられます。

国債や**地方債**、そして個人投資家が購入できる**社債**のほとんどは無担保債です。無担保債への投資は、元利金の支払いを確実に受け取るためにも、より信用**リスク**に気を付けなければなりません。

なお、「一般担保付債」とは、発行体が事実上の倒産などになった場合に、発行体の弁済を無担保の債権者より優先的に受けられる特権が付いている債券です。電力会社やNTTが発行する電力債やNTT債に適用されています。「物上担保付債」とは、発行体が保有する土地や工場、機械設備、船舶など特定の物的財産が担保に付けられた債券で、**信託銀行**などが担保や債券の管理を行っています。

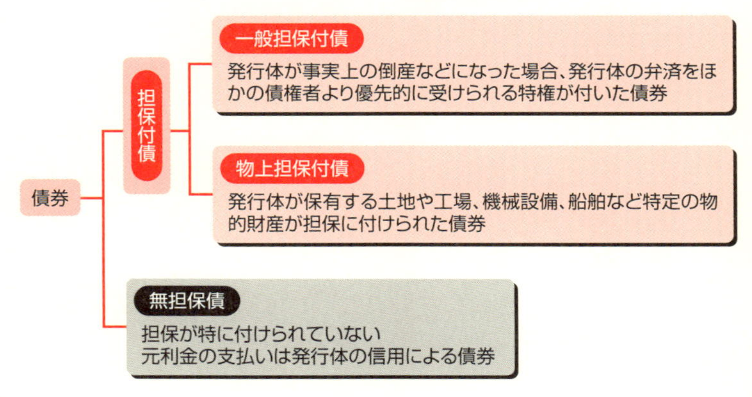

仕組債

通常の債券にデリバティブなどを組み込み、元利払いが株価や為替相場に左右される債券。商品コンセプトに応じてオーダーメイドで組成された特殊な債券。

トラブル続出で社会問題になってもなお、販売が続いている仕組債。自己責任ですけどね。仕組まれたカラクリにご注意を。

仕組債とは、**先物取引**やスワップ取引、**オプション取引**などを用いて、**証券会社**のアレンジによって商品コンセプトに応じて企画される**債券**です。同じ設計を預金に設定すれば、**仕組預金**となります。

仕組債の例として、EB（他社株転換条項付債券）、株価指数リンク債、**デュアル・カレンシー債**、クレジットリンク債などがあります。

代表的な仕組債「日経平均株価リンク債」を例に説明します。「あらかじめ決められた評価日に、**日経平均株価**が**基準価額**を下回った場合」、「償還金額は日経平均株価に連動した金額になる」や、「低い年利率が採用される」などの条項が一般的です。これらの条項と引き換えに、同時期の同じ期間の債券よりも高い利率が設定されています。

償還金変動型の仕組債

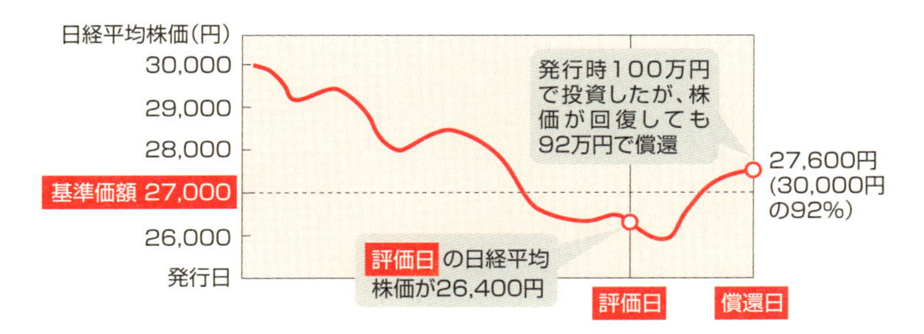

条項の代わりに、同じ期間で運用する債券よりも高い利率が設定されている

新発債/既発債

新規に発行・募集されている債券が新発債、過去に発行されていて市場もしくは相対で取引されるのが既発債。発行から1日でも経てば既発債。

新発債は新品、既発債はヴィンテージもの。中古でも金利や信用力が魅力的なら、オークションでは額面以上の値がつきます。

新発債は新規発行の**債券**で、**既発債**はすでに発行された債券です。債券の取引時点で、いつ発行されたものかによって分類した名称です。同じ債券でも、発行時は新発債、その後は既発債になります。

新発債は募集という形で資金を集め、それに応じる投資家が資金を払い込み、発行されます。別途に手数料はかかりません。

既発債は、ほかの投資家が保有していた債券が中途換金される時、市場を通じて、または相対取引（店頭取引とも言う）で買い付けます。取引所を通じて購入する際は**売買委託手数料**がかかり、相対取引の場合は単価に手数料が含まれています。

新発債と既発債

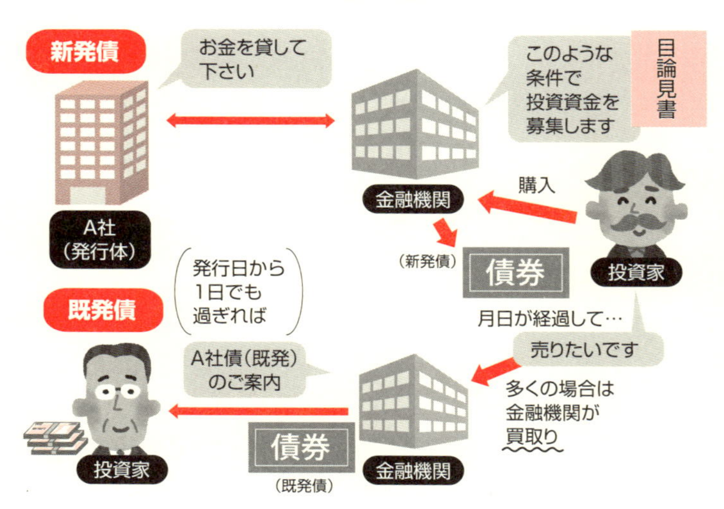

格付　債券の元金や利子(または預金や保険金)が確実に支払えるか、債券の発行体や預金取扱機関、保険会社などの安全性をランク付けしたもの。

サブプライムローン問題では不良債権化した住宅ローンやローン保証会社の格付が甘く、以後、財務格付への不信感が高まりました。

格付は、内閣府令で定められた「指定格付機関」が会社や**金融機関**、国、地方公共団体の発行する**債券**の元利払い、預金の支払い、**保険金**の支払いなどの確実性を調査してランク付けしたものです。評価はアルファベットや数字、「+、−」などの記号で表現されます。

格付が高ければ**利回り**が低く、格付が低ければ利回りが高い傾向にあります。一般に、「BBB」以上の格付を投資適格格付とし、「BB」以下を投機的格付、または投資不適格としています。

格付は購入した債券の元本の償還と利払いを受ける確実性の目安にはなりますが、あくまでも第三者である格付機関による意見です。格付機関によっても見方に差があるものです。

また、発行会社の経営状態は常に変化しています。それによって、格付が何段階も見直されることもありますので注意が必要です。

格付記号の意味

ABCによる表示	・Aは、Bより高い格付。Bは、Cより高い格付 ・AAAは、AAより高い格付。AAは、Aより高い格付 ・小文字を使う格付会社もある
+−による表示	・アルファベットに+が付いている場合、何も付いていない表示より高い格 ・アルファベットに−が付いている場合、何も付いていない非表示より低い格付

デフォルト

公社債を発行した国や事業会社が財政難になるなどして利払いが遅れたり、元本の返済ができなくなったりすること。

コンピュータの初期設定をデフォルトと呼ぶのと同じで「何もしないこと」。返済の約束を履行しないのがデフォルトです。

デフォルト（債務不履行）は、一般に**社債**の発行体である会社の倒産や、国債の発行体である国の財政破綻などの状態で起こります。以前の日本では会社がデフォルトしそうになると受託銀行が社債を買い取るなどの対応で、投資家が実際に損失を被らずにすみました。

しかし、社債発行の制度改正と、日本の**金融機関**の財務に余裕がなくなったことで、投資家が損失を受けるケースが発生してきました。2001年秋に経営破綻したマイカルの社債や2001年末のアルゼンチン国債が返済不能になり、多くの投資家が損失を被っています。

なお、「デフォルトリスク」は「信用リスク」「クレジットリスク」とも呼ばれます。貸し倒れの恐れのことで、**債券**の元本の償還や利子の支払いが約束どおりに償還されないかもしれない**リスク**です。この可能性を第三者が財務面などから判断するのが**格付**です。

デフォルトリスクを回避するには？

定期的な格付のチェック

格付は変更される!

異常なほどの高金利に注意！

同じ期間の他の商品より高金利 → 信用性が低い可能性あり!

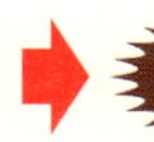

分散投資！

ジャンク債 発行体の信用力が低く、格付が投資適格に満たない債券の俗称。信用リスクが高い分、高利回りになっているが、債券価格の下落やデフォルトへの注意が必要。

「ハイイールド債」、またの名を「ジャンク債」。この2つは表裏一体で、同じものを指すことを知っているでしょうか。

「ジャンク」とは「くず、ガラクタ」という意味ですが、**ジャンク債**（**ジャンクボンド**）は、実は「ハイイールド債（高利回り債券）」と呼ばれる**債券**で、一時期は人気が高まりました。

具体的には、**格付**が「BB」格以下の債券を指し、投機的要素が強い債券という位置付けです。以前は、発行体の財務が悪化して債券の格付が下がり、ジャンク債となるケースが多くありました。近年では新興企業や新興国の資金調達に債券が使われ、ハイ**リスク**・ハイリターンの投資対象として流通しています。信用力のない発行体は、**金利**を高くして魅力的な投資に見せなければなりません。ジャンク債はもともと利率が高いか、債券価格の下落で**利回り**が上昇しています。発行体の財務内容が劣るため、取引価格が大きく変動するリスクを抱えています。

ジャンク債を買う投資家の意図は？

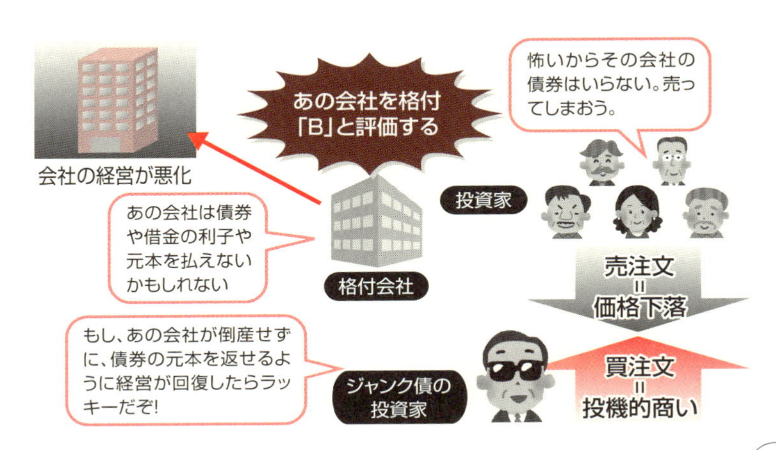

4-7 投資信託とは、どのような金融商品なのか？

投資信託は、株式や債券などの運用の素材をパックした金融商品です。

投資信託 ファンドとも呼ばれ、不特定多数の投資家から資金を集め、1つにまとめて信託財産として運用する仕組みの総称。

投資信託は初心者向き？　小口で分散投資ができ運用の実践勉強になりますが、仕組みを理解するにはハードルが高いかも。

投資信託に集められた資金は、**株式**や**債券**などの**有価証券**や不動産投資信託、**デリバティブ**などで運用されます。運用損益は、投資家（受益者と言う）の投資口数に応じて分配されます。

投資資金は**証券会社**や銀行などを通じて集められ、受託銀行に資産が保管、管理されて、投資信託会社が実際の運用を担当します。

投資信託の仕組み

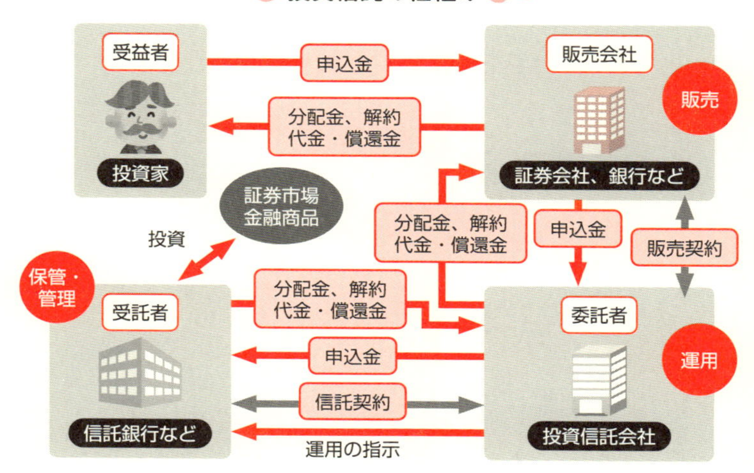

ファンドマネージャー

投資信託会社の運用担当者。経済・金融市場や企業業績などを分析し、投資方針に従って投資信託を運用する。

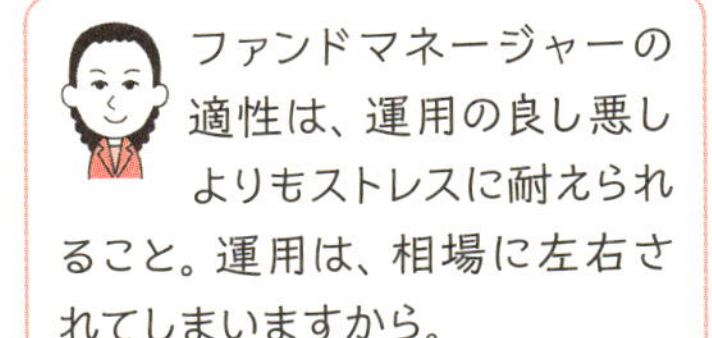

投資信託は、設定の際に投資方針を定めています。これに従い、投資家から集めた資金を運用する人が**ファンドマネージャー**です。ファンドマネージャーは、ただやみくもに儲かりそうな銘柄に投資するわけではありません。**インデックス型投資信託**のファンドマネージャーは、ベンチマークとなっている指標と担当する投資信託の値動きが連動するように、投資信託の資金を運用することが使命です。**アクティブ型投資信託**のファンドマネージャーは、定められた投資方針の範囲内で市場平均を上回る成果が得られるよう、投資対象銘柄の選定や売買のタイミングの判断を随時行いながら、投資信託の資金を運用します。

運用中の投資信託について投資家に報告をする「投資家向け資料」には、ファンドマネージャーが市場に対してどのような考えを持ち、実際にどのような運用をしているかが記載されています。

ファンドマネージャーの業務

投資家
ファンドマネージャー
ファンドの運用
運用状況の説明
投資家向け資料
運用報告書
投資対象の調査、分析
市場動向
経済環境
個別企業業績
政局
……
アナリスト
アナリストからの情報、アドバイス

オープンエンド/クローズドエンド型

会社型投資信託において、投資法人が投資口を投資家に払い戻しをするかしないかの分類。投資家の換金方法が異なる。

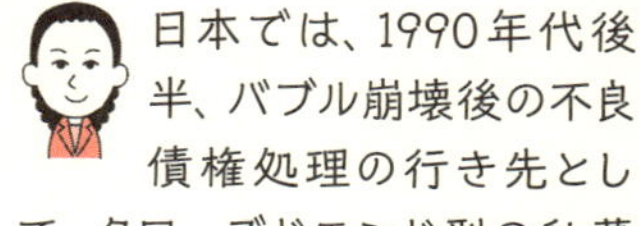

日本では、1990年代後半、バブル崩壊後の不良債権処理の行き先として、クローズドエンド型の私募ファンドが利用されました。

会社型**投資信託**は、資産運用を目的として設立された法人です。**J-REIT**は会社型の形態で、会社型投資信託の投資家は、**株式会社**の株主と似ています。

会社型投資信託は、投資口を投資家に払い戻すか否かが規約に定められています。投資家の請求があれば純資産の時価で払い戻しをするタイプが**オープンエンド型**です。一般的な投資信託とほぼ同じ扱いです。会社型の主流は払い戻しをしない**クローズドエンド型**です。投資家が換金をする場合は、**証券取引所**などの**流通市場**で売却します。純資産の時価に需給の影響を受けた価格になります。ファンドの純資産にお金の出入りが頻繁でないため、流動性が劣る投資対象も組み入れることができるなど、柔軟な運用ができる点が特徴です。

オープンエンド型とクローズドエンド型の換金方法の違い

株式型投資信託

一般的には株式を中心に運用される投資信託。課税の関係上、形式的に株式型投資信託を名乗る場合もある。

一時期、大ブームになった毎月決算型の投資信託。代表的なものが国際債券型ですが、税法上は株式型に分類されます。

投資信託を運用対象で大きく分けると、**株式型投資信託**（**株式型ファンド**）と**公社債型投資信託**の２種類です。主に国内外の**株式**を中心に運用する投資信託が株式型投資信託です。

しかし、課税上の株式型投資信託の定義は、「法律上、公社債型投資信託に分類されている以外の投資信託」です。実際には株式の組み入れが0%でも、**約款**で株式型投資信託と定めていたら株式型です。これは**外国債**が運用対象の投資信託に多く見られます。しかし、それでは混乱するので、投資信託協会の新分類では実質的に株式を組み入れているものを株式型としています。

株式型投資信託の**リスク**度やリターン目標は幅広く、運用方針を確認する必要があります。運用資産のうちの株式の割合や、**デリバティブ**の組み入れ有無などで、運用の結果が大きく異なります。

株式型投資信託のタイプ

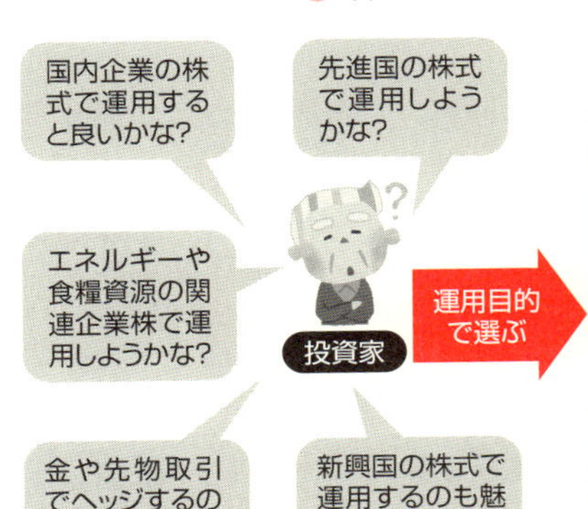

株式投資信託のタイプ例	
国内株式に投資をする	●△日本株ファンド
外国株式に投資をする	△■世界株ファンド
あるテーマの関連企業に投資する	●△テーマファンド
株価指数に連動させる	□▲インデックスファンド

公社債型投資信託

日本の金利が高い時代には、中期国債ファンドやMMFなどが身近な運用先として人気でした。今はどちらも販売されていません。

法律上は、公社債と譲渡性預金等のみで運用する投資信託。投資信託協会の新分類では、実際に株式が組み入れられていない投資信託。

運用対象で**投資信託**を分類した場合、日本または世界の**公社債**と**短期金融商品**などで運用する投資信託を**公社債型投資信託**と言います。公社債型投資信託は、NISAの対象外です。

実は、**株式**にはまったく投資をしていない投資信託であっても、課税上は**株式型投資信託**に分類されているものが数多く存在します。為替変動の影響がある**外国債**を組み入れた投資信託は、**基準価額**が大きく変動する可能性が高いため、株式型投資信託に属するのです。

しかし、それでは投資家が理解しにくいため、投資信託協会の分類では運用の実態に近い表示になりました。株式をいっさい組み入れずに外国債のみで運用する投資信託は「海外/債券」と表示し、「課税上は株式投資信託として取扱われます」と記載されています。

実際の投資対象と、課税上の分類は違うこともある

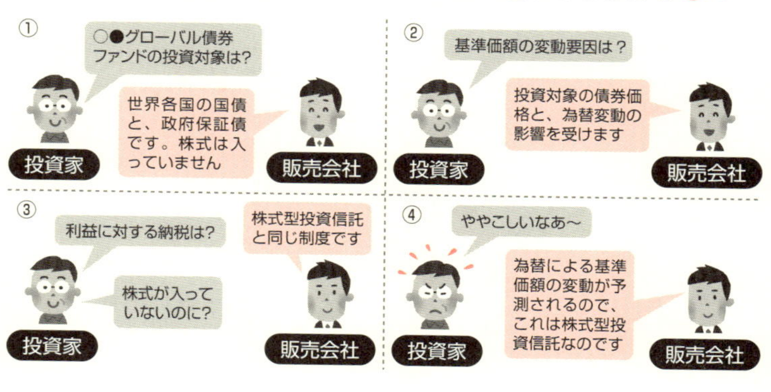

インデックス型投資信託

TOPIXなどの株価指標や債券インデックスなどをベンチマークとし、これに極めて近い運用成果を目指す投資信託。

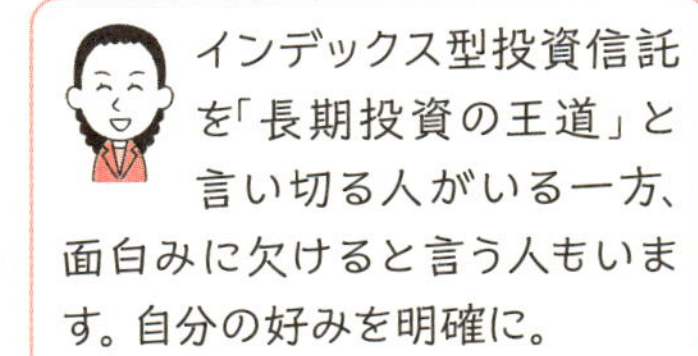

インデックス型投資信託とは、あるインデックス（株価指数・債券指数など）と連動する値動きを運用目標にする**投資信託**です。**インデックスファンド**とも呼ばれます。インデックスには、**TOPIX**、**日経平均株価**、**NYダウ**、MSCIワールド・インデックスなどがベンチマークとして用いられ、主にパッシブ運用を手法としています。

インデックス型投資信託といえども、ベンチマークにする指標の特徴により、グロース株やバリュー株など投資先が異なります。投資の際には、連動するインデックスを理解しておく必要があります。

なお、インデックス型投資信託が運用上で最優先するのは、**約款**（やっかん）で定めたベンチマークと連動することです。例えば、日経平均株価をベンチマークにした場合、日経平均採用銘柄の**株価**が低迷している相場環境でも、これらを投資対象から外すわけにはいきません。

インデックス型投資信託の特徴

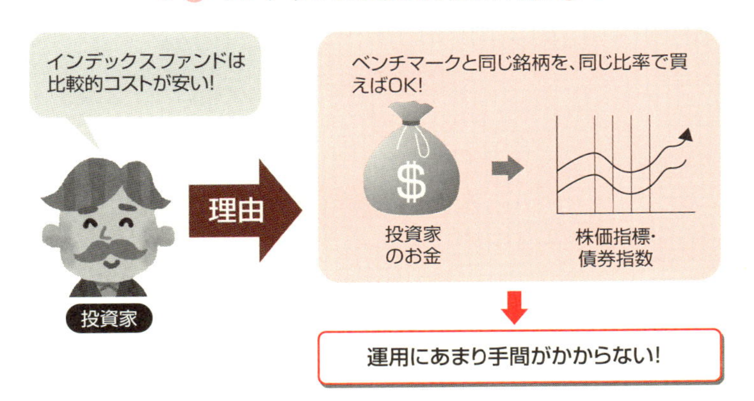

アクティブ型投資信託

運用担当者が投資先や売買タイミングの判断をし、市場平均を上回る収益を運用目標とする投資信託。

アクティブ型投資信託は、コストが高い上に運用が下手という悪評も。しかし個人のノウハウと労力で同じことをするのは困難です。

アクティブ型投資信託とは、市場平均を上回る収益を運用目標にする**投資信託**です。**アクティブファンド**とも呼ばれます。**ファンドマネージャー**が経済環境や**金利**などマクロ面や投資対象の調査・分析結果などから投資銘柄を選び、売買のタイミングを判断するので、ファンドマネージャーの運用能力が**基準価額**に大きく影響します。

アクティブ型投資信託の運用手法は、トップダウン・アプローチとボトムアップ・アプローチが代表的です。前者は、景気指標などマクロ的な側面から、値上がりしそうな投資銘柄を選びます。後者は、個別企業の調査・分析結果から値上がりしそうな銘柄を選びます。

アクティブ型投資信託の運用成果は、同じ投資環境でも、投資方針や投資対象によって異なることがあります。投資の際は、**目論見書**をよく読み、自分の投資に対する考えと合致するかの確認が大切です。

アクティブ型投資信託の特徴

アクティブ型投資信託は、比較的、販売手数料や信託報酬が高いね

運用の情報収集と分析にはコストがかかります

相場環境に見合った投資信託を選びたいな!

あなたの投資方針は、機動的に銘柄入れ替えを行なうアクティブ型投資信託が向いていますね

「環境」とか「中小型株」のようにテーマを絞って投資をしたいな

あなたの投資方針は、アクティブ型投資信託の中でも、テーマで運用銘柄をまとめたテーマファンドが向いていますね

ファンド・オブ・ファンズ

投資信託証券を運用対象にする投資信託。複数の投資信託を組み合わせてパックし、1本の投資信託を作る。

そもそも投資信託は分散投資が基本なのに、それをまた複数組み合わせて分散投資するとは！わざわざ複雑にしなくてもいいのに。

ファンド・オブ・ファンズには、一般販売用の**投資信託**とファンドへの組み入れ専用投資信託のどちらも組み入れ可能です。ただし、原則として、1つのファンドへの投資は純資産の50%以下という制限があります。個別**株式**への直接投資は認められていません。

ファンド・オブ・ファンズのメリットは、1つの投資信託の購入で複数の投資信託に**分散投資**ができる点で、**リスク**低減効果が期待できます。プロが厳選した投資信託に投資ができる点も魅力です。

デメリットは、組み入れられた投資信託それぞれとパック全体の投資信託に信託報酬が二重にかかり、コストが割高になりやすい点です。また、中身の投資信託を理解しにくい仕組みも否めません。

ファンド・オブ・ファンズの仕組み

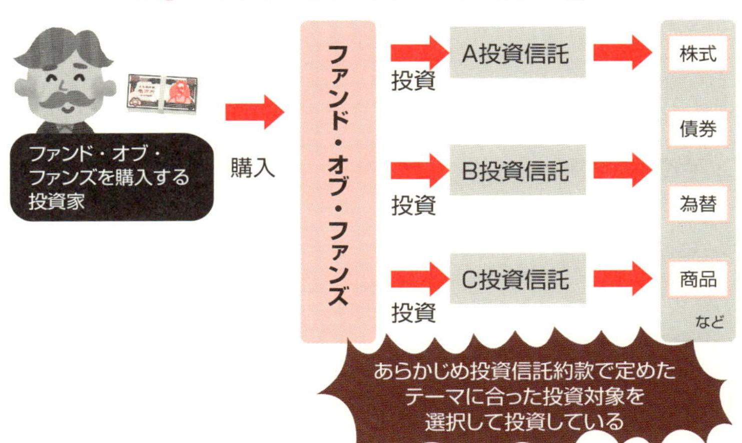

目論見書

投資信託の運用方針、換金の条件、費用などの内容や、投資信託会社の事業内容などが記載された資料。投資信託説明書とも言う。

運用や事業方針の「もくろみ」を示した指南書。証券を購入する際はもちろんのこと、保有中ももくろみ通りかどうかを確認。

目論見書（もくろみしょ）は、投資家保護のために法令に基づいた様式で作成される説明用資料で、**ディスクロージャー**として欠かせません。**投資信託**の運用会社が作成し、販売会社は投資信託を購入する投資家に目論見書を必ず提供して説明をする義務があります。

本来、目論見書の内容は有価証券届出書に沿っているため、難解な表現が多かったのですが、近年は改善され、目論見書の巻頭に記載された「ファンドの概要」「ファンドの基本情報」を読めばおおよその情報が分かるようになっています。

また改善の一環として、目論見書が2種類に分かれました。これから投資信託を購入する人向けの「交付目論見書」と、投資信託を保有する投資家が請求した時に交付される、内容が詳細な「請求目論見書」です。

投資信託のディスクロージャー資料

交付目論見書	投資信託の購入する人向けで、運用方針や、コスト、リスク、換金の方法について知る資料
請求目論見書	投資信託の保有者が請求すると、受け取れる。投資信託の財務諸表などの詳細が記載
パンフレット 簡易目論見書	目論見書の代わりに、簡単な言葉で書かれた商品概要
ウィークリーレポート マンスリーレポート	投資信託の直近の運用状況、運用の様子がわかりやすい
運用報告書	投資信託の決算後または6ヵ月ごとに作成される法定資料。期中の運用経過や財産、損益の状況が報告される

基準価額 投資信託の1口あたりの値段のこと。投資信託が保有する運用対象の時価総額を口数で割ったもの。毎日算出され、公表されている。

基準価額の高さが良い投資信託の条件ではありません。運用開始時に相場環境が悪かったのなら、今の基準価額が高くても当然です。

投資信託の**基準価額**（**基準価格**）は、資産総額をその投資信託の口数で割って算出されます。資産総額は、組み入れた**株式**や**公社債**などをすべて時価で評価し、利子や**配当金**などを加え、信託報酬や監査報酬などの運用管理費用を差し引いて求めます。

投資信託の基準価額は、新聞やインターネットの投資情報画面、投資信託会社・販売会社のホームページなどでも知ることができます。また、投資信託会社から情報開示される運用報告書やウィークリーレポート、マンスリーレポートなどのお客様向け資料でも確認ができます。自分の保有する投資信託の現在の資産額を知りたい場合、保有する口数に基準価額を掛け算すれば求められます。

投資信託のコスト

販売手数料	投資信託の購入時にかかる場合が多く、基準価額の0%～3%程度が一般的。申込金の中に手数料が含まれているものと、外枠のものがある。手数料には消費税がかかる
運用管理費用（信託報酬）	投資信託の運営、管理などにかかり、投資家が間接的に支払う費用。投資信託会社、受託銀行、販売会社に振り分けられる。純資産額に対して日々差し引かれている。年率1%～2%程度が多く、消費税が上乗せされている
信託財産留保額	投資家の公平性を保つために、投資家の解約によって生じる費用を、途中換金する投資家から徴収するもの。投資信託の財産に対して支払う

個別元本

投資信託の利益計算の基準となる、投資家ごとの元本金額。販売会社が計算する。基本的には購入時の価額だが、収益配分の状況により、修正されることも。

昔は、同じ投信を持っている人の大半が儲かっていたら、個人的には損をしていても税金が引かれていたんですよ！

2000年4月以降、国内の追加型株式投信は**個別元本**方式です。**投資信託**の個別元本は、投資家個別の購入時の**基準価額**つまり「買い値」です。販売手数料や消費税は含みません。**積立投資**や同じ投信を複数回に分けて購入した場合、購入のたびに個別元本は再計算されます。

解約の際は、解約価額と個別元本の差額に課税されます。分配型投信では一万口あたりの分配金はみな同じですが、投資家全員に利益が出るとは限りません。その対応には、個別元本方式が適しています。利益の場合は「普通分配金」、含み損の投資家に支払う分配金は「特別分配金（元本払戻金）」と呼ばれます。特別分配金を受け取った投資家は、元本が返却される扱いで、分配金の支払い時に個別元本が修正されます。

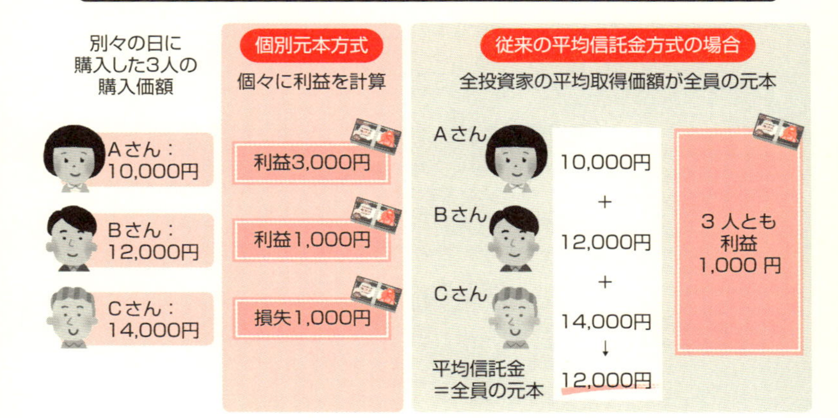

トータルリターン通知制度

販売会社が顧客に保有する投資信託の損益状況を知らせる制度。年度末などを基準日とし、年1回以上作成する。

「分配金、受け取るたびに使っちゃって、いくらもらったのか全然わからない！」という人こそ、役に立つ制度かもしれませんよ。

トータルリターンは、投資による損益の総合計です。ある一定期間に区切って、その期間内の損益合計を指す場合もあります。

投資信託のトータルリターンは、最初の購入から計算基準日までの全期間の損益合計です。計算基準日の評価金額と、それまでに受け取った収益分配金の全額、換金したことがあればその受取金額をすべて合計し、購入金額を引いて求めます。

トータルリターン通知制度は、日本証券業協会の規則です。投資信託の販売会社が、顧客に対して、その投資全期間のトータルリターンを通知することになっています。投資信託の保有者が損益の状況を把握しやすいように、2014年12月1日以降に購入した投資信託から導入されています。購入と換金を繰り返していたり、頻繁に収益分配金を受け取っていたりすると、結局どれだけ利益を得ているのかが分からなくなってしまう、という投資家が多かったためです。

トータルリターンは、要するに「増えた金額」

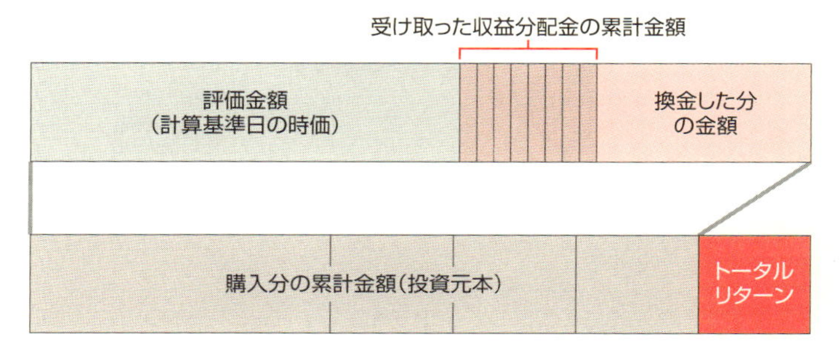

ノーロード投信

購入時に販売手数料のかからない投資信託。オンライン証券や投資信託会社の直接販売などに多い。

同じ投資信託でも、販売手数料は販売会社ごとに差があります。ある販売会社でノーロード、別の販売会社は有料ということも。

投資信託に関する費用は、直接的に支払うものとして販売手数料、間接的に支払う運用管理費用（信託報酬）、信託財産留保額、監査人報酬、運用対象の**売買委託手数料**があります。

購入時に販売会社に支払う販売手数料は、約定代金の1～3%台という投資信託が多い中、手数料のかからない投資信託が**ノーロード投信**です。販売の際の人件費が軽微な販売会社（インターネットやスマホでの取引、運用会社の直接販売）で取り扱っていることが多いようです。ただし、販売時の手数料が無料であっても間接的に支払う諸々の手数料は有料か、ほかの投資信託より高めの場合もあるので注意が必要です。

なお、**公社債型投資信託**のMRFなどは、どの販売会社でも販売手数料は無料です。

ノーロード投信のイメージ

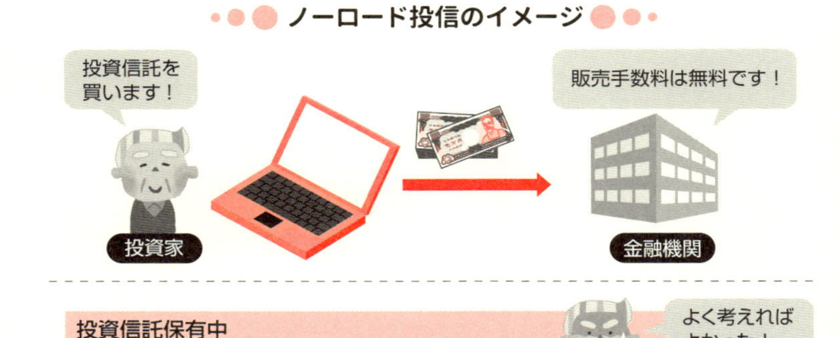

投信ラップ　ラップ口座の中でも、投資信託だけを選定金融商品に挙げて、顧客の資産を一任運用する資産運用サービス。ファンドラップとも言う。

団塊世代の退職金の囲い込み。退職して投資にかける時間が増えるなら、自分で運用し経験を積むこと自体が財産になるはずです。

一般に**ラップ口座**は投資対象を幅広い**金融商品**から選択しますが、**投信ラップ**口座では投資対象の資産を**投資信託**に絞っています。主にリアル店舗の**証券会社**や**信託銀行**、投資顧問業者が富裕層向けに始めたサービスですが、最近は少額でも利用できます。

通常のラップ口座と同様、まず顧客のライフプランや投資への関心度、投資経験などをヒアリングし、投資家それぞれに見合うプログラムを提案します。顧客は運用の判断を業者に一任します。業者は運用中に選定した投資信託の運用状況を顧客に報告し、投資方針の見直しや**ポートフォリオ**の組み替えなどのメンテナンスも行います。

とはいえ、すべてオリジナルの運用プログラムを組むほどの富裕層は一握りで、多くの場合はすでに用意されたいくつかの運用プログラムやコースの中から選択しているのが現状です。

投信ラップの仕組み

投資信託のラインナップ

・ポートフォリオの提案
・運用報告
・メンテナンスの提案
・ライフプランの希望
・運用方針

投資家

証券会社
信託銀行
投資顧問業者
など

投資一任契約の締結

投資一任契約
運用を専門とする金融業者が、顧客の投資判断を一任されて顧客のために投資に関する権限を委任される契約

MRF

証券総合口座の中で決済に利用することが多い流動性の高い公社債型投資信託。国内外の短期の公社債やCDなどで運用されている。

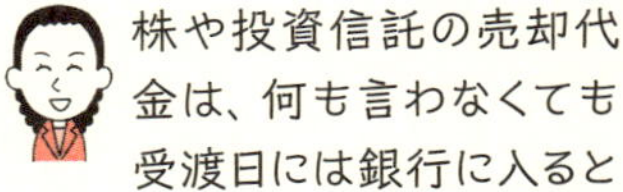

株や投資信託の売却代金は、何も言わなくても受渡日には銀行に入ると思う人もいるようで。通常はMRFに振り替えられています。

MRF（Money Reserve Fund：**証券総合口座専用投資信託**）は、流動性と安全性に優れた**公社債型投資信託**です。

投資家の購入と解約をしやすくするため、短期の**金融商品**で運用を行います。安全性を高めるために、運用対象の**格付**や残存期間などに制限をかけ、組入銘柄の条件を厳しくしています。

また、**証券総合口座**の中で、**株式**やほかの**投資信託**の購入資金にしたり、公共料金の支払いや給与振込などの機能を付けて、MRFを銀行の普通預金のように利用できるようにしている**証券会社**もあります。預金と違う点は、投資信託なので**元本保証**でないところです。

購入単位は1円以上1円単位で、いつでも購入と換金が可能です。運用実績による「実績分配型」で、収益分配金は毎日計算されて月末に再投資される1ヵ月**複利**となっています。

証券総合口座とMRF

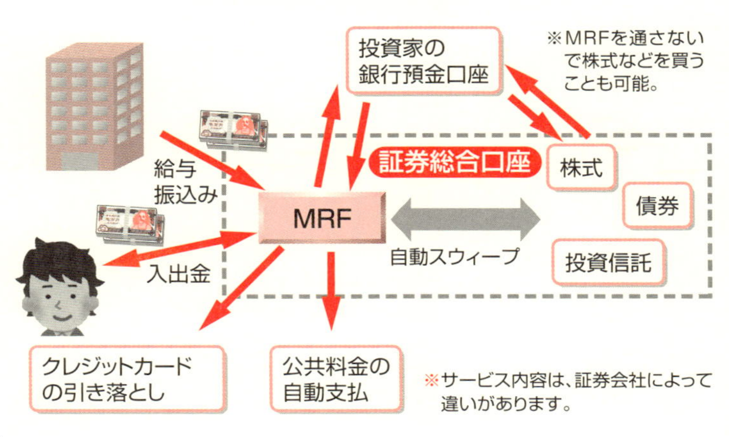

ETF

証券取引所で売買される投資信託。TOPIXや日経平均株価などに連動する投資信託の受益証券が、証券取引所に上場して取引されている。

異なる運用会社が同じ指標を対象にしたETFをそれぞれ発行しています。それらは、同じ瞬間に違う値段になることもあります。

ETF（Exchange Traded Funds：**上場投資信託**）の運用の形態は**投資信託**で、受益証券が**証券取引所**に**上場**されています。**TOPIX**や**日経平均株価**、特定の業種株指数、金や原油などの資源価格、特定の**為替相場**に連動する**インデックス型投資信託**です。最近、海外市場で**アクティブ型投資信託**のETFも上場しました。売買の方法や税制は上場株式と同様です。株式市場でのETFの価格は、投資信託に組み入れた銘柄の時価から算出した投資信託の純資産の時価がベースですが、市場の取引によって値動きします。株価と同じように、投資家の**需要と供給**の影響を受けます。

小口の資金でも株式市場全体に投資ができ、投資信託でありながら**株式**のように指値（さしね）ができるなど機動的な売買ができる点が魅力です。

ETFの仕組み

ETFを売買する仕組み
ETFをつくる仕組み
ETF上場
売りの投資家
ETF受益証券
買いの投資家
ETF受益証券
証券取引所
ETF受益証券
投資信託会社（ETF組成）
株式
証券会社
実務上では、ETFの受益証券は2008年1月から電子化されている

J-REIT

投資家から集めた資金を、主に不動産の賃貸や不動産売却益などで運用する会社型投資信託。上場しているものとしていないものがある。

J-REITでは、投資家から集めた資金のほかに銀行融資なども運用資金になっています。金利上昇による利払い負担増に注意。

単に、REIT（リート）（Real Estate Investment Trust：不動産投資信託）といった場合は、投資家から集めた資金で不動産を保有し、賃料収入や売却益などを投資家に還元する**投資信託**のことで、**上場**、非上場を問いません。

J-REIT（ジェーリート）（Japan Real Estate Investment Trust：**不動産投資法人**）は、主に不動産の賃貸や売買などで資金を運用する会社型投資信託で、**証券取引所**に上場しています。不動産を投資対象にした投資信託は、通常の投資信託と違って投資家からの解約に対して、土地や建物などの資産を簡単に売却して解約代金を払うことは困難です。そのため、通常、**公募**の不動産投資信託は**クローズドエンド型**で、会社型の投資信託の出資証券が証券取引所に上場されています。

J-REITの仕組み

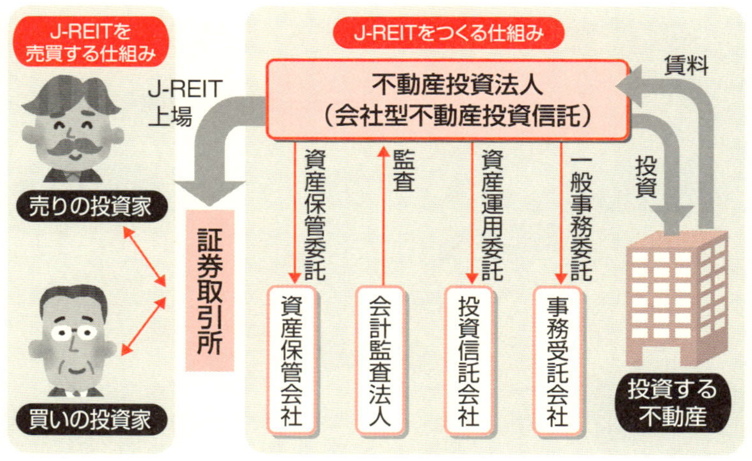

ETN

発行体の信用力に基づいて発行され、上場している債券。価格は株価指標や商品指数などに連動する。現物株などの裏付け資産を持たない点がETFと異なる。

株価と連動しない動きや反対の動きをする指標を対象にしたETNが発行されています。これらを利用すると分散効果が高まるでしょう。

ETNは「Exchange Traded Note」の頭文字をとった上場商品で、**上場投資証券**や**指標連動証券**と呼ばれます。**ETF**が**証券取引所**に**上場**している**投資信託**であるのに対し、ETNは**債券**です。発行体の信用力を基に、ETNの価格が株価指標など特定の指数に連動することを保証します。発行体の信用力が裏付けなので、現物資産を持たないことから、エネルギー指数や農産物指数など、**株式**以外の様々な投資対象を指標の対象にすることができます。裏返せば、発行体の信用力が重要で、発行体の倒産や財務悪化がETNの価格に影響します。そのため、東京証券取引所では、ETNの発行体に一定水準以上の信用力を求め、厳格な上場審査・廃止基準を定めています。

比較的新しい投資商品で、2021年12月現在、東証では15銘柄のETNが取引されています。

東証に上場するETNの例

対象指標	コード	名称	発行体
日経平均ボラティリティー・インデックス先物指数	2035	NEXT NOTES 日経平均VI先物指数 ETN	ノムラ・ヨーロッパ・ファイナンス・エヌ・ブイ
東証マザーズ指数	2042	NEXT NOTES 東証マザーズ ETN	
S&P500 配当貴族指数（課税後配当込み）	2044	NEXT NOTES S&P500 配当貴族 ETN	
野村日本株高配当 70・米ドルヘッジ指数	2048	NEXT NOTES 野村日本株高配当 70 ETN	
税引後配当込東証 REIT 米ドルヘッジ指数	2066	NEXT NOTES 東証 REIT ETN	
野村 AI ビジネス 70	2067	NEXT NOTES 野村 AI ビジネス 70 ETN	

4-8 外貨建て金融商品には、どのようなものがあるか？

日本の円を外国の通貨に交換して預金や証券投資をすることが外貨投資です。為替相場が変動すれば、資産価値も変わります。

外国為替

現金を移動させずに海外との資金決済をする方法。転じて、一般的には2国間の異なる通貨を交換することを指す。

ある時は「円高は困る、円安にしろ」。またある時は「急な円安や、過度な円安は困る」。自分の都合で言いたい放題ですね。

為替(かわせ)は、商取引をした者同士が、**金融機関**などを通じて、**現金通貨**を動かさずに代金を決済する方法です。為替取引のうち、国内でのお金のやり取りを内国為替、国外とのやり取りを**外国為替**と言います。自国と相手国で流通する**通貨**が異なる場合、それぞれの通貨を交換しなければなりません。外国為替と言えば、多くは異なる通貨の交換を指します。**為替相場**では交換する通貨をペアで呼び、例えば日本円と**アメリカドル**との交換取引なら「米ドル円」などと表現します。

異なる通貨間のお金の交換が、外国為替

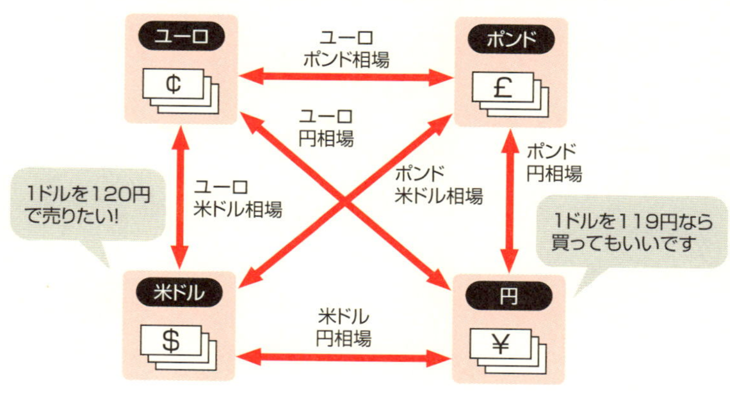

為替相場 外国為替市場において金融機関同士が異なる通貨を交換する際の、外貨の取引の比率。通貨の需要と供給によって変動する。

野菜や魚のように、外国為替を仕入れてくる市場（いちば）です。しかし、姿かたちはありません。電話やコンピュータでつながっています。

「外国為替(かわせ)市場」といった場合、通常は**金融機関**同士の取引である**インターバンク市場**での外貨の交換取引を指します。広い意味では、金融機関以外の企業も参加する**オープン市場**での取引を指すこともあります。その交換比率が、**為替相場**です。

例えば、「為替相場が1ドル＝120円」という時は、1ドル紙幣を手に入れるには120円必要だということを示しています。為替相場は、誰かが値段を決めているものではなく、参加している投資家がその**通貨**を「欲しい」「いらない」という**需要と供給**によって決定します。

為替市場は特に市場という場所があるわけではなく、コンピュータ端末の上での取引市場で成り立っており、24時間取引されています。

常に取引されている為替相場

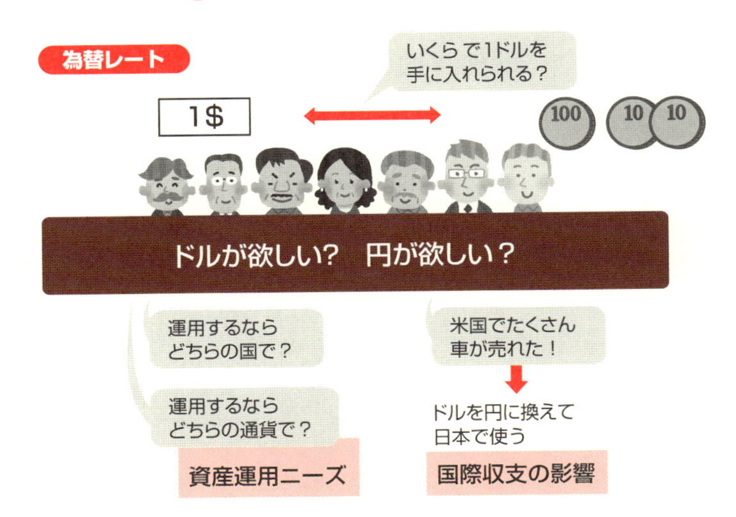

実効為替レート

貿易相手の複数の通貨を取引高に応じて加重平均し、それに対する自国通貨の比率で表現した為替レート。

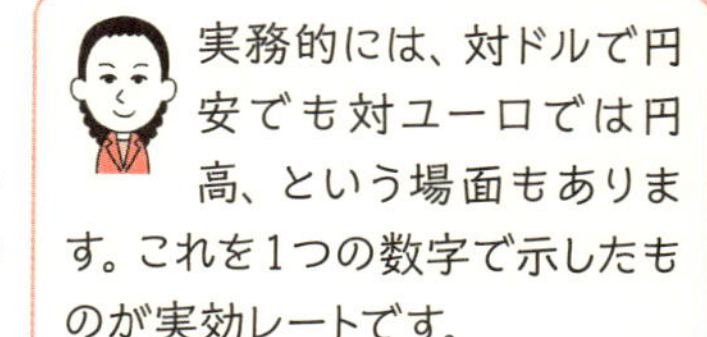

為替相場(かわせ)は、2つの**通貨**間のお金の交換比率です。しかし、グローバル化した現代では、貿易や資本取引の相手がただ1国ということはあり得ません。円相場を語る時、対ドルの円の価値だけでなく、取引相手となる国の通貨すべてと相対評価をすれば、世界の通貨に対する円の価値が計れます。特に輸出入に関しては、相手国との取引額でウェイト付けした加重平均の為替レートを使う方が合理的です。

単位が異なる世界各国の通貨で**実効為替レート**を求めるには、ある時点の相手国通貨との交換比率を100とし、変動後の為替を指数で表して各国との貿易額で加重平均して合成します。この時、**実質為替レート**を使えば実質実効為替レートが算出されます。

実効為替レートは、各国の**中央銀行**や**国際決済銀行**、**IMF（国際通貨基金）**、**OECD（経済協力開発機構）**が公表しています。

為替レートと実効為替レート

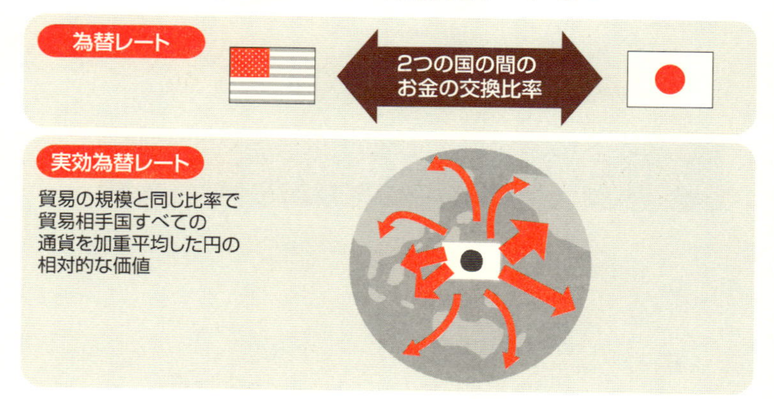

実質為替レート

物価水準を考慮した為替レート。通貨の相対的価値である為替に、モノとの相対的価値を考慮に入れて表したもの。

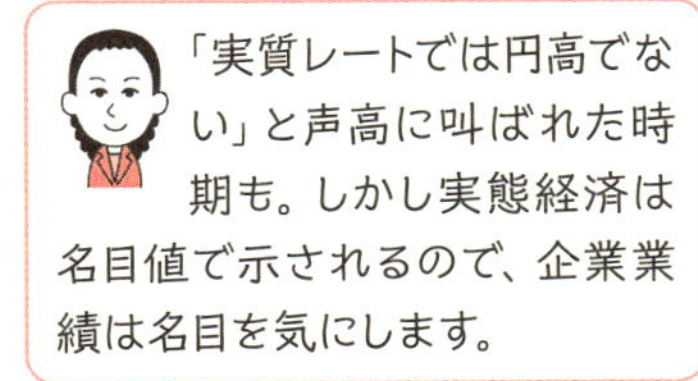

通常、報道される**為替相場**（かわせ）は、名目為替レートです。ある日を起点に為替が変動すると「円高」または「円安」になります。この期間に動いた物価を考慮に入れた為替が**実質為替レート**です。自国と相手国の物価変動が同じなら実質為替レートと名目為替レートは同じです。また、名目為替レートが変わらずに、相手国の物価が上昇し、自国の物価が一定なら、自国の為替レートは実質的に割安となります。

物価変動を示す指数には、**消費者物価指数**、企業物価指数、輸出価格指数、GDPデフレータなどがあります。実質為替レートを算出する際に、どの物価指標を使うかで数値は異なります。

近年は日本の**デフレ**が続き、「実質為替レートでは名目為替レートで見るほど円高外貨安ではない」という論調も聞かれます。

実質為替レートのイメージ

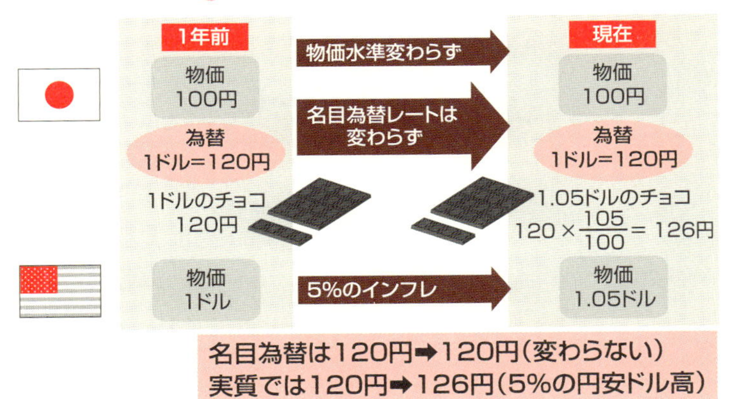

TTS/TTB

金融機関が顧客と外貨を交換する時の為替相場。日本円を持つ顧客から見ると、TTSは円を外貨に、TTBは外貨を円に換えるレート。基準となる仲値(TTM)に手数料を加味したもの。

TTSのSは「Sell」で外貨を売る銀行と買う顧客の取引為替、TTBのBは「Buy」で買う銀行と売る顧客の為替。あくまでも主語は銀行です。

外国通貨で取引される**金融商品**（外貨建て金融商品）を利用する場合、まず日本円をその**通貨**に両替します。また、運用の終了時にその通貨を日本円に戻す場合にも両替をします。これらの日本円と外貨を両替する時に適用する為替レートが対顧客電信相場です。**TTS**（Telegraphic Transfer Selling rate：**対顧客電信売相場**）は**金融機関**が顧客に対して外貨を売る際の交換比率、**TTB**（Telegraphic Transfer Buying rate：**対顧客電信買相場**）は金融機関が顧客に対して外貨を買う際の交換比率です。

TTSやTTBは、**インターバンク市場**などの取引値を基準にして、金融機関が為替交換手数料を考慮して自由に決めています。

TTSとTTB

仲値が1ドル＝120円の時

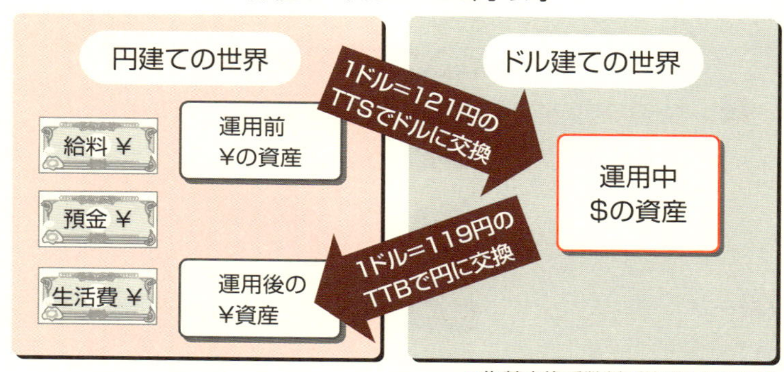

※為替交換手数料が片道1円の場合

！ 金融機関は、顧客に外貨を売る時は手数料分を上乗せしたレートで、外貨を買う時は手数料分を引いたレートで取引する

購買力平価 為替相場を決定する要因を説明する1つの考え方。同じモノが異なる通貨で売られている時、2通貨の為替はその価格の比とされる。

世界中どこにでもマクドナルドやスターバックスコーヒーがあるということで、ビッグマックやトールラテが基準にされています。

購買力平価は、**為替相場**がどのようにして決まるのかを説明した1つの説のことです。例えば、アメリカにおいて1ドルで買える商品が日本国内では120円で買えるのであれば、その時の円とドルの為替相場は、1ドル＝120円になるという考え方です。1921年にスウェーデンの経済学者グスタフ・カッセルが発表しました。

「**通貨**の価値はモノやサービスの値段で表される。取引が自由に行える市場の下では、国内でも海外でも同じモノやサービスの値段は1つに決まる」という、「一物一価の法則」の考え方を使って為替相場の妥当な水準を決める方法です。

アメリカドル

アメリカ合衆国で使用される通貨単位。米ドル、USドル、USD、$とも表示される。世界の基軸通貨とされている。

100ドル紙幣が偽造防止でカラフルに。肖像画はアメリカ建国の父ベンジャミン・フランクリン、ロッキングチェアの発明者だそう。

アメリカドルは、アメリカ合衆国の**通貨**単位です。補助通貨単位としてセントがあります。セントは¢（cent）と表示され、通称をペニー（penny）と言います。

アメリカドル紙幣で広く流通しているのは、1、5、10、20、50、100ドルです。紙幣の表面には歴代大統領や政治家の肖像が、裏面の多くには歴史的建造物が描かれています。硬貨はそれぞれ通称があり、5¢はニッケル、10¢はダイム、25¢はクォーター、50¢はハーフダラーと呼ばれています。アメリカドルは、国際貿易の8割以上の決済で使用されるほどの取引量で信用性も高く、世界の基軸通貨とされています。

ドルには、ほかにカナダドル、オーストラリアドル、ニュージーランドドル、香港ドル、シンガポールドルなどがあります。これらは、「ドル」と名が付くものの、通貨価値が異なる別の通貨です。

基軸通貨としてのアメリカドル

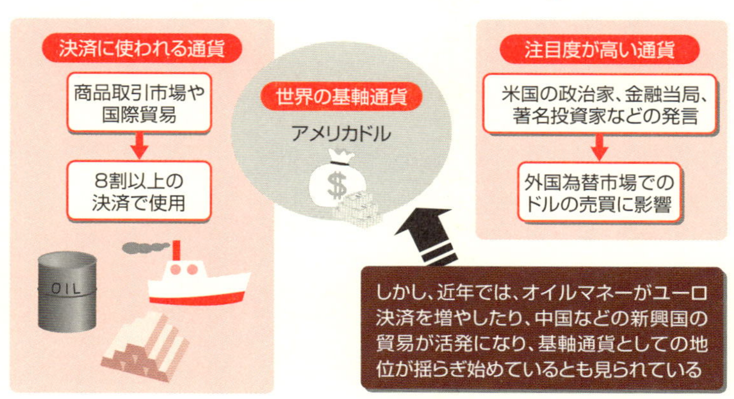

ユーロ

1999年1月1日に欧州通貨連合(EU)の通貨統合で導入された欧州の単一通貨。ユーロを導入した域内では為替リスクは生じない。

30年あまりの歳月をかけて準備し、悲願の統一を果たしたユーロ。コインの表は共通デザインで、裏は各国のオリジナルです。

ユーロは、欧州の**通貨**統合に際して1999年1月1日から導入された単一通貨です。まずは資本取引、すなわち**金融市場**や企業間の取引で導入され、2002年1月1日からユーロの紙幣と硬貨が流通しました。

ユーロ導入国同士では為替取引コストがかからず、為替**リスク**がないため貿易や投資が活発になること、ユーロ圏が**アメリカドル**に対抗する巨大な金融・資本市場になり得ること、商品・サービス価格やコストの比較がしやすく価格が安定すること、などが統一通貨のメリットです。ユーロ通貨は、ECB（**欧州中央銀行**）が発行します。

通貨統合に参加する国は、「マーストリヒト条約」で定められた**インフレ**率・財政・為替・**金利**などの条件を満たす必要があります。参加してからも、財政状況や経済政策についての制限が設けられています。

統一通貨「ユーロ」のメリットとデメリット

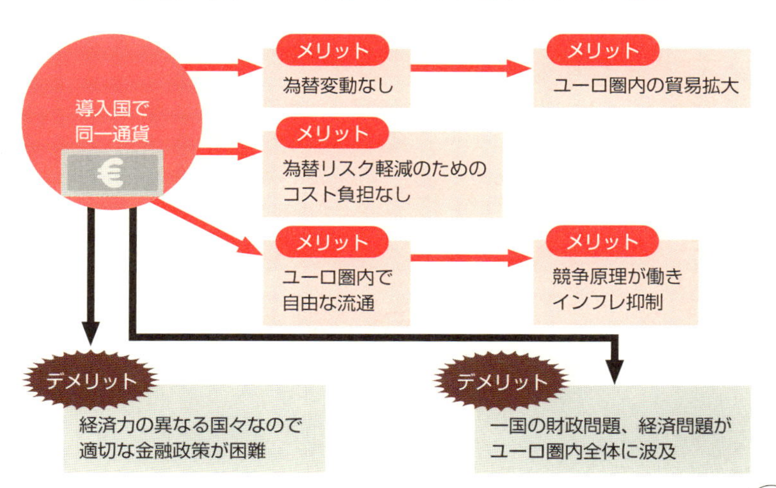

外貨預金

アメリカドル、ユーロ、ポンドなど外貨建てで行う預金。普通預金や定期預金などがある。金利は通貨の母国の水準が適用される。

金利の高さだけで飛びついても、それ以上に為替が変動して利息が吹っ飛ぶことも。為替交換手数料もかかります。

外貨預金は、普通預金や定期預金など、一般に利用している預金を外貨で利用するものです。円を外貨に両替して預金をし、満期の時は、通常、外貨を円に両替して払い戻しを受けます。円と外貨の両替時は、双方向にそれぞれ為替交換手数料がかかります。一部の**金融機関**では、外貨のまま引き出すことも可能です。預け入れ時と引き出し時の外国**為替相場**の動向しだいで預入金額や払戻金額が大きく変動します。この変動を「為替変動**リスク**」と言います。

通貨は、**アメリカドル**、**ユーロ**、ポンド、オーストラリアドル（豪ドル）、ニュージーランドドル（NZドル）などがあり、**金利**はそれぞれの通貨の母国の金利水準が適用されます。預け入れ期間は1ヵ月、3ヵ月、6ヵ月、1年などが主流です。預入金額は金融機関により異なりますが、例えば日本円で10万円以上や、アメリカドルなら1,000ドル以上というのが一般的です。

なお、外貨預金は、日本における**預金保険制度**の対象ではありません。

外貨預金の税金（年1%の1年もの外貨定期預金の場合）

預け入れ時				払い戻し時
	預金部分 10,000豪ドル	1年後 →	元利合計 10,100豪ドル	
	100豪ドルの利子に対して20.315%の源泉分離課税			
	為替部分 1豪ドル=80円 （TTS）	1年後 →	1豪ドル=85円 （TTB）	
	1豪ドルあたり5円の為替差益が雑所得となり、 総合課税の対象5円×1万豪ドル=5万円			

※ただし、年収2,000万円以下の給与所得者で、給与以外の所得がこの為替差益を含めて年間20万円以下の場合は、申告不要

外国株式

外国籍の会社が発行する株式。日本からも海外の主要な株式市場への取引注文を発注して購入することができる。

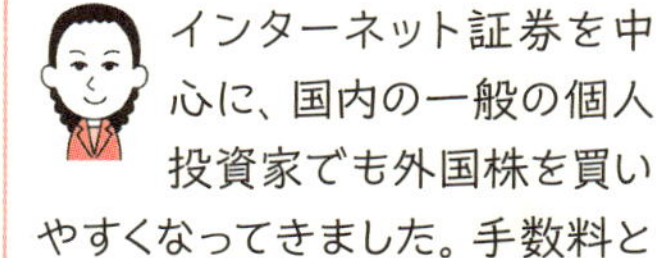

日本国内で**外国株式**を取引するには、**証券会社**で外国証券取引口座の開設が必要です。取引の方法として、次の3種類があります。

まず、「外国委託取引」は、投資家の注文を証券会社が海外市場へ取り次いで売買する方法です。現地の通貨建てで取引を行い、指値（さしね）（売買価格を明示して注文すること）も可能です。

「国内店頭取引」は、証券会社が指定した外国株式の中から選び、証券会社との取引をします。売買の時点で**株価**と為替レートは決まっています。外国取引よりはやや手数料が割安です。

「国内委託取引」は、東京証券取引所の外国部に**上場**されている外国株式や東証に上場する外国ETFの売買です。株価は為替レートが織り込まれた円建てです。なお、外国市場での売買益に対する課税は、外国で課税される額との調整もしますが、原則として日本国内で国内株式と同様の課税になっています。

外国株式投資のメリット、デメリット

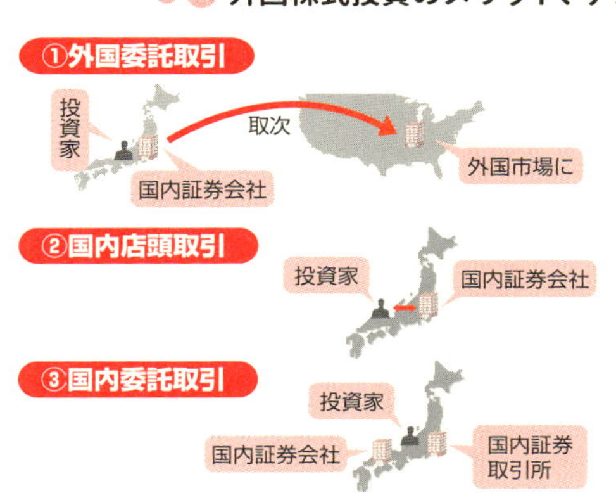

①外国委託取引
- ·外資建て
- ·指値注文可能
- ·委託手数料割高

②国内店頭取引
- ·相対取引
- ·証券会社の保有株を投資家と取引
- ·手数料は株価に含まれる
- ·指値ができない

③国内委託取引
- ·取引は国内株と同様
- ·円建て

ADR

米国市場で外国企業の株式を裏付けに発行する証券で、ドル建ての記名式で譲渡可能な預り証書。株式を所有するのと同じ効力がある。

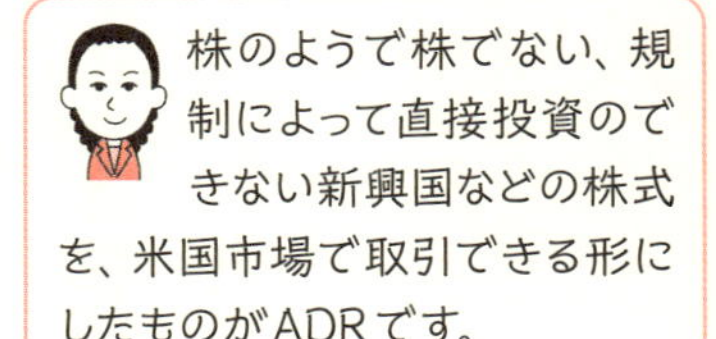

ADR（American Depositary Receipt：**米国預託証書**）は、米国の投資家が米国外の会社に投資できるように作られた、米国市場に**上場**する**有価証券**です。

日本をはじめ、欧米各国やBRICs（ブリックス）（ブラジル、ロシア、インド、中国）、南アフリカや台湾など、世界中の数多くの優良企業がこのADRの制度を使って証券を発行し、米国市場に上場しています。日本からニューヨーク市場やNASDAQ市場に注文を出すことで、日本からの投資が難しい国々の**株式**にも投資できます。また、ADRは、ニューヨーク市場やNASDAQ市場の上場株式とほぼ同じ開示基準が適用され、一般にADRの発行会社の情報開示は厳格で情報量が豊富だと言えます。

2008年の法改正により、ADRの対象になっている会社が関与せずに、米国の預託銀行がADRを発行できるようになりました。これを「スポンサーなしADR」と言い、本来のADRが「スポンサー付きADR」です。

「スポンサー付きADR」と「スポンサーなしADR」

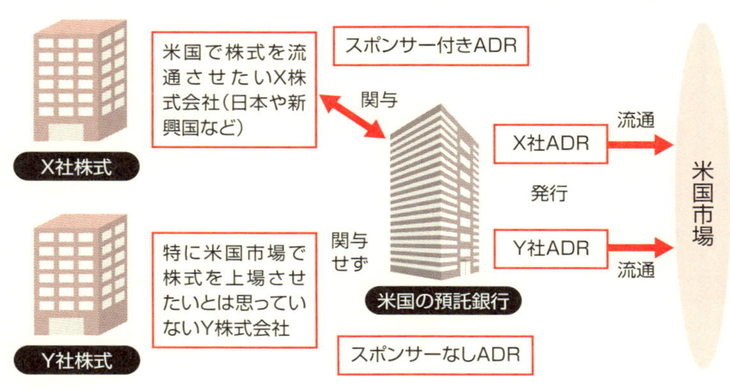

外国債　通貨が日本円以外、発行の国または地域が日本国以外、発行体の国籍が日本国でない、のうち1つ以上が該当する債券。

新興国の国債は、とかく高金利で魅力的に映るもの。しかし中途換金の債券価格は証券会社に有利な言い値。為替手数料も割高です。

①**債券の通貨**、②債券発行の国または地域、③発行体の国籍のいずれかが日本国以外であれば、**外国債**に分類されます。さらに外国債は、元本と利子が円建てなら「円建て債」、元本と利子が外貨建てなら「外貨建て債」と呼ばれています。利子や元本が外貨建てで支払われる場合、日本の投資家が元利金を日本円に交換する際に、**為替相場**の変動により受取金額が変わります（為替変動**リスク**）。反対に、日本国内で発行され、円建てで国内の発行体なら国内債です。

外国債への投資は、発行体の国や採用されている通貨国の経済環境や政治・軍事情勢に留意します。これらの要因で債券価格や為替相場が変動するからです。新興国ほど、情報収集が大切です。

外国債の利子などが支払われる際、国外で税金が源泉徴収された場合には、国内課税分と合わせて20.315%の税率になるように調整されます。外国債の償還差益は雑所得として、また外国割引債の売買益は譲渡所得として、総合課税されます。

外国債に分類される債券のいろいろ

種類	発行の国・地域	発行体の国籍	通貨
円建て外債（サムライ債）	日本国内	外国	円
ショウグン債	日本国内	外国	外貨
ユーロ円債	日本国外	不問	円
外貨建て外債	日本国外	不問	外貨

デュアル・カレンシー債

外国債を用いた仕組債の一種で、発行価格、利子、償還の額面価格について、異なる2つの通貨を使う債券。為替変動リスクがある。

最近の主流は、いくつかの条件が加わり複雑な商品です。利子が受け取れない場合や繰上償還の場合など具体例で説明を受けること。

デュアル・カレンシー債（二重通貨債、DC債）は、**デリバティブ**を活用した**仕組債**です。国内募集のデュアル・カレンシー債の多くは、発行価格と利子が円建てで、償還価格が外貨建てです。この場合、投資家は日本円で購入代金を払い込み、利子を円で受け取ります。

償還時の外貨を円で受け取るには、あらかじめ決められている基準日の**為替相場**で受取代金が計算されます。ほかに、発行価格と償還価格が円建てで、利子が外貨建てという「リバース・デュアル・カレンシー債」（RDC債）もあります。いずれも外貨で受渡しされる部分に為替変動**リスク**があります。

さらに近年では、「パワー・リバース・デュアル・カレンシー債」（PRDC債）が発行されています。PRDC債は、払い込みと償還が円建てで、利子部分にスワップ取引と**オプション取引**を組み込み、為替相場しだいで高い利益が得られますが、受取利子がゼロになる可能性もあります。PRDC債の多くは繰上償還条項付きで、為替相場などの動向しだいでは償還日前に償還されることもあります。

デュアル・カレンシー債の代表例

国内で募集される一般的なケース

	払込	利子	利子	償還
デュアル・カレンシー債	円 ¥	円 ¥	円 ¥	外貨 $
リバース・デュアル・カレンシー債	円 ¥	外貨 $	外貨 $	円 ¥

外国投資信託

ファンドの国籍が外国にあり、その国の法律の下で設立された投資信託。投資対象が外国かどうかは問わない。

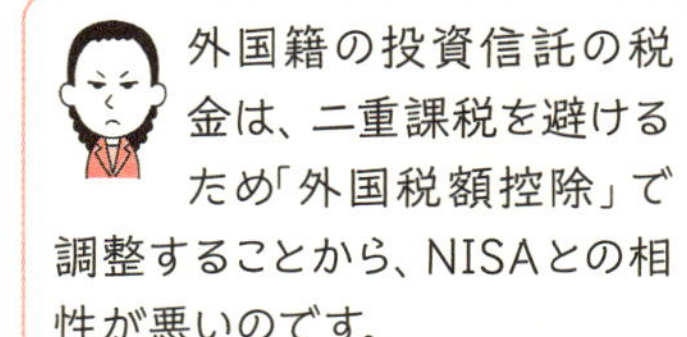

外国投資信託は、国籍が外国にある**投資信託**です。その外国の法律に従います。ルクセンブルクやケイマン諸島などの**タックス・ヘイブン**国籍やアメリカ国籍の投資信託がよく知られています。日本証券業協会では、日本で外国投資信託を**公募**販売する際のルールを定めています。ファンドの最低純資産、管理会社の**自己資本**または純資産、管理会社の代理人の設置の有無などに一定の基準が設けられています。

外国投資信託には会社型（投資法人）と契約型があり、会社型は**外国株式**として取り扱われています。契約型の外国投資信託は管理会社の存在が大きく、管理会社が中心となって契約を結び、ファンドに関する元締めを行っています。

外国投資信託（契約型）の仕組み

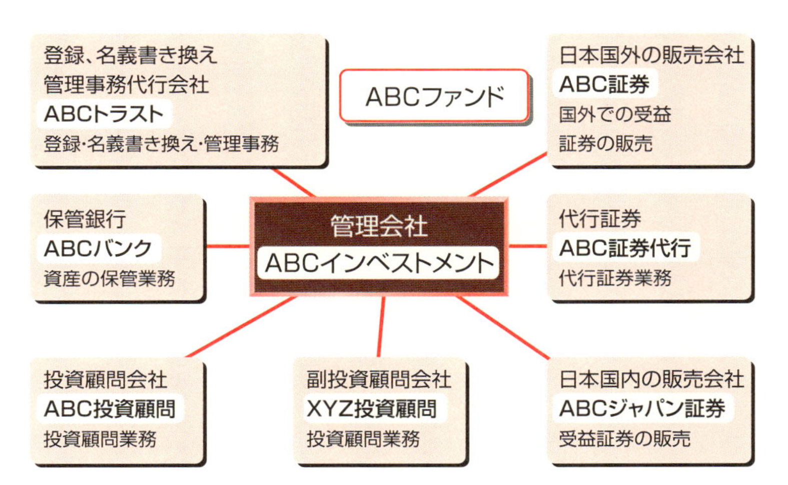

外貨建て個人年金保険

払込保険料と受取年金等の金額が外貨建ての個人年金保険。払込時や受取時の為替により円での金額が変わる。

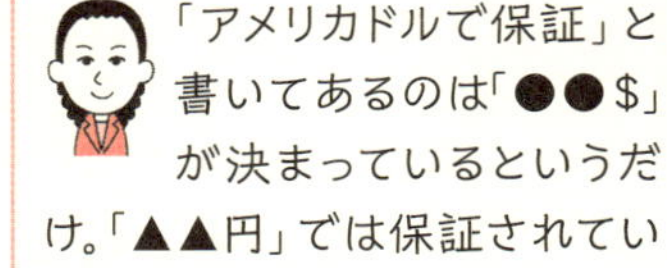
「アメリカドルで保証」と書いてあるのは「●●＄」が決まっているというだけ。「▲▲円」では保証されていませんので要注意。

外貨建て個人年金保険は、**個人年金保険**を**アメリカドル**、オーストラリアドル、**ユーロ**などの外貨で利用するものです。日常的に日本円を使っている人の場合、払込時の**TTS**で円を外貨に交換して**保険料**とします。年金や死亡**保険金**、解約代金などを受け取る際は、その時点の**TTB**で日本円に戻します。その他、外貨のまま受け取ることができる商品もあります。また、死亡保険金が払込保険料の円建て換算金額を最低保証している商品もあります。

外貨建て個人年金保険は、保険料の払い込みや年金などの受け取りの時点で、**為替相場**の変動を受けて差損益が生じる、為替変動リスクのある年金保険商品です。将来の為替レートがわからないため、円で受け取れる年金額は、契約時に決まっていません。また、保険料の払込方法は一括払いだけでなく、月払いや半年払い、年払いなどに対応している商品がほとんどです。この場合も、毎回の払込保険料が、払込時の為替相場によって外貨での積立金額が変動します。

外貨建て個人年金保険のイメージ

※円建て保険料が定額、年金も円建てで受け取る場合

払込期間中の
外貨換算保険料
円安
円高
年金原資
契約
払込満了
年金受取

4-9 デリバティブとは、どのような金融商品なのか？

デリバティブは、リスク回避のために設計されました。

デリバティブ リスク回避が目的で、株式や通貨などの元の資産から派生して開発され、低コストや高利回りを可能にした取引。

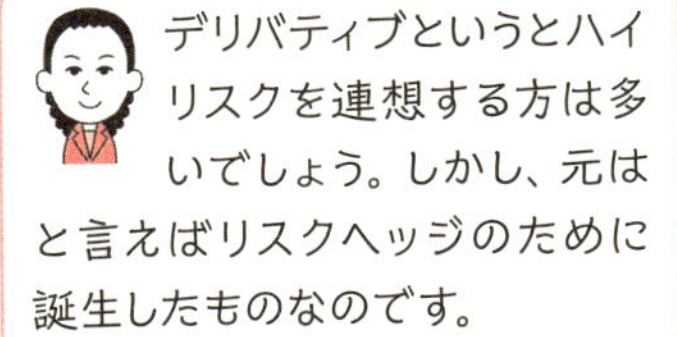

株式や**債券**、**通貨**などの**金融商品**の取引には価格変動がつきものです。**デリバティブ**（**金融派生商品**）は、それらの価格変動**リスク**を避ける目的で開発されたのですが、手持ち資金の数百倍もの金額の取引ができるため、投機目的で使われることも多いのが現状です。

デリバティブには、取引所に**上場**されている**先物取引**などのほか、相対で取引される店頭取引があります。EB（他社株転換条項付債券）や「エクイティ・リンク債」などの**仕組債**や、一部の**住宅ローン**など、身近な金融商品にもデリバティブ取引は使われています。

身近なところにもデリバティブ

株価連動型預金（ブル型）
株価が上昇すると金利が高くなる仕組預金

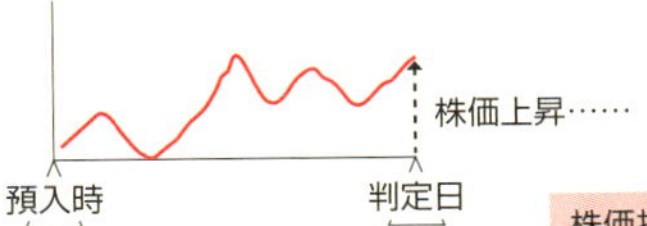

金利アップ

株価指数コールオプションの「買い」

株価下落で金利が高くなる（ベア型）もある

キャップ付ローン
支払金利の上限（キャップ）が設定されているローン

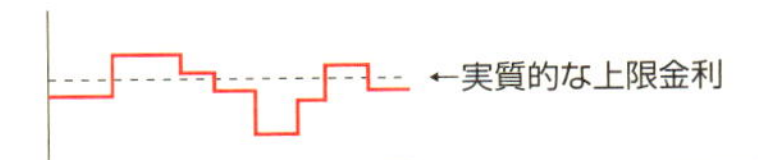

金利が一定ラインを上回るとその分の利子を受け取れる
=ローンの利子がラインを超過した分と相殺
=実質的な上限金利

金利スワップ
=変動金利と固定金利を交換する取引

ヘッジ

「回避する」と訳される。多くの場合でリスクヘッジのことを指す。リスクヘッジとは、想定されるリスクを避けたり減らしたりすることや、その方法。

リスクをまったくゼロにすることはできず、せいぜいリスクを減らすのみ。投資家のタイプに合ったリスク軽減法を見つけましょう。

金融商品などにおける**ヘッジ**とは、通常、リスクヘッジのことを指しています。投資や運用の世界では、想定される利益率から大きくかけ離れた結果を生むことが**リスク**です。

収益が変動する金融商品においては、反対のポジションを取る、価格変動に関連のない金融商品を組み合わせる、投資時期をずらす、損失を食い止めるためのロスカットルールを設けるなどの方法でリスクを抑えます。反対のポジションを取る方法として**信用取引**や**先物取引**、**オプション取引**、スワップ取引などの**デリバティブ**があります。機会を逃す損失には、先物取引などが有効です。

しかし、デリバティブは使い方によって内在するリスクが大きくも小さくもなるため、元来リスクの軽減が目的だったヘッジ手段でも**レバレッジ**を拡大させればリスクが過大になってしまいます。

リスクヘッジの代表的な方法

投資家自身がルールを設ける方法

逆のポジションを取ったりデリバティブを活用するなどの方法

レバレッジ

少ない資金で大きな金額の取引を行う、「てこ」の作用の効果のこと。自己資本を元手に資金を借りて運用資産を膨らませること。

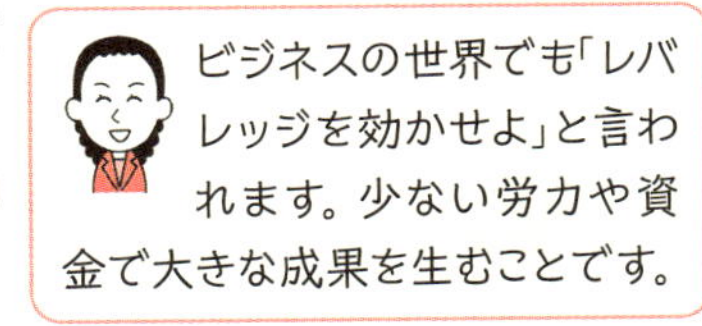

レバレッジ（「てこ」の意）を効かせた代表的な金融取引は**信用取引**や**先物取引**です。担保に提供した委託保証金や委託証拠金の数倍の金額で**株式**取引や**デリバティブ**取引ができる効果を「てこ」に例えています。「証拠金率5%」の場合、担保に入れた額の20倍の取引ができ、「10%」なら10倍の取引ができます。

取引元本が実際に持っている資金額より多いので取引の効率が良い反面、損失も同じだけ大きくなり、投機的な取引になりがちです。外貨を売買する**FX**が身近な取引となり、個人投資家の間でもレバレッジを効かせた取引を利用しているようですが、上記の**リスク**を念頭に置いておくことが大切です。FXでは、レバレッジを「倍率」という意味で使用し、「証拠金に対する取引金額の倍率」を示しています。

FXにおけるレバレッジ

$$レバレッジ=\frac{取引できる最小単位あたりの総約定代金}{最小取引単位あたりの担保（委託証拠金の額）}（倍）$$

具体例

$$レバレッジ=\frac{1,000万円の取引}{100\ 万円の担保}=10倍$$

100万円の委託証拠金を担保に、1,000万円の売買を行った。
➡「レバレッジは10倍」という。

先物取引

将来の売買を約束する取引。ある日に、対象の商品を、あらかじめ決めていた価格で売買することを約束し、その日が来たら売買を実行する。

相場解説の冒頭に「先物主導で」の枕詞を耳にする機会は多いでしょう。先物取引が相場全体をリードするのはよくあることです。

先物取引は、取引所を通じて行われます。その商品が必要なら、先に取引価格を決めて約束してしまおうという取引です。本来の目的は価格変動**リスク**をなくすために開発されました。しかし、少ない資金で多額の取引ができ、ハイリスク・ハイリターンな取引も可能なため、投機的な目的で使われることも多いのが現状です。

先物取引は原資産（取引対象とする元の商品）の種類に応じて様々な商品が開発されています。代表的な先物取引に、TOPIX先物、日経平均株価先物、長期国債先物、ユーロ円3ヵ月金利先物、商品先物などがあります。為替レートの変動で取引価格が変わることを避ける「為替予約」も先物取引の一種です。

先物取引は将来の取引を約束する契約

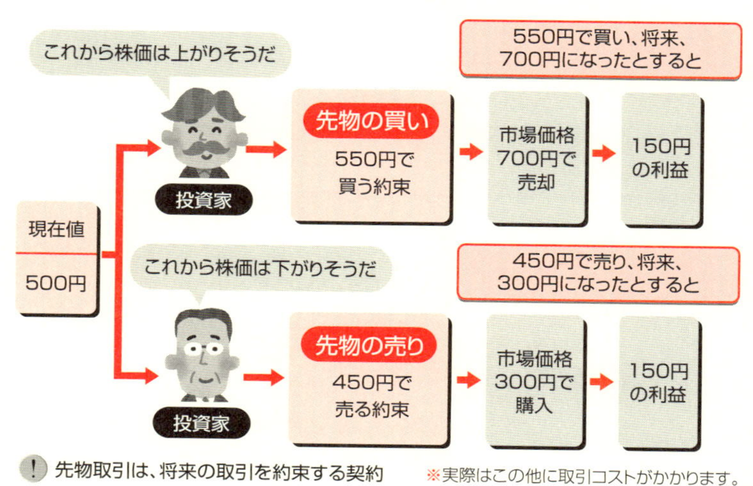

! 先物取引は、将来の取引を約束する契約

オプション取引

ある金融商品を、あらかじめ決めておいた価格で、将来のある時点において売る権利や買う権利の価値を売買する取引。

オプション取引の起源は、古代ギリシャでオリーブの豊作を予測した哲学者がオリーブ搾り機を借りる権利を買ったことだそう。

オプション取引とは、将来の「ある時点で」「ある銘柄を」「いくらで」「買う（コール）」または「売る（プット）」権利を売買する、**デリバティブ**の1つです。権利に価値があり、取引されます。コールは原資産の値上がり**リスク**に対して、プットは値下がりリスクに対しての手段です。

権利の買い手は、「ある時点」でその通り権利を行使して売買をすると不利になるなら、権利行使をせずに放棄しても構いません。買い手は、利益が出そうな時だけ権利を行使し、損をしそうな時は権利放棄をする、という選択ができるのです。放棄した場合は、当初その権利を買った代金分が損失になります。

一方、権利の売り手は買い手に従うのみで、権利放棄はできません。

オプション取引の仕組み（コールを買う場合）

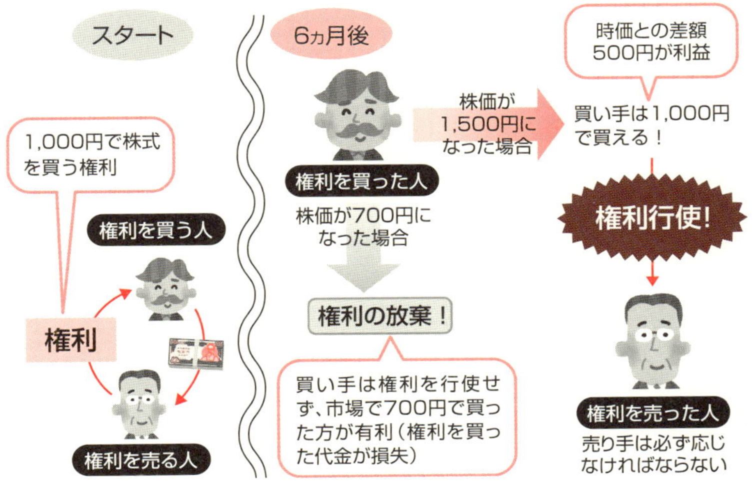

ヘッジファンド

本来は、様々な投資手法を使い、運用資産のリスクヘッジを行う投資方針のファンドを指す。自由な設計で運用するため特徴はいろいろ。

ヘッジファンドが目指す運用はリスクのヘッジ(回避)。名目上、どんな環境でも収益を上げる設計になっていますが、現実は？

ヘッジファンドは、本来、相場環境に左右されずに**リスク**の**ヘッジ**を行い、運用資産の絶対収益を得ることを目標にするファンドのことです。契約形態は、特定の投資家を対象にした**私募**で、投資家のニーズに応じたオーダーメイドの運用をしています。私募ファンドは、広く一般の投資家を対象にしていないので情報の開示義務はなく、投資家保護の規制も緩いために、幅広い運用手段が可能です。ファンドの設立場所は、オフショアの**タックス・ヘイブン**がほとんどです。

ヘッジファンドは、運用の手段に空売りや**先物取引**などの**デリバティブ**を用いることができます。**レバレッジ**を効かせて証拠金の数倍の取引を行い、純資産を上回る損失額や利益額が出ることもあるので、一般にヘッジファンドはハイリスク・ハイリターンになる傾向があります。

ヘッジファンドと公募型の投資信託の違い

	ヘッジファンド	公募型の投資信託
募集形態	特定の投資家への私募	広く一般の投資家から公募
当局の規制	緩やかで比較的自由	厳格な投資家保護
設立場所	主にオフショア	主に国内
投資家の数	少数（人数は国による）	上限なし
投資対象や運用手法	有価証券に限らず、デリバティブも対象とし、空売り、先物取引などが可能	原則として有価証券の現物取引が基本
運用の目標	絶対収益の確保	相対収益でベンチマークと同じかそれ以上の利益追求

※ヘッジファンドは自由な運用設計ができるため、上記に当てはまらない運用を行っていることもあります。

投資ファンド

投資家から集めた資金を、株式、債券、不良債権、不動産などに投資し、得た収益を投資家に還元するスキーム。

世の中から怖がられることが多いですが、資金や経営ノウハウを注入して事業の成果が出せるようにするのが本来の役割です。

投資ファンドは、**公募**型の**投資信託**から特定の投資家対象のプライベート・エクイティファンド、**商品ファンド**や不動産ファンドまで含まれます。投資ファンドが上場会社の株式を取得して**大株主**となり、経営陣に経営効率化や株主還元などを提案する例もあります。

投資ファンドは、上場会社への投資だけでなく、株式市場では対応できないタイプの投資対象に資金を提供する重要な役割をも担っています。再生ファンドや**ベンチャーキャピタル**などです。これらはプライベート・エクイティファンドの一種で、会社の成長や再生を支援して**株価**や事業価値を高めて売却し、利益を得ています。ベンチャーや再建・経営改善への投資が前提なので長期投資となり、投資家は出資後の一定期間、換金できないのが通常です。

投資ファンドのいろいろ

公募型投資信託	広く一般の投資家を対象に株式や債券、不動産や金などのコモディティなどで運用
再生ファンド	経営不振企業をいったん買収して事業再編を行い、企業価値を上げて第三者に売り渡す
ベンチャーキャピタル	資金調達が難しいベンチャー企業への投資をする
バイアウトファンド	ある程度成熟した企業の株式や一事業部門に投資し、経営再建やMBOの手助けをする
不良債権ファンド	不良債権を買い取ってその担保不動産の転売や再活用後の売却で利益を上げる
商品ファンド	原油や金などの商品市場に投資をする

商品ファンド

投資家から集めた資金を、貴金属、農産物、資源などに投資・運用し、その利益を投資家に還元する金融商品。

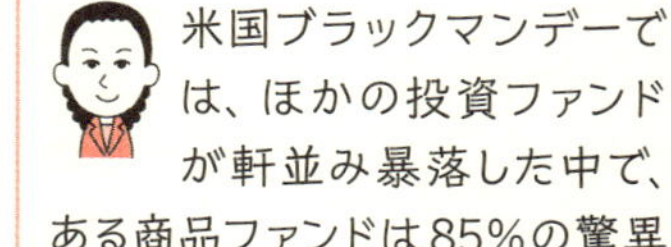

米国ブラックマンデーでは、ほかの投資ファンドが軒並み暴落した中で、ある商品ファンドは85%の驚異的な上昇率だったそう。

商品ファンドでは、投資家から集めた資金を貴金属、農産物、資源などの商品で運用し、その収益を投資家に分配します。

運用目標には「元本確保型」と「積極運用型」の2種類があります。元本確保型は、ファンドの資金のうちの多くを「ゼロクーポン債（割引型の**債券**）」や現先取引を使い、一定の期間後に投資元本以上になるように運用します。商品・金融・証券などの先物運用で積極的に収益の獲得を図る部分の組み入れ比率は低く、**レバレッジ**を効かせています。一方、積極運用型は、運用の中身に制約がないため、ハイリスク・ハイリターンで積極果敢な運用をします。

日本では元本確保型が主流ですが、これは元本を確保するという目標で運用しているものの、**元本保証**ではないので注意が必要です。

商品ファンドの仕組み

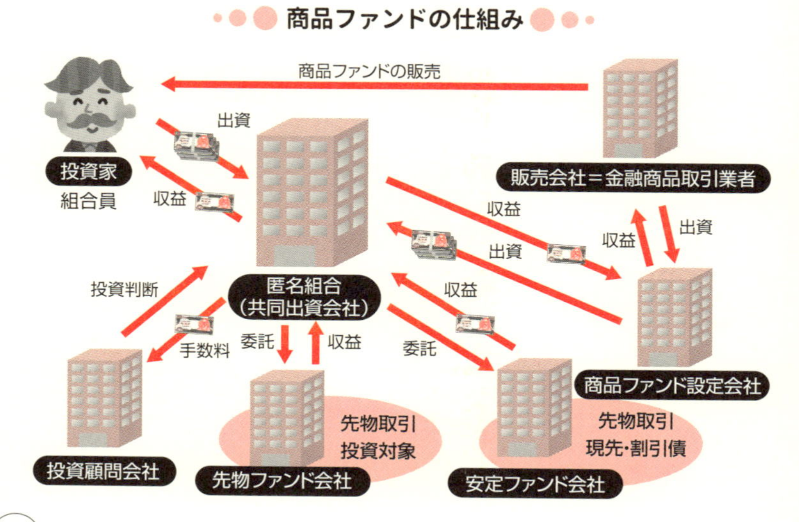

FX

取引業者に担保として一定の証拠金(保証金)を預け、その数倍から数十倍程度の金額で外国通貨を売買する取引。個人投資家が行う代表的なデリバティブ。

為替市場が活況になると存在感が高まる「ミセス・ワタナベ」。業者の悪質な営業等でFXが社会問題化したのは過去の話のよう。

FX（Foreign eXchange margin trading）は、取引業者によって、**外国為替証拠金取引**や**外国為替保証金取引**と呼ばれます。「証拠金」「保証金」を担保に、二国間の外貨を売買する取引です。為替差損益だけではなく、**通貨**国のスワップポイントも損益の一部になります。スワップポイントとは、2つの通貨間の**金利**差です。高金利通貨を買い、低金利通貨を売った場合は、その金利差を受け取れ、逆の場合は金利差を支払います。

FXでは、担保の数倍から25倍の取引が可能で、取引の決済は売買の差額を清算する差金決済です。この「てこの原理」は、**レバレッジ**と呼ばれます。取引で評価損が出ると、その損失額の分だけ担保の評価が下がり、証拠金維持率（あらかじめ決められた担保を維持する最低ライン）を下回れば追証を支払う必要が出てきます。

取引先FXと店頭FX

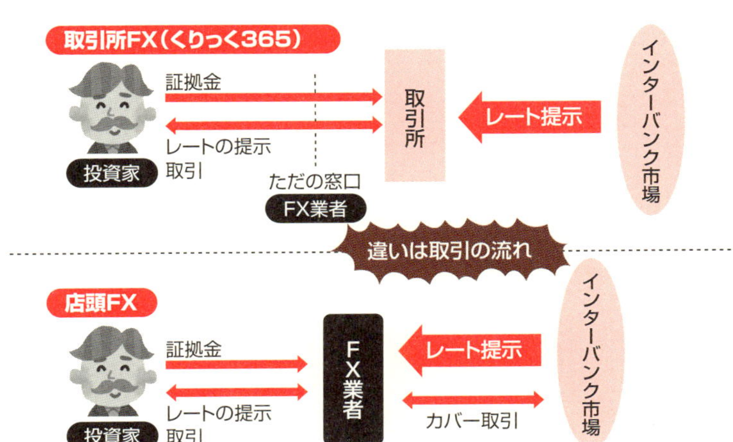

円キャリー・トレード

金利の低い通貨で借りた資金を金利の高い通貨で運用し、利ザヤを稼ぐキャリー・トレードについて、円で資金を借りて行う取引。

円キャリー・トレードは「世界市場の魔女」と呼ばれます。米国の金利が上昇する一方で、日本の低金利が続くことになると、ますます魔女が暴れそうです。

日本の低**金利**が続いているため、円でお金を借りれば他国の**通貨**に比べて支払利子を抑えられる点に注目した取引です。**円キャリー・トレード**（**円キャリー取引**）は、投資家が円建てで借りたお金を**外国為替**に交換するので、円安をもたらす理由の1つと見られています。外貨に換えた後は**株式**や不動産、金などで運用される場合もあり、投資対象は高金利の**債券**に限りません。

もともとキャリー・トレードは、**機関投資家**や**ヘッジファンド**が行う運用手法でした。最近では**FX**に代表されるように、個人投資家の間でも行われています。

各国の**中央銀行**が一斉に低金利政策を行っていた時期は、円キャリー・トレードは鳴りを潜めていました。しかし、日本が低金利政策を続ける中、米国を筆頭に諸外国が利上げの方向に動き始めると金利差が拡大することから、円キャリー・トレードの復活がささやかれています。

円キャリー・トレード

金利を比較 <

低い金利の「円」を借りる → 円をドルに交換する → 相対的に高い金利で運用する

借りた円資金の支払利子 < 運用するドル資金の受取利子

差額が利益

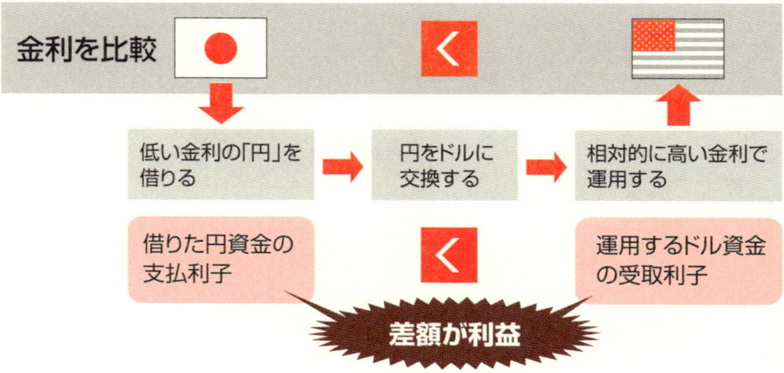

くりっく365

金融取引所に上場しているFXのこと。マーケットメイク方式による公正な価格形成が特徴。2013年10月より手数料無料化。

株価指数CFDの取引所取引版である、「くりっく株365」もあります。日経225やドイツのDAX指数などの証拠金取引ができます。

FXは、大きく分けて2種類あります。店頭FXと取引所FXです。**くりっく365**は取引所FXです。

店頭FXはFX業者と顧客の間の取引です。FX業者が価格を任意に提示します。**レバレッジ**や取引の単位、スワップポイント（2つの通貨間の**金利**差）、取扱通貨などは業者が独自に設定し、各社のサービスに差があります。

くりっく365は東京金融取引所に**上場**し、FX業者は顧客の注文を取引所に仲介します。参加できるFX業者は財務内容の優良な業者に限られます。世界の**金融機関**からリアルタイムで価格提供を受けたマーケットメイク方式（**気配値**を提示して、投資家からの売買注文を成立させる方式）です。原則として土・日・元日を除いた毎日でほぼ24時間取引可能です。また、受け取りと支払いのスワップポイントが同額です。公正で安心ですが、共通ルールに従い自由度が劣ります。

税制は申告分離課税で、ほかの所得額に関係なく一律20.315%です。

店頭FXとくりっく365の主な違い

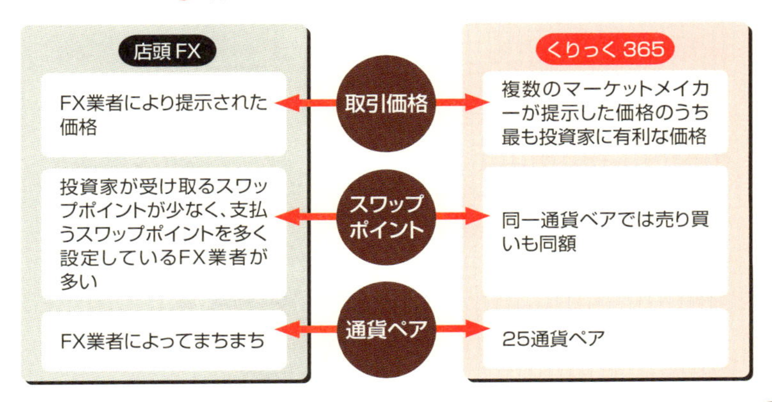

CFD

株式や債券、株価指数や金融先物、商品先物などの証拠金取引を行う金融商品のこと。取扱証券会社にもよるが、ほぼ24時間の取引が可能。

相場の変動をコントロールできないのは当然ですが、自分の欲や心はコントロールできるはず。ロスカットルールなどを有効に。

CFD（Contract For Difference：**差額決済取引**）は、いわば**FX**の株式版や株価指数版などで、**レバレッジ**をかけた差金決済による**株式**や株価指標などの売買取引です。差金決済とは、取引額を現金で受渡しせず、反対売買で差損益だけを決済する方法です。現物の株式投資や**債券**投資では、差金決済が禁じられています。

FXが外貨を対象にするのに対し、CFDは国内外の株式や株価指標、債券先物、またコモディティ（エネルギー、農産物、非鉄金属等の各種商品）が対象です。注意点はFXと同様で、高いレバレッジでは大きな損失を被ることもあります。自分に合ったレバレッジの水準と、ロスカットなどのルールを設けることが重要です。

CFD（差額決済取引）のレバレッジ

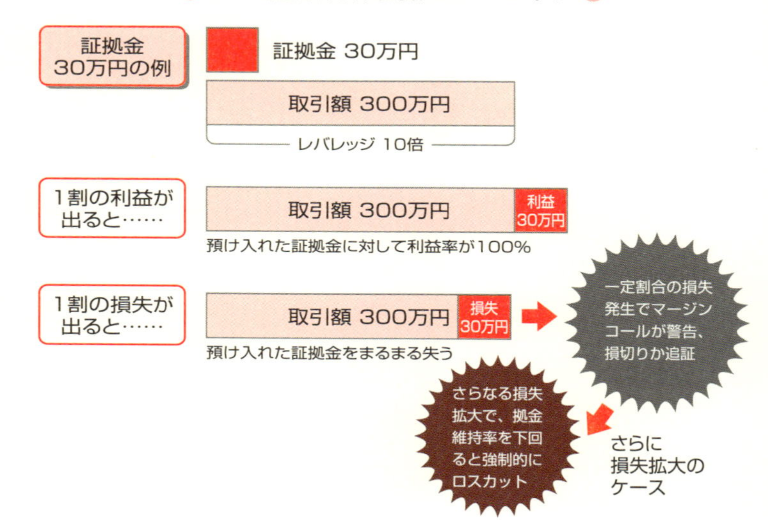

シカゴ・マーカンタイル取引所

北米最大の先物取引所。金利、株価指数、為替、商品などの先物が上場、日経平均株価指数先物取引も上場している。

朝、早起きしたらCME日経平均先物をチェック。その日の日経平均株価の方向性を見ることができますよ。早起きは三文の徳。

シカゴ・マーカンタイル取引所（Chicago Mercantile Exchange：**CME**）は、**シカゴ商業取引所**や**シカゴ市場**と呼ばれています。運営はCMEグループで、ほかにシカゴ商品取引所（CBOT、シカゴ穀物市場）やニューヨーク・マーカンタイル取引所（NYMEX）を傘下に収めています。CMEグループは、**金利・株式**・原油・穀物・貴金属の**先物取引**などを広く扱い、北米最大の**デリバティブ**市場です。

シカゴ・マーカンタイル取引所は、24時間稼働の電子取引システムであるGLOBEX（グローベックス）を運営しています。GLOBEXではS＆P500先物取引やNASDAQ（ナスダック）100先物取引などのほか、日経225先物も取引されています。投資家は、日経225先物が**上場**している大阪取引所がクローズしている時間でも、GLOBEXによって日経225先物の動向をつかむことができます。特に寄付（よりつき）直前のシカゴにおける日経225先物の動きは、その日の日本市場を読む上で注目されます。

シカゴ・マーカンタイル取引所

シカゴ・マーカンタイル取引所（CME）
- 北米最大、世界第2位のデリバティブ取引所
- GLOBEX＝24時間稼働の電子取引システムでの先物取引

上場 ↑ 日本の日経225先物取引

上場 ↑ アメリカのS&P500先物やNASDAQ100先物

自国の取引市場での取引時間以外にも取引されている ➡ 海外ニュースの影響でも相場がリアルタイムに動く

！ 世界中の投資家がシカゴ・マーカンタイル取引所に注目!

タックス・ヘイブン

産業に乏しい国や地域が、政策により低税率・非課税や緩い金融規制で海外マネーを呼び込んでいるオフショア市場。

「私はスタバより納税している」と庶民が激怒。アップル、グーグル、アマゾンなど大企業の子会社がタックス・ヘイブンに。

タックス・ヘイブンは、**租税回避地**と訳されます。ヘイブンは「天国(heaven)」ではなく、「避難所(haven)」という意味です。明確に法で定められた定義はありません。日本の租税特別措置法では、法人税の実効税率がおおよそ20%以下となる国や地域を、事実上タックス・ヘイブンと認定しています。

タックス・ヘイブンにペーパーカンパニーを設立し、別の国から資金を調達して先進国の**株式**や**債券**を購入するという手法の投資家もいます。さらに、この運用手法は**証券化**ビジネスにも多用され、タックス・ヘイブン国籍の**投資信託**を投資家に販売しているケースもあります。実際、日本国内で販売されている外貨建てで外国籍の投資信託の多くは、タックス・ヘイブンに設立した運用会社によって運用されています。

タックス・ヘイブンで税金逃れは許されない？

タックス・ヘイブン対策税制

国内企業(親会社)

国内での所得を減らす
＝税金逃れ？

権利の使用料の支払い

子会社が親会社から受けた利益

子会社

親会社から受け取った**配当金**とみなす

親会社の収入に含める

タックス・ヘイブン国※

※タックス・ヘイブン法人だからといってすべてに対策税制が適用されるわけではなく適用対象外の要件あり

Column 取引手数料、どうしても安くなければだめですか？

インターネット専業（ネット専業）の金融機関が誕生して以来、株式やFX取引、投資信託などの委託手数料・販売手数料の引き下げ競争は激化しています。取引金融機関を選ぶ際に、選択基準として手数料の安さを重視する方は多いことでしょう。

通常、商取引のサービス料金やモノの代金は、サービスやモノの質が良く、その対価として正当な額であれば消費者は納得します。金融商品の取引手数料も同様ではないでしょうか。

株式取引の委託手数料の場合、一般に、対面取引の証券会社に比べてネット専業の証券会社は破格の安さです。同じ約定代金の取引で比較すると、数倍から20倍程度の差が付くケースもあります。しかし「ネット専業の証券会社なら手数料が安くてお勧めですよ」といい切ることはできません。

金融商品は、制度やルール、業界特有の用語などをよく理解して取引しなければなりません。人を介して取引する場合、分からないことはその都度、質問し、回答を得ることができます。担当営業員との会話を重ねるうちに注目銘柄の関連ニュースを知らせてくれるなど情報収集に役立つ面もあります。営業員のわずらわしさを嫌う人も多いようですが、これらのサービスを受けた上で売買注文を委託するという発想で、高い手数料も必要なコストと考えられます。

反対に、ネット専業では、投資家自身がサイトの中の投資講座やQ&A、会員サポートなどを使って自力で理解し、問題を解決し、投資環境を判断しなければなりません。疑問点を分からないまま取引して大損してしまったり、分からないことを避けて利益を得る機会を逃してしまうなどという失敗もあるかもしれません。ネット専業業者同士の比較では、上記の点の充実を選択基準にすることは大変重要です。

高い手数料を払うべきなのではありません。読者の皆さんには、サービスに見合った対価を払える投資家であって欲しいと思いますし、そのような判断基準を持った投資家であって欲しいと思うのです。

4-10 ローンや借り入れは、どのような仕組みなのか？

ローンは、返済方法や金利の設定しだいで返済方法が大きく違います。

ローン

何かを貸し借りする契約のこと。一般的にはお金を借りることや借りたお金。使い道が限定された目的別ローンと限定されないフリーローンがある。

高収入のエリートでもローン地獄に陥る人がいるようです。見栄やプライドより大事なものを見失わないように。

ローンは通常、契約時にあらかじめ借入額と返済期間、返済方法を決め、新規借り入れのたびに条件を決定します。**金融機関**によって異なりますが、ローンを組む際は、一般的には年齢、年収、勤続年数などが審査されます。融資の限度額などの条件も様々です。

返済方法は「一括払い」「割賦（分割）払い」「リボルビング払い」があります。多くのローンでは、毎月一定額を返すリボルビング払いを採用し、一括・割賦よりも**金利**は高く設定されています。

使い道が限定されている目的別ローンとフリーローンがあり、通常は目的別ローンの方がフリーローンより低金利です。

目的別ローンの種類

種類	内容
住宅ローン	居住用の建物、その土地やリフォーム資金など
自動車ローン	車両代金、登録の諸費用など
教育ローン	入学金、授業料、教育費関連費用、下宿の敷金など
ブライダルローン	結婚式費用、披露宴費用、婚約指輪の購入代金など
トラベルローン	海外旅行代金、国内旅行代金など
メモリアルローン	墓地や墓石の購入費用、仏壇仏具の購入費用など
レジャーローン	リゾート会員権、キャンピング用品の購入代など

融資形態

法人向けの融資には、長期なら証書貸付、限度額内の融資と返済の自由度がある当座貸越、短期なら手形貸付などがある。

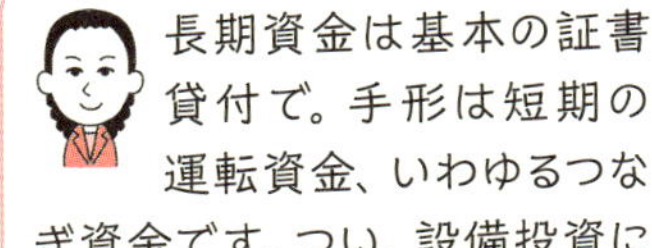

法人向けの銀行融資は、個人とは種類が異なります。また目的によっていくつかの**融資形態**があります。

一般的なのは「証書貸付」で、主に1年以上の長期の融資に利用されます。融資条件などを記載した「金銭消費貸借契約証書」を交わして契約を結びます。個人の**住宅ローン**はこの形態です。

「当座貸越」は、当座預金を持つ会社が残高を超えて振出した小切手や**手形**を、あらかじめ設定しておいた借入限度額内で立て替えてもらう形態です。限度額内なら必要に応じて自由に融資と返済ができるため、余分な**金利**を支払わずに済みます。個人の**総合口座**内の借り入れもこの方式です。

短期間の融資で利用される「**手形**貸付」は、銀行が受取人となる約束手形を発行し、それを銀行に買い取ってもらうものです。手形の期日が融資の期日です。証書より印紙税が安い形態です。

証書貸付のイメージ

整備資金、運転資金など
1年以上の借入れ

借り手企業

金銭消費貸借契約書

・融資金額
・金利
・期間
・返済方法　などの条項

元金均等返済が多い

いわゆる「借用証書」

銀行

※融資を受ける都度、契約書を作成

手形

将来のある特定の日にある特定の場所で決められた金額を支払うことを発行者が約束した証書。支払期日に支払場所で換金する。借用書より手続きが簡便。

昔は文字通り、掌に朱肉や墨を塗って紙などに手形を押し、約束の証としたそうです。それがそのまま手形という名になったとか。

手形とは、**約束手形**です。法人が当座預金口座を作り、信用力の調査を受けて、初めて手形用紙を銀行から購入できます。小切手と違い、その金額が口座になくても手形を振出して取引先に支払えます。将来の特定の日（1年以内）に支払うことを書面で約束し、受取人は支払期日が来れば取引銀行に持ち込んで換金できます。

手形貸付は、1年以内の短期融資で利用されています。当面の運転資金や**決算**、賞与資金などの用途が多いようです。短期の貸付なので貸し倒れ**リスク**が低く、銀行側が好む方法です。

金融機関同士で資金を融通し合う**インターバンク市場**の1つに、**手形市場**があります。支払期日前の手形を売買する市場です。手形は受け取っても期日が来なければ現金化できませんが、売れば換金できます。

約束手形のイメージ

約　束　手　形

受取人　ABC株式会社　殿

収入印紙　印

¥2,100,000※

上記の金額をお支払いします。

振替日　2022年3月15日

振出地　東京都千代田区▲▲

住　所　○丁目○番○号

振出人　株式会社 XYZ

代表取締役　△△ ○○　印

支払期日2022年9月15日

支払地　××××　×-×-×

支払場所

あいう銀行　◎◎支店

住宅ローン

居住するための建物やその土地を購入する目的や、リフォームをする目的の資金を借りること、またその借入金。

気に入った物件に出会ったら、その先はトントン拍子。じっくり検討する間もなくローンの審査、契約に進んでしまうものです。

住宅ローンは、「公的ローン」と「民間ローン」に分けられます。現在の公的ローンは、**財形貯蓄制度**利用者対象の「財形住宅融資」、地方自治体が窓口の「自治体融資」です。

公的ローンは対象物件への規制が多く、本人の条件は緩やかです。民間ローンは、対象物件より借りる人の返済能力の条件が厳しくなっています。融資限度の上限額、融資の最長期間、融資年齢や完済年齢、指定の保証会社からの保証や団体信用**生命保険**への加入などですが、多様化が進み、**金融機関**により条件は異なります。**変動金利**が基本です。最近では、来店せずにインターネットで申し込みができる住宅ローンもあります。

フラット35（83ページの図を参照）は、**住宅金融支援機構**が民間金融機関の住宅ローン債権を買い取って**証券化**した、長期**固定金利**の住宅ローンです。フラット35の申し込みは民間金融機関の窓口です。保証料や保証人は必要なく、**繰上返済**の手数料もかかりません。

住宅ローンの特徴

公的融資	財形住宅融資	財形貯蓄を1年以上継続し、貯蓄残高50万円以上の人が対象
	自治体融資	自治体によって制度の有無や詳細が異なる。条件等に一定の制限があるものの比較的有利
民間融資	フラット35	住宅金融支援機構による証券化を利用。長期固定金利型。金利は金融機関により異なる。保証料や繰上返済手数料が無料
	銀行ローン	銀行信用金庫信用組合労働金庫等。条件はそれぞれの金融機関ごとに異なる。商品性が多様
	生保ローン	生命保険加入者を対象にしたローン
	ノンバンク	住宅ローン専門会社信販会社クレジット会社・ハウスメーカー系モーゲージ・バンカーなど。長期固定金利型がある

リバースモーゲージ

自宅を担保に、生活費などを借り入れる制度。死亡後に自宅を処分などして返済する。年数が経つほど借入残高が増える。

生活資金の予定だったのに、まとまったお金が入ると気持ちが大きくなっちゃって。海外旅行、高級料理。散財してサンザン(涙)

リバースモーゲージは、自宅を担保にし、借入枠の範囲で、定期的または一括の生活資金を確保する**ローン**商品です。現金収入や金融資産が少なく、主な財産が自宅のみの高齢者世帯が対象になります。

通常のローンは、年数が経つごとに返済を重ねて残高が減りますが、リバースモーゲージは、年々借入残高が増えるため、「リバース（逆）」と名付けられています。「モーゲージ」は、抵当や担保です。都道府県の社会福祉協議会や**金融機関**が取り扱い、借入限度額や対象物件、契約年齢、利息の支払い方法などは取扱機関によって異なります。

注意点は、長生き**リスク**です。生存中に借入枠に達した後は、他の方法で生活資金を用立る必要があります。また、主流の**変動金利**型や一定期間の**固定金利**型では、契約中に**金利**が上昇すると金利負担が増えます。地価の下落では、担保割れの恐れも。死亡時の不動産価格が想定より低い場合は、相続人が不足分を返済しなければなりません。

リバースモーゲージのイメージ

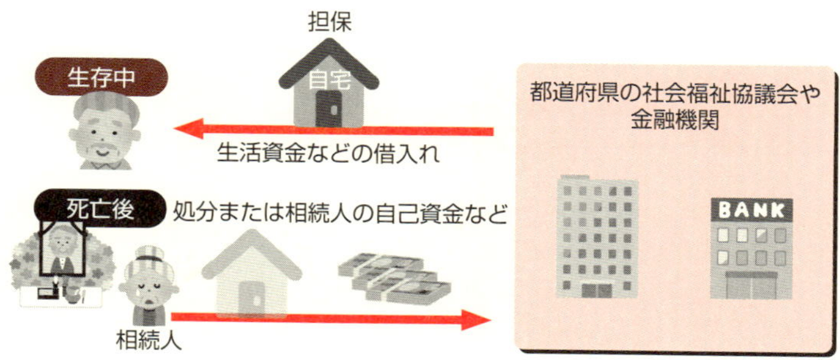

元金均等返済

ローンの元金部分を返済期間で按分して、毎回の返済額のうち元金は一定額、利子部分がだんだん減っていくローンの返済方法。

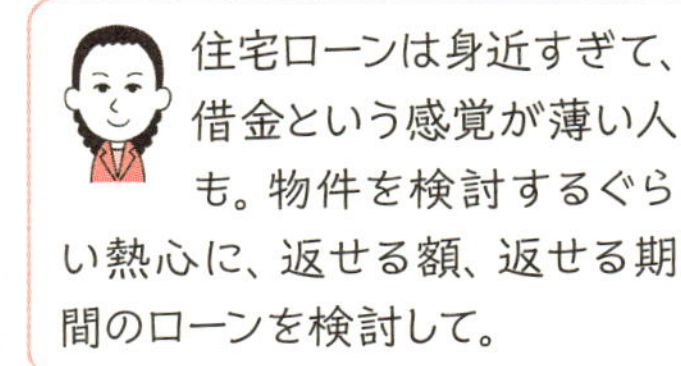

元金均等返済は毎回の返済額のうちの元金部分が一定ですが、利子部分は一定ではありません。利子部分は**ローン**の残高に応じて計算されます。ローンの残高が多い時期、つまり借り入れ直後はローンの利子部分の支払いが多いため、元金と利子を足した毎回の返済額合計が多く、回数の経過で、毎回の返済額も徐々に少なくなっていきます。

元金均等返済方式のメリットは、**元利均等返済方式**よりも元本を返済するペースが早く、返済総額を抑えられる点です。利子総額を抑えていることにもなります。将来の収入が減少すると予測する人に向いています。デメリットは、融資残高が大きいと借り入れ当初は利子部分が多く、毎回の返済額が大きいことです。

元金均等返済方式における利子と元金の割合

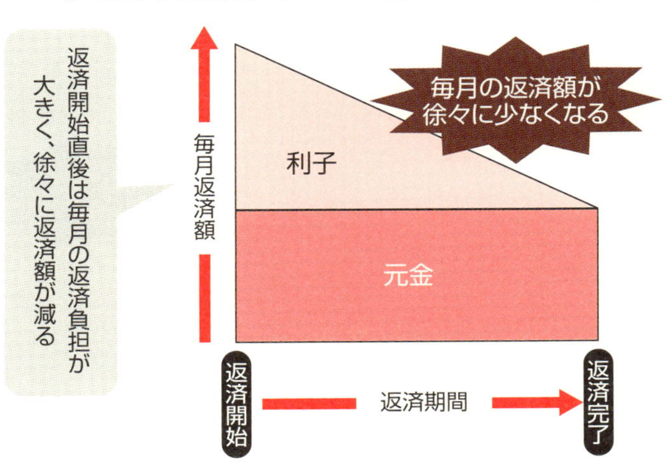

元利均等返済

ローンの返済額があらかじめ契約した一定額で、返済回数が進むごとに、毎回の返済額の内訳で元金の割合が大きくなる返済方法。

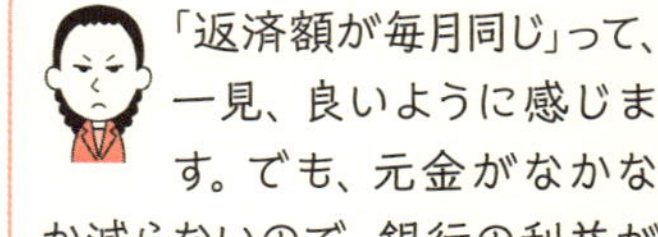

元利均等返済は、**ローン**の返済方法の中でも最も一般的です。元金と利子を足した毎回の返済額が、一定の金額となるよう計算されています。元利均等返済のメリットは、毎回の返済額が一定で返済計画が立てやすい点です。デメリットは、**元金均等返済**に比べると借り入れ当初の元金部分の返済ペースが遅いため、返済総額が多くなるところです。特に長期のローンでは、元金が減るペースは鈍くなります。

ほとんどの銀行では、**変動金利**のローンは返済額が5年ごとに見直されます。増加する場合は増加の幅を25%以内に抑える「125%ルール」が設けられていますが、通常、元利均等返済方式に適用されるルールです。

これにより**金利**が上昇した場合であっても、金利変更直後の急激な支払増加を抑えることができます。

元利均等返済における利子と元金の割合

返済開始直後は、毎月の返済額に占める利子の割合が大きい

毎月返済額

利子

毎月の返済額がずっと変わらない

元金

返済開始　返済期間　返済完了

繰上返済

返済中のローン元金部分の一部や全部をまとめて返済し、返済期間の短縮や返済額の軽減を図ること。ローン期間の早い時期ほど効果的。

早くローンを返したい一心で繰上返済したものの、手元の貯金が枯渇、いざという時にフリーローンを借りたという笑えない話も。

元利均等返済方式の**ローン**の**繰上返済**（くりあげ）には、毎回の返済額を変えずに返済期間を短くする「期間短縮型」と、返済期間を変えずに毎回の返済額を減らす「返済額軽減型」があります。

期間短縮型は、その時点で数回分先の返済額の元金部分をまとめて返す方法です。借り入れ直後ほど期間の短縮効果があります。できるだけ早く完済したい人に向いています。

返済額軽減型は、その時点以後の残り期間の元金部分を均等に減らすよう、以後の返済元金を再計算する方法です。毎月の返済が苦しくなった場合に有効です。

元利均等返済方式での繰上返済は、早い時期ほど毎回の返済額に占める利子の割合が高いので、利子を大きく減らす効果があります。

繰上返済の２つのタイプ

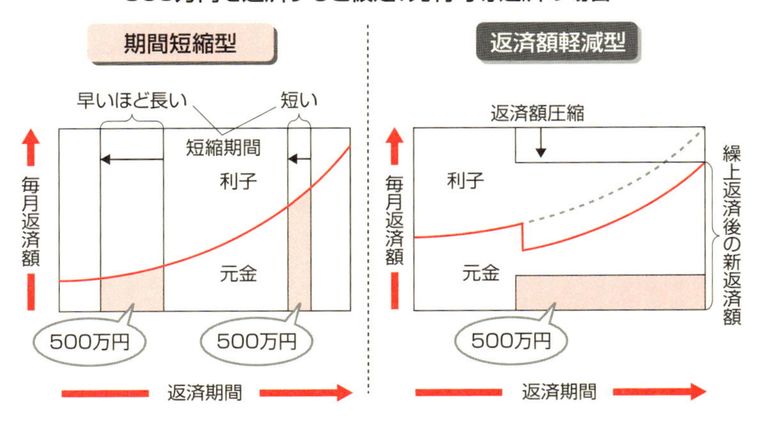

抵当権

ローンの借り手が返済不能になった時、ローンの担保になっている物件が貸し手に引き渡され、ほかの貸し手より優先して返済を受けることができる権利。

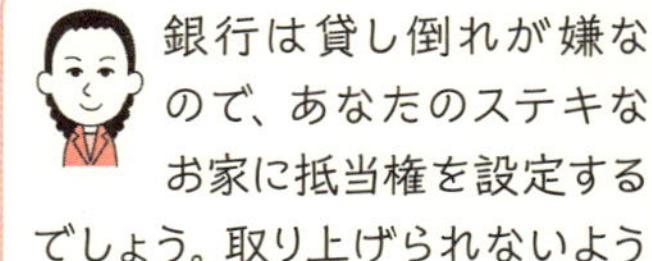

銀行は貸し倒れが嫌なので、あなたのステキなお家に抵当権を設定するでしょう。取り上げられないようキッチリ返済することです。

金融機関で**住宅ローン**を組み、マイホームを買った場合を例に説明します。金融機関がローン契約者の購入した家に**抵当権**を設定すると、ローン契約者は自宅に住みながらも自宅を担保にして住宅ローンを借りられます。抵当権が設定された物件の所有者は、担保（このケースではマイホーム）を貸し手に手渡さずに資金を借りられます。

万が一、ローンを返せなくなった時には、金融機関は抵当権が設定された家を競売にかけるなどして、住宅ローンを回収します。この場合、抵当権を設定した金融機関は、ほかの借金の貸し手よりも優先的に不動産の売却資金を受け取ることができます。

抵当権の設定

お金を貸して!

ローンを組む顧客

分かりました。その代わり、土地と建物を担保にします

ABC銀行

土地・建物

抵当権設定
ABC銀行

お金が返せなかったら、この土地と建物を売って現金をもらいますよ、の意味

総量規制 多重債務や過剰貸付などを防止するため、消費者ローンなどでの個人の借入総額について、原則として、年収の3分の1までに制限する制度。

総量規制の対象外なので、銀行のカードローンが乱立。返済能力の劣る人を、いかにして借り入れに呼び込むかの広告が見苦しいです。

多重債務問題の解決を目的とした改正貸金業法は、過剰な貸付への規制を段階的に強化、2010年6月に完全施行されました。**総量規制**は規制強化の1つで、適用されるのは個人向け貸付です。**消費者金融**会社、事業者金融会社、**クレジットカード**会社、信販会社などの**ノンバンク**から借りる**ローン**やキャッシングが対象、銀行は対象外です。

総量規制の主な内容は、キャッシングなどの無担保ローンはその人のすべての借入残高合計が年収等の3分の1までということと、貸金業者1社からの借入額50万円超、あるいは複数の貸金業者からの借入合計が100万円超の場合に年収等を証明する書類提出が必要なことです。

なお、総量規制の導入で「指定信用情報機関制度」が創設され、貸金業者間で1人の顧客の借入情報を共有できるようになりました。

総量規制の対象にならないローンもある

規制の対象外

不動産購入のための借り入れ（つなぎ融資を含む）、自動車購入時の自動車担保ローン、高額医療費の借り入れなど

無担保のキャッシングやローンは、年収等の1/3までの額しか借りられない

年収に含まれるもの

給与収入、不動産賃貸収入、株式の譲渡益、その他の収入など。配偶者収入の合算※も可

※合算する場合は、自分の年収等を証明する書類のほかに、夫婦関係を証明する書類（住民票など）、配偶者が借り入れを行うことに同意したことを証明する書類、配偶者の年収等を証明する書類が必要

リスケ

リ・スケジュール。債務の返済繰り延べのこと。資金繰りに苦しくなった会社が経営改善計画を策定し、期間延長など借入金の返済条件を変更してもらうこと。

金融業界の隠語かと思っていたら、いつの間にか一般化していました。が、「イラつくビジネス用語」の上位に挙げられているそう。

リスケは、事業の資金繰りに困った場合に、銀行に依頼をして元金を減らしてもらったり、元利金の返済を猶予してもらったりして、返済条件を変更することです。リスケの交渉は、まずメインバンクから行うのがセオリーですが、借り入れをしているすべての銀行で行うことが原則です。銀行は、他行と平等にリスケを受けたいのです。

借入金返済が3ヵ月以上滞ると、その会社は要管理先に区分され、貸付金は**不良債権**とみなされます。しかし銀行は、要管理先が**金融庁**に規定された合理的な基準に合致すると判断すれば、返済額の減額に応じる場合があります。

借入金を返せないのは罪だと感じるかもしれませんが、会社の資金繰りが苦しくなった場合、新たな融資を受けてその場をしのぐよりも、リスケの交渉をした方が良い場合がほとんどです。リスケを申請する際は、誠実に、経営改善計画を策定することが重要です。

リスケのメリットとデメリット

リスケ

メリット

①借入金の返済額を減らすことができる
②資金繰りの心配を減らせる
③その結果、経営改善に集中できる
④売上で資金繰りを改善をするより短時間
⑤リスケの情報は信用情報会社に知らされない

デメリット

①リスケ中に新規融資を受けることができない
②銀行管理下にあるのとほぼ同様で報告義務を負う
③一度リスケをすると再度のリスケや元の計画に戻せないのが通常
④債務者区分が下がる
⑤信用保証協会付融資でリスケを行う場合は、信用保証協会に手数料を支払う期間が増える

4-11 株式投資は、どのような仕組みで行われているか？

株式の売買取引に必要な基礎用語を解説します。

株式 株式会社にお金を出している出資者の持ち分、または持ち分の権利を示す証書。現在、上場会社の株式はデジタル化されており、紙の証書は発行されていない。

株式は、植物の「株分け」をイメージすると理解しやすいかもしれません。規模の大きな株式会社も、小さな株式の集まりです。

株式会社には複数の出資者がいて、出資の証明となるものが**株式**です。株式を持つ人を「株主」と呼びます。株主は、会社の経営に参加できる「経営参加権」、利益の配当を受ける「利益配当請求権」、解散した場合の余った財産を分けて受け取れる「残余財産分配請求権」を持ちます。

株式には満期がなく、第三者に売却して現金化します。売買する場が**証券取引所**で、売買される価格が**株価**です。

株式の発行と流通

株式会社
会社の事業のために資金を出してください
株式
株主
OK
会社に出資していくつかの権利を得たけれど、この権利を誰かに売りたいな
OK
売注文
大勢の人がいらないと思うと株価は下落
証券取引所
大勢の人が欲しいと思うと株価は上昇
買注文
その権利、欲しい～

単元株

発行体が定めた株式の売買単位。議決権は1単元ごとに株主に与えられる。2018年10月より、すべての上場株式の単元が100株に統一された。

1単元が100株になって取引最低金額が引き下がったため、値がさ株は特に敷居が低くなって良かったです。

従来の「単位株」制度では、**株式**の売買単位は原則的に額面で5万円と定めていました。多くの上場会社が額面50円の1,000株単位で、ほかに額面500円×100株、5万円×1株という単位で売買されていました。

2001年より**単元株**制度が施行されて無額面となり、株式の発行体が株式の売買単位を自由に決められるようになったお陰で、株式の最低売買単位が引き下がり、個人投資家が投資しやすくなりました。単元株制度になると同時に、株式はすべて無額面となっています。

しかし、上場会社によって売買の単元が100株や1,000株と異なっていると、銘柄同士の比較がしにくい上、誤発注の原因にもなります。そこで**証券取引所**が取引の利便性向上のために尽力し、すべての上場株式の単元株数が2018年10月から100株に統一されました。

単元未満の株式も取引ができる例

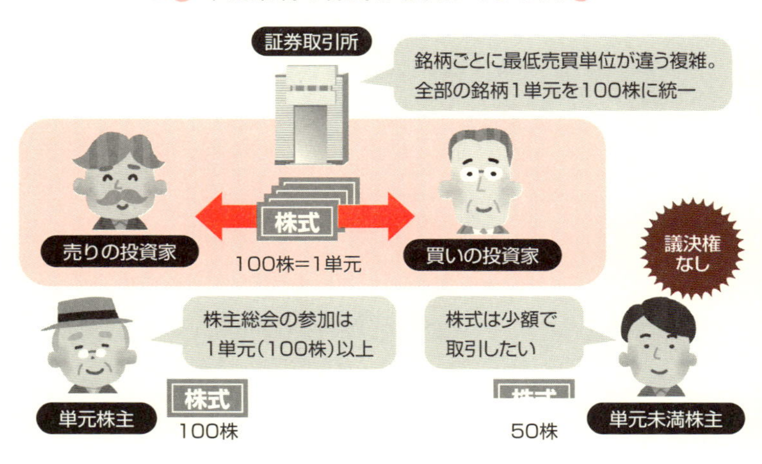

株価 株式会社が発行する株式の時価を1株あたりで示した金額。売買の際の取引価格で、投資家同士の取引が成立する都度更新される。会社の実力や人気を反映している。

株価は人気投票。多くの投資家が魅力なしと思えば株価は下がり、多くの投資家が欲しいと思えば値上がりします。

上場している会社の**株価**は、**証券取引所**で**株式**の売注文と買注文の売買が成立した時の、1株あたりの時価です。

取引時間中は、投資家からの取引注文と売買成立が常に行われているため、株価は刻々と変わります。ある株式の買注文と売注文の希望する価格が一致すると売買が成立し、その価格が株価として表示されます。

株価は、市場参加者のニーズが数値化されたものとも言えます。ある会社の将来性などに期待し、その株式を「欲しい」という投資家は買注文を出します。一方、その会社の株式を持っている人が何らかの理由で手放したいと思えば、売注文を出します。株価は、投資家の**需要と供給**（「買い」と「売り」）のバランスが取れる水準に向かいます。多量の買注文が入れば株価は上がり、多量の売注文が入れば下がります。

株価の決まり方

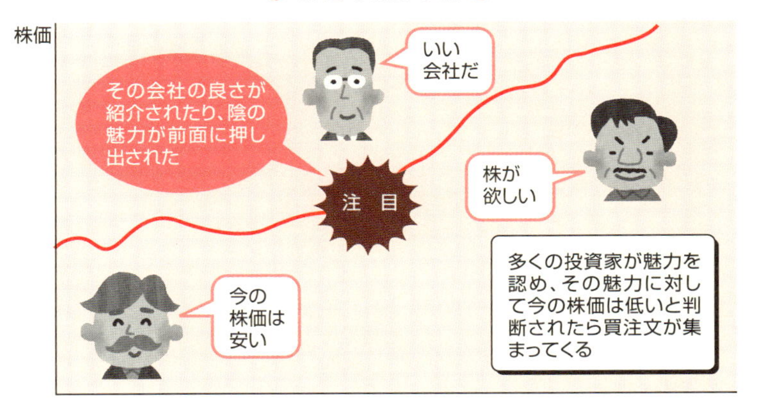

現在値

証券取引所において、株式や債券の売買が成立する都度更新される最新の取引価格。取引時間中の「今の株価」。

現在値はちょっとだけ過去の値段。現在の直前に売買が成立した投資家同士の取引値段なのです。

証券取引所が開いている時間帯を「ザラ場」と言い、ザラ場中には**株式**や**債券**などの売買は活発に行われています。今、その瞬間に売買が成立した**株価**が**現在値**です。しかし、数秒前、数分前、場合によっては数時間前に最後の取引があってから売買が成立しないこともあります。その場合、直近の最後の瞬間に取引が行われた株価が現在値として表示されています。

取引時間が終了することを「引ける」と言い、その瞬間を「大引け」（午前中の取引の終了時は「前引け」）と呼びます。引けた後は最後の取引値が「現在値」から「終値」または「引値」に呼び方が変わります。ザラ場中の最高価格を「高値」、最低価格を「安値」、取引開始時（「寄付」）の価格を「始値」「寄付（寄付値）」と言います。始値（寄付）、高値、安値、現在値（終値）をまとめて「四本値」と言います。

1日の中でも株価を指す名称はいろいろある

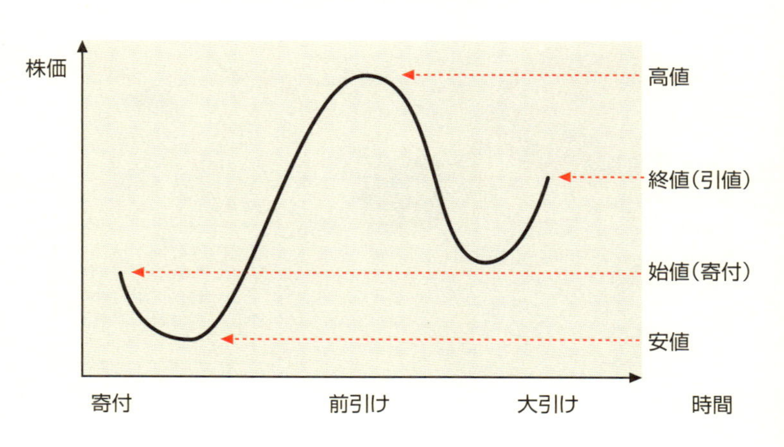

気配値　株式や債券などで買いや売りの注文が入っている値段で、売買が成立しそうな気配がある価格。上場銘柄の場合は、証券取引所が提示している。

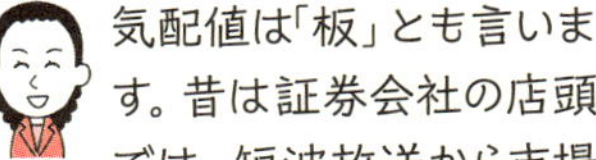

気配値は「板」とも言います。昔は証券会社の店頭では、短波放送から市場の注文状況を聞き取って黒板に書いていたのです。

その瞬間に、**証券取引所**に買いまたは売りの指値（さしね）注文が入っている価格のことを**気配値**（または**気配**）と言います。買注文の気配が「買気配」、売注文の気配が「売気配」です。

通常は、**現在値**にほぼ近い価格の気配が入っていますが、買いまたは売りのどちらか一方が圧倒的に多い場合は、極端に離れた買気配、または売気配になることもあります。

また、取引時間中にもかかわらず、買注文の株数が多く極端に偏って売買が成立しない状態の時は、その時の一番高い買注文の買気配が「○○円買気配」と表示されます。同様に売注文が極端に多い時は「○○円売気配」と表示されます。

株価表示画面に表示される気配

株価表示画面では、気配はこのように表示される！

銘柄名 ○○株式会社（銘柄コード）				
株数	売気配	現在値 前日比 出来高	買気配	株数
2,200	523			
1,500	522			
14,200	520			
8,700	519	518 +3		
2,600	518			
		340千株	517	4,100
			516	6,900
			515	24,300
			513	16,000
			511	3,200

出来高

株式市場で売買が成立した株数。個々の銘柄ごとの売買株数はもちろん、株式市場全体の売買株数合計も集計されている。

「出来高は人気のバロメーター」と言います。売買高が急に増えると、投資家の注目が集まり、さらに買いを呼ぶ傾向があります。

証券取引所には、1日にたくさんの買注文と売注文が入ってきますが、希望どおりの**株価**で取引できる相手がいなければ売買は成立しません。買注文は相手がその株価で売ってくれないと売買は成立しませんし、売注文は相手がその株価で買ってくれないと成立しません。成立しなかった注文株数は**出来高**（**売買高**とも言う）に計算されません。

売買が活発になり、出来高がいつもより増えると、株式市場には活気があふれます。株価の上昇とともに売買高が多くなってくると、その様子から投資家はさらに株価が上がると判断し、なおのこと買い注文を集めて、さらに株価が上昇することがよくあります。

出来高の数え方

売買代金

売買された株価とその株数をかけたもの。市場全体の取引総額、または、ある銘柄の1日の取引代金の合計を指す。

売買代金ランキング上位には、通常、時価総額の大きな銘柄が並びます。普段入らない銘柄がランクインした時は、何かありそう。

株式市場全体の**売買代金**は、「株式市場でどれだけの資金が取引されたか」を意味します。株式市場への注目度の強さを表しているとも言えます。取引が活発だと、売買代金は大きくなります。個々の銘柄の売買代金を全銘柄分合計すると、市場全体の売買代金になります。

個々の銘柄の売買代金は取引の規模を示しています。売買代金の推移で市場動向が分かります。通常の水準よりも多額な売買代金である時は、その銘柄に対する注目度が高まっているとも言えます。

おのおのの銘柄の株価水準が異なるため、**出来高**では、銘柄間の売買量を単純比較しにくい面があります。そこで、金額ベースの売買代金で銘柄間での売買量を比較する傾向になっています。

売買代金の数え方

売買代金

1,000円で100株の売買成立！

売ります

100株

売注文

買注文

買います

（1 000円×100株）

「売買代金」10万円

1日に取引された総売買代金を合計

1日の売買代金

株価チャート

過去のある一定期間の株価や為替などの推移をグラフに示したもの。売買のタイミングを読むのに有効である。

株価チャートを見れば過去の動きは一目瞭然。株価のくせやパターンが分かりますが、この先も同じ動きをするとは限りません。

株価チャートは、単に**チャート**や**罫線**（けいせん）と呼ぶこともあります。チャートは、どんな期間でも作成することができます。投資家の目的に応じた期間でチャートを作成して、投資判断を行います。結果を視覚的に捉えるには非常に優れたツールです。

チャートは売買のタイミングを推し量るために利用します。チャートからは、投資家の意思決定の結果、つまり投資家の心理を知ることもできます。相場のリズムやエネルギーを読み取ることもできます。

しかし、チャートによる投資判断をしても、大きな出来事が起こると予測が崩れてしまいます。その後に特別なニュースがないことが前提です。株価チャートで確実に将来の**株価**を予測するには無理があります。

株価チャートから読み取れるもの

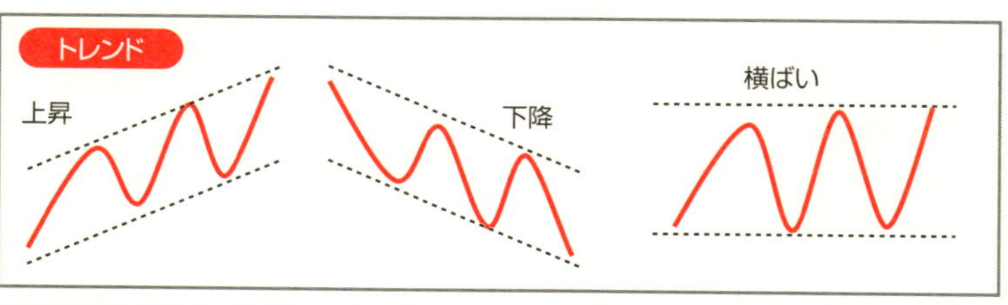

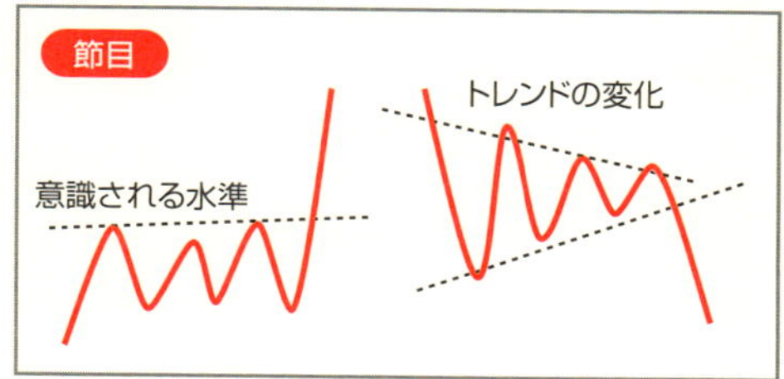

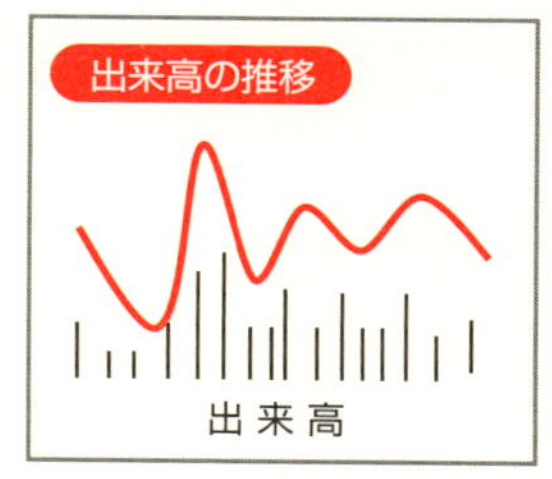

4-12 証券取引口座とは、何か？

証券会社で取引を行う際に知っておきたい用語をおさえておきましょう。

売買委託手数料

株式などを売買する場合に、証券会社に支払う手数料。投資家は、証券会社に委託して証券取引所に売買注文を発注するが、その取り次ぎにかかる手数料。

インターネットに不慣れな投資家がパソコン操作で戸惑っているうちに株価が大きく変動したという笑えない話も。業者は手数料第一で選ばぬこと。

売買委託手数料は、一般には単に**手数料**と呼ばれているものです。

売買委託手数料の額は、**証券会社**によって差があり、一般的にインターネット証券会社は安く、対面取引の証券会社は高い傾向があります。また、約定（やくじょう）代金が高額になるほど、売買委託手数料が割安になる体系が多いようです。なお、最低手数料が設定されている場合もあり、約定代金が少額すぎると売買委託手数料は割高になることもあります。

買注文、売注文の両方でかかる売買委託手数料

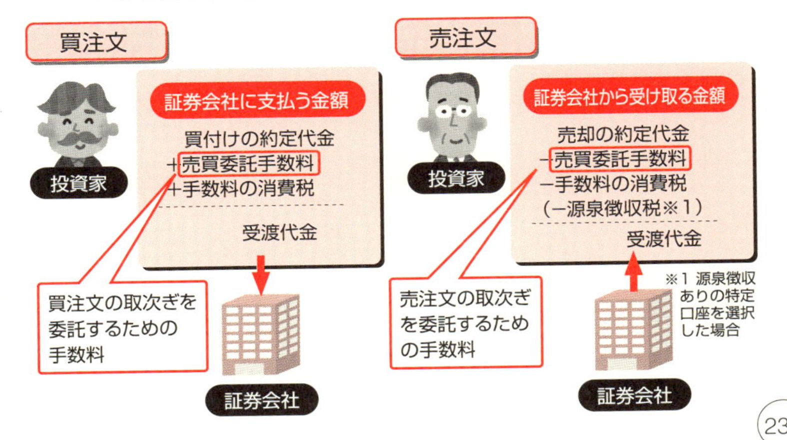

証券総合口座

証券会社における顧客の取引口座で、投資資金の入出金から有価証券の売買を一元管理する口座。取引残高報告書が発行される。

証券口座は、証券会社の店舗なら必要書類さえ揃えばその場でできますが、ネット証券では書類の郵送などに日数を要します。

証券会社で取引を開始する際に、まず行うのが**証券総合口座**の開設です。書面に自署、捺印などを行い、マイナンバーカードや**本人確認**書類を提出して口座開設手続きをします。

基本的には**MRF**を中心に自動スイープ（入出金）機能で証券投資の資金決済や分配金の支払いなど資金の移動を行います。証券会社によっては、銀行ATMで出し入れができたり、**クレジットカード**の決済に使えたりと、銀行の**総合口座**と同等の利便性があるものもあります。

証券総合口座に付随するサービスとして、口座管理料が無料、**売買委託手数料**の割引、マーケット情報のFAX送信などを行っている証券会社もあります。サービスの内容は、証券会社によって異なります。

証券総合口座の開設手順

①総合口座開設申込書類の請求	店舗、Webサイトからのダウンロード コールセンターに電話などで用紙を請求 必要事項を記入する
②書類に記入し本人確認書類と返送	正しい住所、氏名を記入・捺印すること マイナンバーや本人確認書類のコピーを同封 他、同封されている書類も記入して同封
③口座開設の審査	適合性の原則に照らし合わせて適切な 投資が可能かどうかの判断や、内部者 取引（インサイダー）に抵触しないか等を審査
④口座開設完了 （店舗以外は申込書返送後1週間程度）	店舗では入金確認後、取引可能 Webサイトやコールセンターなどでは IDやパスワードが送付されて取引可能

特定口座

上場株式や公募株式投資信託などの譲渡益や配当金についての納税の手続きを簡単にするために証券会社が行っているサービス。

特定口座は、証券会社が顧客の損益を計算するサービスです。さらに、納税の代行をしてくれるのが「源泉徴収あり」となります。

個人投資家の証券取引では、売却した年に、その年間に売却した銘柄の損益を合計して、利益が出ていれば利益に対して課税されます。しかし、この計算を面倒だと感じる投資家もいるようです。そこで、**特定口座**が重宝されます。取引**証券会社**が顧客の**上場株式**や公募株式**投資信託**などの1年間の取引の結果を「年間取引報告書」にまとめる損益計算サービスです。利益に課せられる税金の納税の方法は2種類あり、1つは「源泉徴収あり」で、もう1つは「源泉徴収なし」です。

源泉徴収の有無を選ぶのはその年の最初の売注文の時までで、一度選択すると翌年まで変更はできません。

特定口座の利用で源泉徴収ありを選択した顧客の場合、その年の初めからの損益通算を証券会社が計算し、対象の**金融商品**の売却の都度、通算した利益に対する課税をして売却代金から税金分を差し引きます。上場株式の**配当金**や公募株式投資信託の収益分配金も合算されます。特定口座で源泉徴収されても、必要に応じて確定申告をしても構いません。

特定口座と一般口座の違い

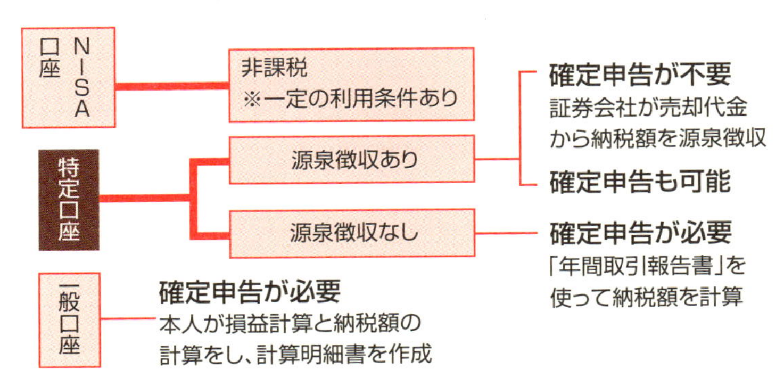

保護預り

顧客が有価証券などを自分で保管せずに、証券会社や金融機関に預け入れる仕組み。分別保管されている。

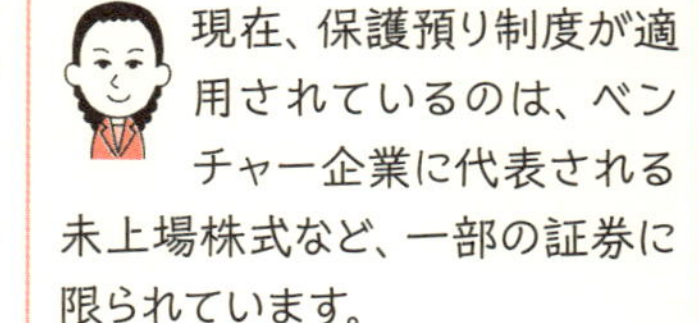

以前、紙の証券があった頃、**証券会社**などを通じて購入した**株式**や**債券**、**投資信託**の受益証券は、通常は**保護預り**契約を結んで証券会社に保管されていました。保護預りをしていない株券は俗に「タンス株」と呼ばれていました。当時は、保護預りかタンス株かという選択が可能だったことと、保護預りは年間保護預り料が徴収されていたため、保護預りをしない投資家もいました。保護預りは、盗難、焼失などの心配がなく、安全に保管されることや、預け先の証券会社などが株主の権利に関する事務手続きを代行し連絡をくれる点がメリットです。

現在は株券の電子化がなされ、**上場**株式や債券、投資信託などがコンピュータの帳簿上で管理されているため、保護預りという概念がなくなり、事実上、終了しています。

保護預りと証券保管振替機構への預託

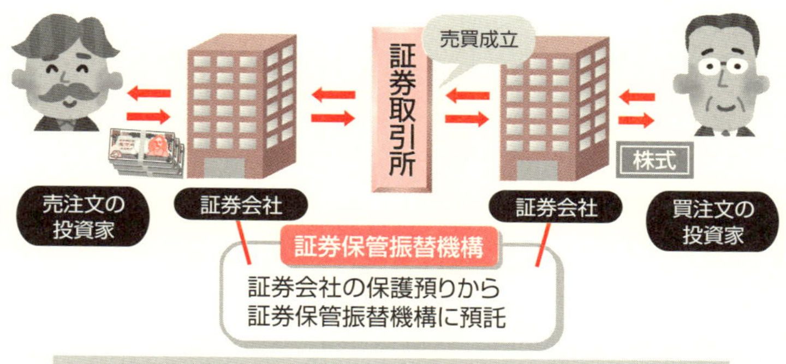

売買代金は証券会社を通じて買い手から売り手に届けられるが、株式は証券保管振替機構の振替口座の中で移動するだけ

証券保管振替制度

株券、債券、投資信託証券を証券保管振替機構に集めて、一括して管理する制度。株式での利用は、その都度の名義書換の手続きが不要になる。

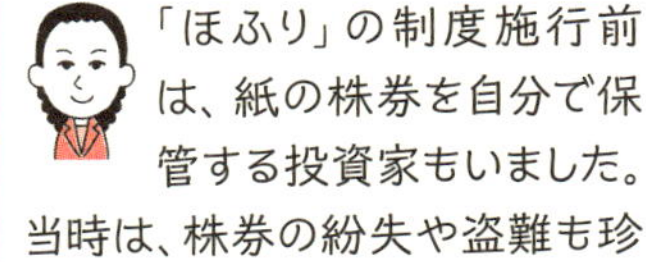

証券保管振替制度は、**株式**、**債券**、**投資信託**の受益証券などの証券を「証券保管振替機構（略称・ほふり）」に集めて一括管理し、売買時の決済や株主の権利の移転を口座の振替によって行う制度です。

証券保管振替制度の主なメリットとして、売買の際に株券の受渡しが不要で証券取引に係る手間や時間が短縮される、上場会社の**M&A**等の企業再編において株券を発行会社に提出する手続き等が不要になる、等が挙げられます。

なお、株式を発行せず、株主の管理を株主名簿で一元化する株券の電子化後は、旧来の名義書換手続きに代えて、証券保管振替制度が株主の名簿管理の中心となりました。

証券保管振替制度の仕組み

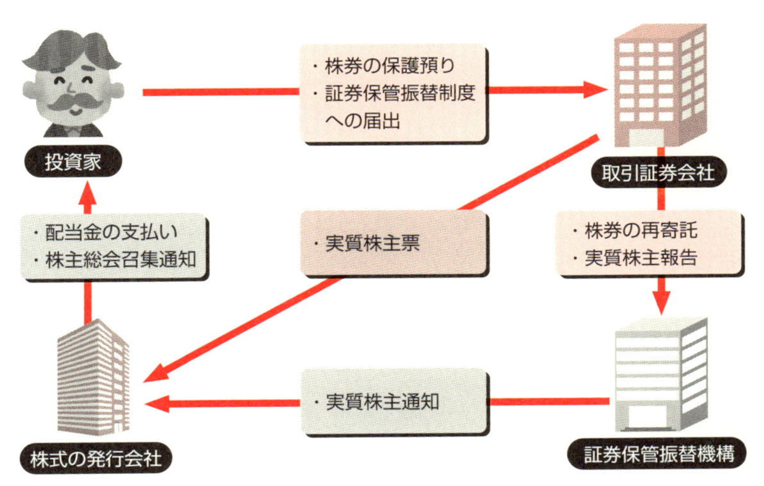

本人確認

金融機関などで、個人顧客の場合は氏名・住居・生年月日を、法人顧客の場合は名称・本店等所在地などを、公的な書類で確認すること。

証券取引は名前や住所を隠したり偽ったりしては行えない仕組みになっています。隠し財産では取引できません。

「金融機関等による顧客等の本人確認等に関する法律（本人確認法）」では、銀行や**証券会社**等の**金融機関**は、顧客の氏名・住居等の確認や顧客の取引記録を保存することになっています。**本人確認**を行う目的は、麻薬取引等の犯罪で得た「汚れた資金」を隠す犯罪（**マネー・ローンダリング**）を防止するためです。

本人確認の方法は、個人の場合、運転免許証、各種健康保険証・年金手帳等、印鑑登録証明書などの公的証明書やコピーの提出です。法人顧客は、登記簿謄本・抄本や印鑑登録証明書の提出と、取引担当者個人の本人確認書類も必要です。

本人確認は、口座を開設して取引を始める時や、現金の出し入れが200万円を超える時のほか、その顧客に「仮名取引」や「借名取引」の疑いがある時などに求められます。

本人確認の目的

仮名取引の防止

取引名義人は実在するか？

架空の名義を使用して取引をするのが仮名取引

借名取引の防止

公的な証明書を提示した人と取引名義人は同一人物か？

家族や友人を含む、他人の名義を借りて取引をするのが借名取引

！ 仮名取引や借名取引は禁止されている

分別保管

金融商品取引法で証券会社に義務付けられた、「何が顧客の資産で、何が証券会社の資産か」をはっきり分かるように保管すること。

銀行預金は、預金者の資金が銀行の資金になっているのでペイオフ制度が必要。証券類は、顧客と証券会社の資産が別勘定なのです。

金融商品取引法では、**証券会社**自身が保有する**有価証券**や**現金通貨**などの資産と、顧客から預かった顧客の資産をはっきり分けて保管するように証券会社に義務付けており、これを**分別保管**と言います。顧客から預かった現金や**信用取引**、**オプション取引**、**FX**の委託保証金や証拠金も分別保管されています。しかし、信用取引、オプション取引などの未決済建玉に係る評価益などは、分別管理の対象ではありません。

「分別管理」という場合は、信託法で定められた、**信託**商品を**信託銀行**自身の資産と分けて管理することを言います。

証券会社の分別保管の仕組み

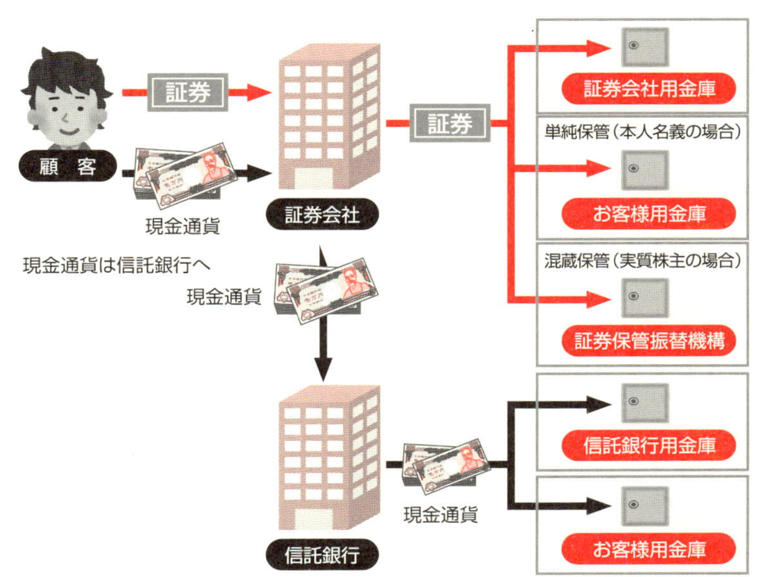

NISA

上場株式や公募株式投信などの元本一定額までの配当金・分配金、譲渡益について、税金を非課税にする制度。

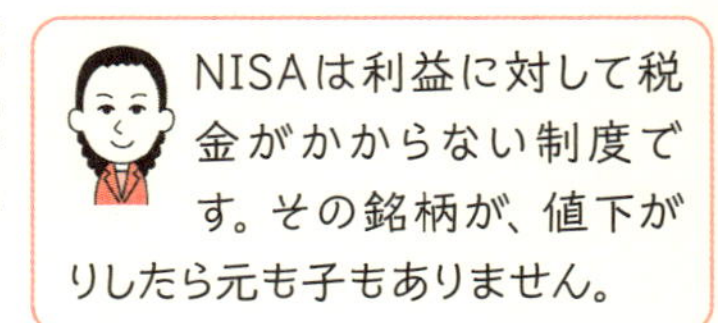

NISA（Nippon Individual Savings Account：**少額投資非課税制度**）の対象は**上場株式**、**ETF**、**J-REIT**、公募株式**投資信託**ですが、具体的な取扱商品は各**金融機関**によって異なるため、確認が必要です。

1年間の新規投資120万円以内に対し、5年間の株主**配当金**・収益分配金と、5年以内の売却益が非課税です。利用するには、購入前にNISA口座を開設し、買付時にNISA口座内を指定します。5年間、毎年120万円の上限までNISAを利用すると、5年目には元本600万円が非課税扱いです。すでに**特定口座**や一般口座などの課税口座の保有分はNISAに移せません。

「一般NISA」と呼ぶ通常のNISAのほかに、積立専用の「つみたてNISA」もあります。なお、一般NISAは2024年にリニューアルします。現在のつみたてNISAと同様の制度を年間20万円までと、一般NISAと同様の制度が年間102万円までの2階建てになります。2023年末までは、未成年対象の「ジュニアNISA」もあります。

NISAの概要

	現行のNISA	ジュニアNISA	つみたてNISA
利用できる人	日本に住所のある、1月1日時点で成人の人	日本に住所のある、1月1日時点で未成年、またはその年に生まれた人	日本に住所のある、1月1日時点で成人の人
対象金融商品	上場株式等や公募株式投資信託などの配当金と譲渡益		長期・積立・分散投資に適した一定の要件を満たした公募株式投資信託およびETFの分配金と譲渡益
購入枠	年間120万円	年間80万円	年間40万円
非課税期間	5年間	5年間	20年間
制度終了	2028年	2023年	2042年
口座開設数	1人1口座	1人1口座	1人1口座
その他	同じ年におけるつみたてNISAとの併用不可。2024年から新NISAスタート	原則3月31日時点で18歳となる前年末までは譲渡代金の払出し不可	同じ年におけるNISAとの併用不可

4-13 株主になると、どのようなメリットを得られるか？

株式会社に出資をして株主になると、いくつかの権利が得られます。

株主総会 株主によって構成される、会社の基本的事項について、株式会社の意思を決定する最高機関。定時に、または臨時に開催される。

株主総会は「モノ言う場所」。事業をチェックする重要な会議です。決して株主向けパーティやイベントがメインではありません。

株主総会において、株主は保有株式数に応じて議決権を持ちます。決議は、原則として多数決です。

株式会社の経営者（社長や役員）は株主から委託されて会社を経営しているため、株主総会で経営者が株主に事業報告をし、株主が今後の展開を決議します。株主は会社の利益の増減や損失、倒産などの事業上の**リスク**を株主総会でチェックをします。

新型コロナウィルスの流行で、バーチャル株主総会を実施する企業が増えました。リアル会場で行われている総会を視聴する方法や、オンラインで質問や議決権行使をする方法などが採られています。

株主総会で決める事柄

❶会社の組織・業態に関する事項（定款変更、資本減少、解散、合併など）

❷構成員の選任・解任に関する事項（取締役、監査役などの選任・解任、これらの報酬の決定）

❸株主の利益等に関する事項（配当金その他）

――など

IR

会社が株主や投資家に対し、投資判断に必要な情報を提供。業績や見通しの説明、工場見学会などで自社株の投資価値を適時に、また継続的にアピールする広報活動。

IR活動は、会社が地道に行う株価対策。株主に安心して長く持ってもらうために行う、業績向上とは別の面の努力活動です。

IRは「Investor Relations」の略で、**上場**会社による**投資家向けの広報活動**と訳されます。**株式**の発行体が、既存株主や投資家に対して投資判断に必要な情報を適時、公平、継続して提供する活動全般のことです。IRを積極的に行うことで投資家の理解を得やすくなり、円滑な資金調達が期待できます。

IR活動は、会社からの一方的な情報開示ではなく、その活動を通した投資家や株主との意見交換も含みます。お互いに理解を深めて市場で評価された結果、株主の裾野がさらに広がるような広報活動全体を指します。いわば、コミュニケーション活動です。株主や将来の投資家などから厳しい批判を受けることもありますが、長い目で見ると経営の質が高まります。この積み重ねが**株価**に表れていくのです。

IRの役割

あの会社に
投資をするのは
どうかな？

投資家

株主、投資家の
皆さんへ

事業報告書、決算説明補足資料、
株主通信を見てくださいね！
ホームページ上でも情報を掲
載していますよ！
会社説明会や工場見学会を開
催しますので来てくださいね！
率直な意見を聞かせてくださ
いね！

上場会社

IRは、会社株主の対話の方法でもある

配当金

株式会社が事業活動によって稼いだ利益の一部を、出資者である株主に還元するお金。株主配当金。

利益のうち、どれだけ配当金に回すかは、株主にとって大問題。増配なら株価が上がります。

株式を発行した株式会社は、事業の利益を将来のために会社に残すほか、株主にも持株数に応じて**配当金**を分配します。一般的に配当は発行済株式数で割り、**1株あたり配当金**として表します。株主は、その出資比率に応じた配当金を受ける権利を持ちます（「利益配当請求権」）。

配当金は、投資した会社の業績の良し悪しで増減します。配当しないことは「無配」、前年の無配から配当が復活すると「復配」、前年より配当金が増えると「増配」、減ると「減配」です。また配当金は日割り計算をせず、計算期間分の配当金を受け取れます。

2006年5月施行の会社法では、定款変更を行った上で、会社の利益処分を取締役会で決められるようになりました。従来は配当金に関しては**株主総会**の決議でした。年に何度も招集通知を発送して株主総会を開くのは現実的ではなく、中間配当と期末配当、または期末配当だけでした。取締役会の決議になり、四半期配当も実現可能となっています。

配当金の支払い

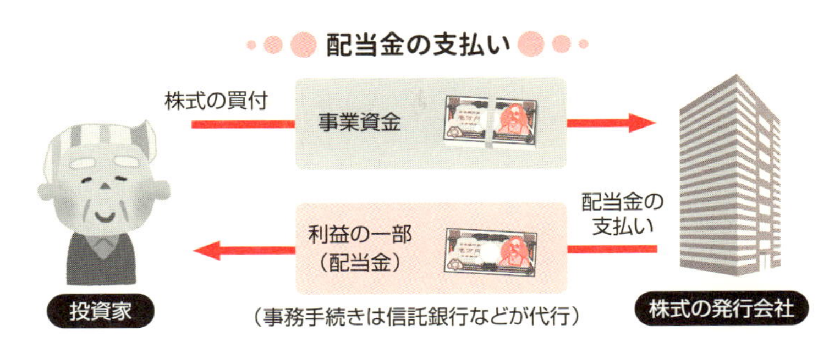

配当金は、出資した株式会社の利益の分配

株主優待

会社が一定の株数以上を持つ株主に対して、自社製品やサービス、チケットなどの贈り物をする制度。自社のファンづくりにもなっている。

消費者として利用する会社の株主優待内容は要チェック。優待の良し悪しで投資銘柄を決めている優待マニアの投資家もいます。

株主優待は、株式会社に義務付けられたものではなく、任意の制度です。わが社のことをもっとよく知ってもらいたい、株主に喜んでもらいたい、という会社が実施しています。権利確定日までに一定の株数以上を持つ実質株主であれば受けられます。

株主優待の内容はバラエティに富み、個人株主の広がりにも一役買っています。自社製品を優待製品にできる食品メーカーや、金券・割引券を提供できる小売業では積極的に導入している一方で、自社製品を消費者が直接利用できない素材・中間生産財メーカーなどの業種では、商品券やプリペイドカードなどで対応しています。しかし、直近では、コスト意識の高まりや、金券や自社製品よりも**配当金**で株主に還元すべき、という考え方の台頭で、株主優待制度を見直す会社も出てきています。

株主優待の権利確定

権利確定日までに株主になる

・権利確定日を確認する（稀に決算日と異なる場合もある）
・権利確定日前に受渡日が来るように買い付ける

2022年　3月

日	月	火	水	木	金	土
		1	2	3	4	5
6	7	8	9	10	11	12
13	14	15	16	17	18	19
20	21	22	23	24	25	26
27	28	29	30	31		

29：権利付最終日
31：権利確定日

権利が得られる最終の買付日は、
権利確定日から逆算して2営業日前まで

株式分割

株式会社が株式を細分化して発行済株式数を増やすこと。既存株主の持ち分に応じて無償で配分する。資本金は増えない。

八百屋さんがカブを半分に切って1個の半分の値段で売るように、1単元の株式を半分に分割すると理論上の株価は半値になります。

株式分割では、既存の株主に、持株数に応じて新しく発行する増加分の**株式**を無償で分配します。株式の増加に伴い、**株価**の調整をして、株式分割の前後で株主の持つ時価が同じになるようにします。発行済株式数が増えるものの、株式の増加分の資金が増えるわけではありません。また、資金調達をするために分割するのではありません。

株式分割では1株あたりの株価が安くなります。そのため、株式の発行会社が自社の株価水準を高いと感じ、引き下げたいと思う場合に行うことがあります。**単元株**あたりの投資金額が低くなり、個人投資家の増加が期待できます。また、自社の株式の流動性を高めたい場合に行うこともあります。発行済株式数が増えるため、株価が安定します。

株式投資がブームになっているタイミングで株式分割が行われると、投資家に株価の上昇要因と判断されることが多いです。しかし、株式分割で流通株式が増えると**需要と供給**の悪化を招いて下落要因にもなりやすいので、投資環境には注意が必要です。大幅な株式分割の場合は需給動向を考えた投資判断が求められます。

株式分割の株価への影響

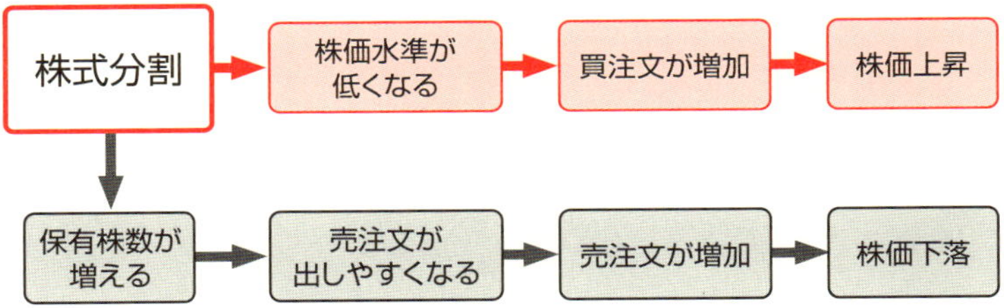

株式分割 → 株価水準が低くなる → 買注文が増加 → 株価上昇

株式分割 → 保有株数が増える → 売注文が出しやすくなる → 売注文が増加 → 株価下落

株式分割は、株価の上昇要因にも下落要因にもなる

4-14 株式取引に関する用語には、どのようなものがあるか？

株式取引は、市場での売買のほかにも様々な取引の手法があります。

IPO

それまで少数の株主により所有されていた未公開会社の株式が、株式市場に上場し、広く一般的に自由に売買ができる状態になること。

公募価格の数倍で上場するような人気IPO株を手に入れるのは狭き門。取扱証券会社の上得意客か、抽選に当たる幸運が必要。

未公開会社は通常、自由な**株式**譲渡が制限され、特定の少数の株主が株式を保有しています。**上場**し、不特定多数の投資家が自由に売買できることが**IPO**（Initial Public Offering：**株式新規公開**）です。

メリットは、資金調達の幅が広がる、社会的信用が付いて知名度が上がる、優秀な人材の確保できる、社内管理体制が充実するなどです。デメリットは、業績や事業展開等の情報開示が義務付けられる点です。

IPOとは？

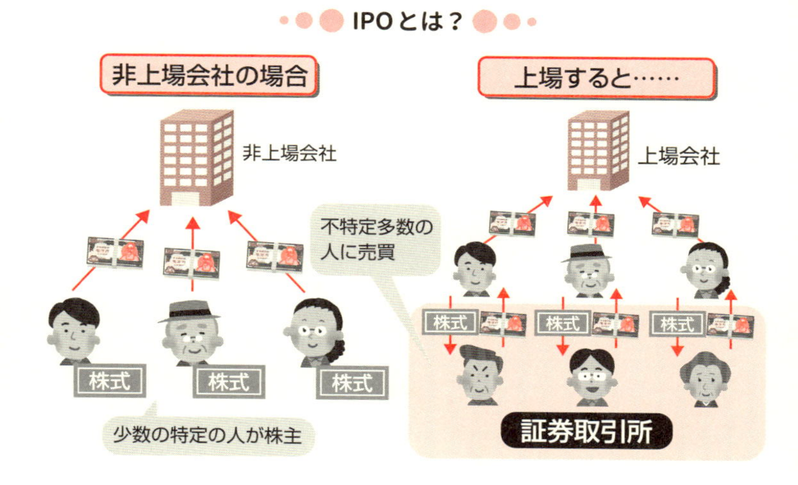

信用取引

投資家が証券会社から株式の買付代金や株式を借りて取引をすること。十分な取引経験や担保(委託保証金)の差し入れが必要。

昔から米相場でも言われていました。「命金には手を出すな」。大事なお金を、リスクの高い投資に使ってはいけないという教えです。

信用取引のうち、資金を借りて**株式**を買うことが「信用買い」で、株式を借りて売ることは「信用売り」または「空売り(からうり)」です。清算の方法は2種類あります。1つ目は借りた資金や株式は、あらかじめ定められた期限までに反対売買を行って差金決済で返済をする方法です。もう1つは信用買いで借りた資金を返して株式を引き取る（現引き）、信用売りで借りた株式を返して代金を受け取る（品渡し）現物決済です。

なお、資金を借りている間は**金利**の支払いが発生します。「制度信用」は**証券取引所**が選定した銘柄に限られ、期限は6ヵ月、信用売りができます。「一般信用」の場合は**証券会社**が定めた銘柄で取引ができ、期限や金利も顧客との間で自由に決められますが信用売りができません。

上場銘柄のうち、信用買いのみができる銘柄を「信用銘柄」と言い、信用売りと信用買いのできる銘柄を「貸借銘柄」と言います。

信用買いの仕組み

株式買付代金100万円を借りてA社株を購入

投資家

100万円

借りる

証券会社

購入（信用新規買い）

株式

株式市場

150万円に値上がり

株式

50万円の差額が利益（実際は差額のみを決済）

150万円でA社株を売却して証券会社に100万円を返済

投資家

50万円

売り（信用売返済）

100万円

返済

証券会社

ミニ株

1単元の10分の1の単位や、1株からなど、小さな単位で株式取引ができるよう、証券会社等が行っているサービス。証券会社によって、名称は異なる。

買付代金が少ないのがメリットですが、その分、委託手数料が割高になる場合も。そうなると、損益分岐点が高くなるのでご注意を。

ミニ株（株式ミニ投資）という**金融商品**が存在するのではなく、**株式**を小口で買えるように**証券会社**が提供するサービスです。顧客の**単元株**未満の株式注文を**証券取引所**に取り次ぐのではありません。証券会社が自社の顧客のミニ株同士の注文を取りまとめて相対取引を行うのが通常です。そのため、ミニ株の投資家が購入した株式は取扱証券会社の名義となります。証券会社が受け取った**配当金**や**株式分割**は持株数に応じて投資家に分配される仕組みです。

追加購入などで単元株に達すると、通常の株式取引と同様の扱いで市場での売却ができます。ミニ株の取引値段は、申込時刻によって翌営業日の「寄付（よりつき）」や午後の「始値（はじめね）」になります。ミニ株はすべての**上場**銘柄が対象ではなく、取扱銘柄や詳細は証券会社ごとに異なります。また、ミニ株取引をしていない証券会社もありますので確認が必要です。

ミニ株のメリット

ミニ株の利用で値嵩株も手軽に取引

るいとう

同じ銘柄を毎月同じ日に、一定の金額ずつ購入していく株式取引の積立制度。値動きがあるため、毎回の購入株数が変動する。

るいとうの銘柄選びでは、長期間の積み立てということを忘れずに。積み立てている途中に上場廃止にならないような銘柄を。

証券取引所を通じた**株式**の売買は、**単元株**ごとの取引です。**るいとう**（**株式累積投資**）では、単元に関係なく、あらかじめ顧客が一定の金額を決めて、毎月その株式を同じ日に積立購入します。

るいとうは、購入金額が毎月一定金額です。**株価**は変動していますから、購入金額を固定させると必然的に購入株数は毎回の積立ごとに異なります。このような定額積立方式で価格が変動する**金融商品**を購入する方法を**ドル・コスト平均法**と言います。積立が単元株に達すると、通常の株式と同様、市場を通じて売却ができます。

るいとうにより購入した株式は、取扱**証券会社**の名義となります。**配当金**や**株式分割**は、持株数に応じて投資家に分配される契約がほとんどです。これらの詳細や取扱銘柄は証券会社ごとに異なりますので、取引の際には確認が必要です。

るいとうの仕組み

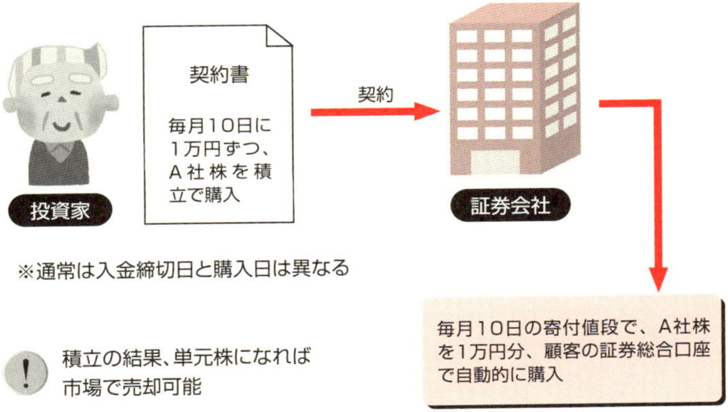

投資家

契約書

毎月10日に
1万円ずつ、
A社株を積
立で購入

契約

証券会社

※通常は入金締切日と購入日は異なる

毎月10日の寄付値段で、A社株を1万円分、顧客の証券総合口座で自動的に購入

積立の結果、単元株になれば
市場で売却可能

4-15 株式会社組織の特徴的な用語とは？

株式会社という組織の特徴を見てみましょう。

自社株買い

発行会社自身が、自社株式を買い戻すこと。買い取った株式を貸借対照表(バランスシート)上で消却する目的で行うことが多い。

自社株買いで市場に出回る株式の需給が引き締まります。会社の資金を無駄に余らせている場合、有効な使い道として好感されます。

自社株買いを行った自社の**株式**を消却すると、その分の資産（買付代金としての現金）と、それに対応する資本が減り、貸借対照表を圧縮できます。しかし、会社の財産が減ってしまうため、従来は商法で原則として自社株買いを禁止していました。1994年に限定的に自社株買いが認められ、2003年に実質的に解禁されました。**株主総会**で定款変更をすれば取締役会で自社株買いの詳細を決定できるようになり、2006年の会社法で規定が整理されました。現在は多くの**上場**会社が実施しています。

自社株買いは余剰金の有効活用の1つで、重要な株主還元策でもあるため、ほとんどのケースで投資家からは歓迎されます。

自社株買いの効果

自社株買い → 自社株消却  発行済株式数の減少

発行済株式数が減ると……

- 利益総額が同額でも、EPS（1株あたり利益）が増える
- 自己資本が同額でも、BPS（1株あたり純資産）が増える
- 配当総額が同額でも、1株あたり配当金が増える
- 市場に流通する株式が減り、需要が供給を上回る期待が高まる

魅力が増すので、株価が上昇しやすい

ストックオプション

自社株購入権のこと。会社が取締役や従業員などに、あらかじめ決めた株価でその会社の株式を取得できる権利を与える制度。

現在は資金繰りに苦労するベンチャー企業が、優秀な人材を確保すべく、報酬代わりに「将来上がる見込みの株価」を支払う制度に。

ストックオプションは、一種の報酬制度です。取締役や従業員が自社の**株式**を取得し、権利行使をする時点での市場の**株価**（時価）との差益を、報酬と見立てたものです。

ストックオプションは、まず「あらかじめ定められた株価（権利行使価額）で自社の株式を取得できる」という権利を取締役や従業員に与えます。将来、その株価が上昇した時に権利行使価額で株式を買うと、値上がりしている時価との間に差益が生じ、それを報酬と考えます。

その差益は、株価が上がるほど、大きくなります。会社の業績向上いかんで増減するとの考えから、ストックオプションを受け取った取締役や従業員は、会社の業績がより良くなって株価が上昇するように業務への意識が高まるというインセンティブの効果があります。

ストックオプションの仕組み

現在

よくがんばったね。君にストックオプションを与えよう。

ABC社

ストックオプション
ABC社の株を1,000円で1,000株購入できる権利

従業員

将来

証券取引所でABC社の株式が1,800円の値がついている

ストックオプションの権利を行使しよう！

従業員

（1,800円－1,000円）×1,000株＝80万円が報酬とみなされる

従業員持株会制度

従業員が給与天引きを利用し、自分の勤務する会社の株式を積立式で買い、財産形成ができる制度。1,000円程度の積立から利用できる。

給与天引きでいつの間にか資産形成。のはずが業績低迷で年収減、資産も減少ダブルパンチ！とならぬよう、勤務先偏重も要注意。

従業員持株会制度は、給与天引きによる単元未満株の積立です。**単元株**にまとまれば、通常の**株式**と同様に、**証券会社**を通じて売却もできます。一般的には、勤務先から持株会奨励金という補助金が出るため、この補助金でも株式を買います。

なお、会社法の制定や信託法改正がきっかけで「信託型従業員持株制度」の導入事例が増えました。このスキームは、3〜5年程度の間、会社が用意した**信託**を通じて自社株を買い付ける制度です。制度が導入された当初は「日本版ESOP」と説明されることが多かったのですが、現在では米国で普及する従業員持株制度（ESOP）とは制度設計が異なっているとの見解が主流です。

従業員持株会制度のメリット

会社側のメリット

- 持株会奨励金が福利厚生費に➡会社の費用、節税になる
- 従業員が会社の業績に関心を持つ➡業績向上につながる
- 株式公開をすれば、従業員の働きに報いることができる
- 株式公開後は、安定株主作りに効果

従業員のメリット

- 経営に参加している意識を持つことができる
- 給与天引きで財産形成になる
- 持株会奨励金という会社からの補助を得られる
- 株式公開をすれば、資産価値が増える

M&A 広く提携までを含めた企業の合併・買収のこと。企業のリストラクチャリング（事業の再構築）や事業拡大にも活用される。国際的なM&Aも活発化。

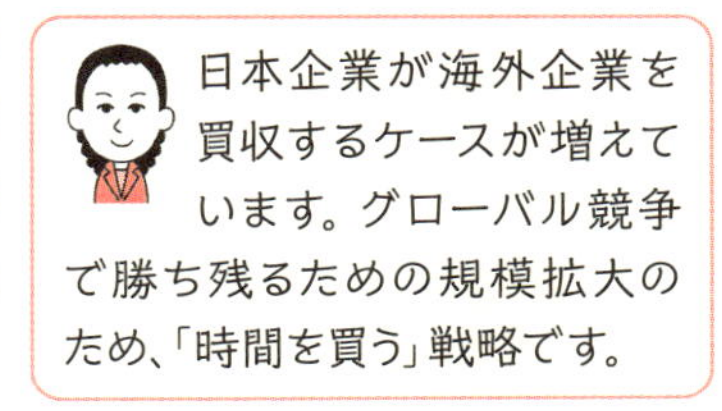

M&A（Mergers and Acquisitions）は、**企業の合併・買収**のことです。2つ以上の会社が1つの会社になるのが「合併」、1つの会社が別の会社の議決権**株式**の過半数を買い取ったり、事業部門の資産を買い取ったりすることが「買収」です。会社が一から新規事業を立ち上げるよりも、素早く新規分野へ進出できます。既存分野や関連事業の強化、グループ全体の再編など、時間とコストの節約が可能になります。

度々の制度改正によって、株式交換や会社分割、**持株会社**などの合併・買収に関する手続きが簡単になってきています。その結果、昨今のM&A件数の増加を後押ししています。

M&Aの主な方法

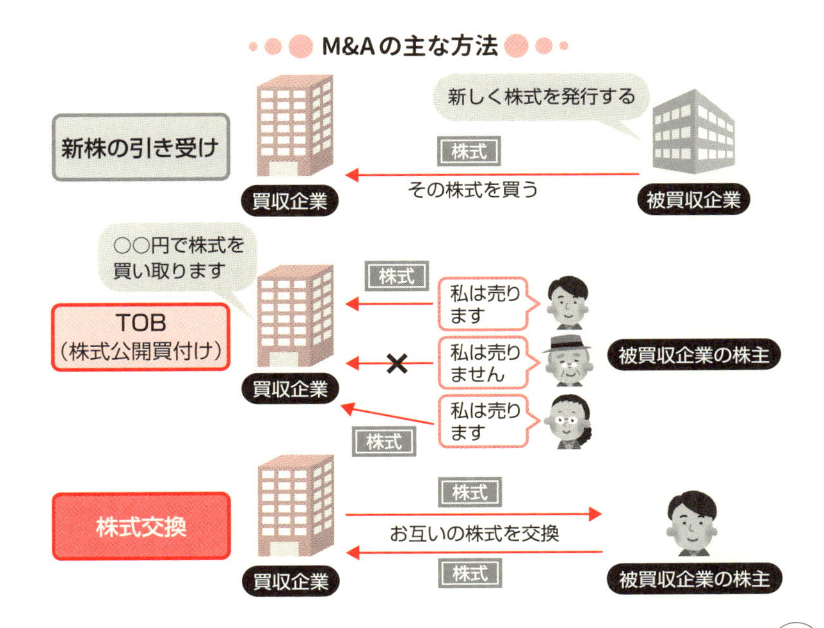

TOB

経営権取得などを目的にした株式の購入希望者が、買い取りの期間や株数、株価を公表して不特定多数の既存株主の保有株式を買い取る方式。

日本企業が海外企業を買収するには、円高の方が有利。個人が海外製品を買うのと同じで、買収資金が少なくてすむからです。

TOB（Take Over Bid：**株式公開買い付け**）は、株式市場を通さずに、広く不特定多数の株主から**株式**を買い取る制度です。購入希望者は、株数や価格などを公表、どの株主からも同一条件で買い取ります。主に買収や関連会社等の出資比率の引き上げ、**自社株買い**等が目的です。

買収する会社にとっては、市場で株式を購入するのに比べ、一定の価格で短期間に集めやすい点がメリットです。買い付け予定数の株式が集まらなかった場合は、株式を返却してキャンセルすることができます。デメリットは、買収を仕掛けていることが明らかになることです。

なお近年は、**金融商品取引法**の施行により、TOBの規制が強化され、突然、大株主に浮上するような株式の買い集めはできなくなりました。

TOBとは？

TOBの例

1000円でABC社の株式を100万株、3月15日まで買い取ります

いろは企業

日刊紙2紙以上に掲載、財務局に届出書を提出

私は売ります

私は売りません

私は売ります

現在、証券取引所ではABC社の株は900円で売買されている……

ABC社の株主

100万株集まれば、TOBが成立

情報公開の例

対象の会社名：ABC社の株式を…自社株の買い付けも可能
価格　：1000円で…時価より数%高い買い付け価格を設定することが多い
株式数：100万株…予定している買い付け数を明確にする
目的　：ABC社を子会社にするため
期間　：2022年2月1日から3月15日まで

MBO

経営陣らが、その会社の経営権や一事業部門の取得を目的に、金融機関や投資ファンド等から資金を借りて株式を買い取ること。会社の買収の手段の1つ。

経営陣でなく、従業員が自分の会社や所属部署を買い取るケースもあります。この場合はEBO(Employee Buy-Out)です。

MBO（Management Buy-Out：**マネジメント・バイアウト**）は、**M&A**の1つです。株式会社の経営陣が、株主からその会社の**株式**を買い取ることで成立します。オーナーでない経営者が**金融機関**などから融資を受け、市場やオーナー、親会社から株式を買い取るケースが多いようです。日本では、バブル崩壊後の1990年代後半頃から事業再編の一環で普及しました。リストラが一巡した後は、敵対的**TOB**（**株式公開買い付け**）の防衛策として行われる事例が相次ぎました。

MBOでは、株式を買い取った後、その会社を**上場廃止**にする例が多くなっています。経営陣自らが新しい株主になるので、経営陣以外の発言を抑えて自由な事業戦略を展開する目的で上場廃止を選ぶためです。資金力が豊富なら、上場を継続して広く一般の投資家から資金調達をする必要性も低く、総合判断でMBOを選ぶのでしょう。

MBOのメリットとデメリット

メリット

- 第三者による企業買収を防ぐことができる
- 経営陣自らが株主になるため、経営の自由度が高まる
- 後継者のいないオーナーが経営陣に事業を譲渡できる
- 経営陣に対する株式売却資金を事業資金に回すことができる

デメリット

- 上場廃止により経営へのチェック機能が低下
- 上場廃止により今後の資金調達手段が限定される
- 一般の株主が多いと、手続きが煩雑になる

株主代表訴訟

不正行為など会社に損害をもたらした取締役や監査役などの役員に対して、株主が会社に代わって損害賠償の訴訟を起こすこと。

株式会社の役員が「なあなあ」にならないよう、歯止めをかける効果があります。株主による役員のチェック機能です。

株主代表訴訟（**代位訴訟**）は、**株式**を6ヵ月以上持っている株主なら、誰でも行うことができる、責任追及等の訴えです。

株主から委託されて会社を経営する取締役は、会社に対し責任を負っています。取締役が不正や会社に不利益を与える行為をすると、本来は会社が取締役の責任追及をします。この時、会社が責任追及を怠った場合、株主が会社に代わって、その取締役に損害賠償の請求をする訴訟が株主代表訴訟です。株主は、あくまでも会社の代理です。損害賠償金を株主に支払えと請求するものではなく、会社に対して賠償金を支払うように訴えるものです。

民法による損害賠償制度の消滅時効が10年のため、会社が損害を被ってから10年間は訴訟ができます。

株主が勝つと、取締役は会社に与えた損害を個人で会社に賠償しなければなりません。株主は会社に訴訟費用を請求できますが、賠償金は受け取れません。株主が敗訴した場合、訴訟費用は株主の負担です。

株主代表訴訟とは？

取締役が会社に不利益を与える
↓
会社が取締役に責任追及をしない
↓
株主が代わりに取締役に損害賠償訴訟

株主が勝訴した場合
- 取締役が会社に与えた損害を個人で賠償
- 賠償金は会社へ
- 訴訟費用を株主が会社に請求できる

株主が敗訴した場合
- 訴訟費用は株主負担

機関投資家

生命保険会社や損害保険会社、銀行、投資信託、年金基金など、他人から集めた多額の資金を運用する投資家のこと。

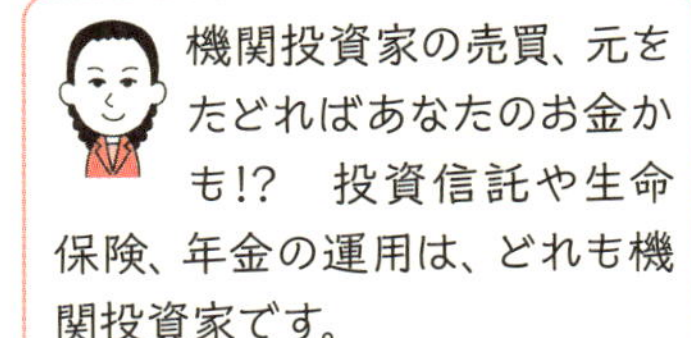

機関投資家の明確な定義はありませんが、他人の資金を預かって投資する投資運用業や**投資信託**会社、**生命保険**会社、**損害保険**会社、銀行、年金基金などの運用機関のことを通常、機関投資家と呼んでいます。生命保険会社や損害保険会社は、**保険契約者**の**保険料**を預かって運用しますし、投資信託会社は投資信託の信託財産を運用します。このように、機関投資家は多額の資金をまとめて運用しますので、**株式**市場や**債券**市場、**外国為替**市場に大きな影響を与えることがあります。

その資金の性格から、通常、機関投資家は長期スタンスで投資を行うことが多く、株式市場で中長期的な**株価**形成に影響を与えています。

機関投資家は、みんなのお金の運用者

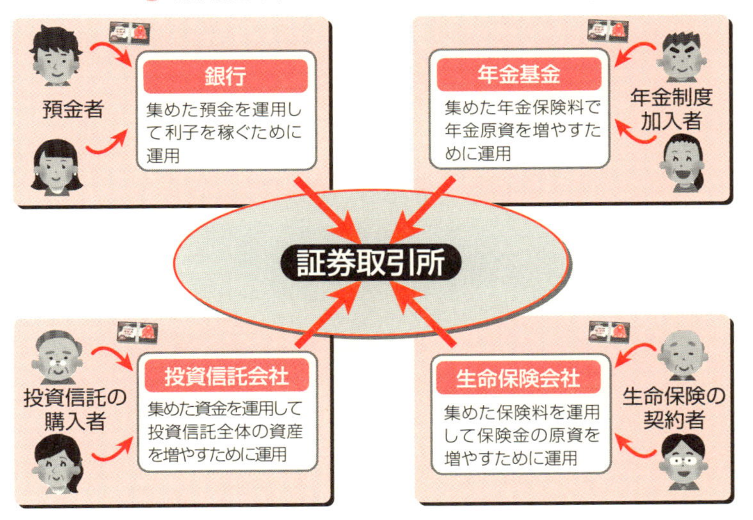

4-16 企業会計を知るには、どのような用語をおさえたら良いか？

企業の決算書は、株式投資の判断材料の宝庫です。

決算

事業活動を一定の期間で区切り、その期間内の事業活動をまとめたり、お金の流れと残高の集計をしたりすること。同時に次の期間の事業見通しなどを発表することもある。

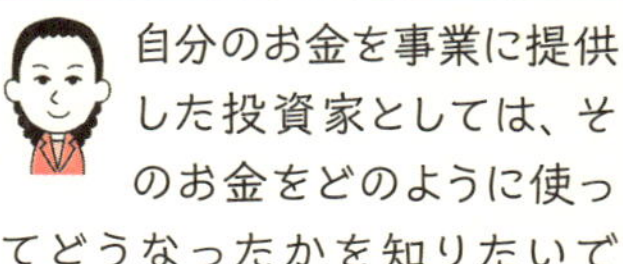

会社の会計年度の経営成績や財務状況をまとめる作業が**決算**で、その一定期間の最終日を決算日と言います。期間1年分は「本決算」、半年分は「中間決算」です。**上場**会社は、3ヵ月で区切った四半期ごとの業績を公表する「四半期決算」の開示も義務付けられています。

財務内容をまとめたものが決算書、または**財務諸表**です。中でも損益状況を示す「損益計算書」、資産状況を示す「貸借対照表（バランスシート）」、現金の流れを示す「キャッシュフロー計算書」は重要です。これらを「決算短信」にまとめて公表するのが「決算発表」です。決算日は、**配当金**や**株主優待**の権利確定日ともなることがほとんどです。

決算発表の要点

決算発表に盛り込まれる内容

- 終了した年度の営業成績
- 決算日時点の財務内容
- グループ企業の状況
- 株主還元の考え方
- これからの事業展開

上場会社

どんな会社なのかがよくわかると、安心して投資できる

連結決算

親会社だけではなく、子会社や関連会社まで含めた企業グループ全体の決算のこと。グループ全体の経営の実態をつかむことができる。

働き盛りの息子と、定年後嘱託で働く父。父の収入だけでなく、父と息子の収入全体で家計を考える……、これぞ連結決算。

連結決算では、親会社を頂点とした企業グループ全体を1単位とし、グループ全体での財務や経営状況を総合的に集計します。1999年度の決算から本格的に日本でも導入されました。**上場**株式会社が連結対象の会社を持つ場合には、その会社1社分の単独決算と併せて、連結決算による情報開示を行っています。

連結**財務諸表**は、「連結貸借対照表（たいしゃくたいしょうひょう）」「連結損益計算書」「連結剰余金計算書」「連結キャッシュフロー計算書」「連結付属明細書」の5つを指します。これらの計算の過程では、親会社・子会社間の貸し借りや、商取引などが相殺されます。グループ内の取引で生じた利益は排除されることになり、より企業グループの経営実態が明らかになります。

連結対象子会社とは？

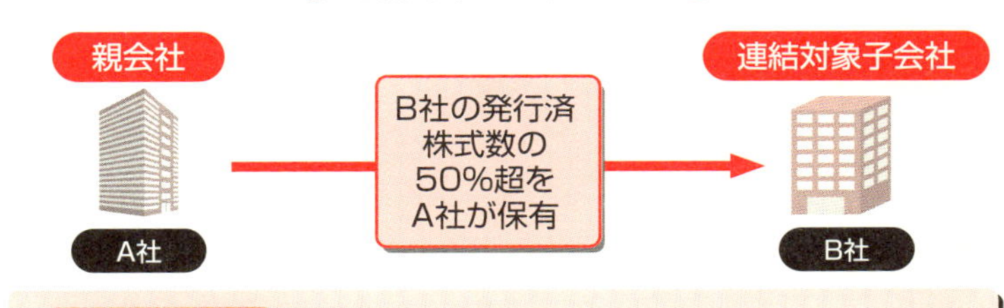

子会社の定義

一般的には「経営権を支配している」という意味で使われる

連結対象子会社の定義

- A社がB社の発行する株式の50%超を持つ
- 出資比率が50%以下だが、B社社長はA社の出身など関連が深く、実質はA社の支配下にある場合

財務諸表

会社の事業の成果として、一定期間で稼ぎ出した利益や、ある日の財産の残高を集計した計算書。会社の好調・不調の状態を知ることができる。

数字の並んだ財務諸表、一見すると「難しそう」と思うかもしれませんが、客観性に優れています。敬遠せず見るようにしましょう。

会社は、株主や債権者など外部の利害関係者（ステークホルダー）に開示する目的や、会社内部で経営計画を策定して結果を検証するために事業の成果をまとめます。**決算**日時点や決算日までの一定期間について集計した集計表を**財務諸表**と言います。会社が決算をして作成する決算書のうちの、お金に関する書類です。財務諸表の作成には、社会的・公共的な責任が伴い、制度上多くの規制が設けられています。

財務諸表の中でも特に重要な計算書は、「損益計算書」「貸借対照表（バランスシート）」「キャッシュフロー計算書」です。貸借対照表は決算末の財産の状況を示し、損益計算書は事業の売上・費用・利益を示し、キャッシュフロー計算書は決算期間のお金の流れを示します。

主要な3つの財務諸表

貸借対照表（決算日の財政状態が分かる）

資産	負債
現金	買掛金
預金	社債
有価証券	**純資産**
土地	株主資本
建物	少数株主持分
その他権利	ストックオプション
資産合計	**負債・純資産合計**

損益計算書（1年間の稼ぎが分かる）

損益計算書
売上高
−原材料費
−人件費・広告宣伝費
営業利益
±本業以外の収入・支出
経常利益
±特別利益・特別損益
−法人税
最終利益

キャッシュフロー計算書（現金の動きが分かる）

キャッシュフロー計算書
営業キャッシュフロー
投資キャッシュフロー
財務キャッシュフロー

キャッシュフロー

事業活動の結果の「現金の流れ」、もしくは資金がどのようにどれだけ増えたかを指す「資金収支」のこと。

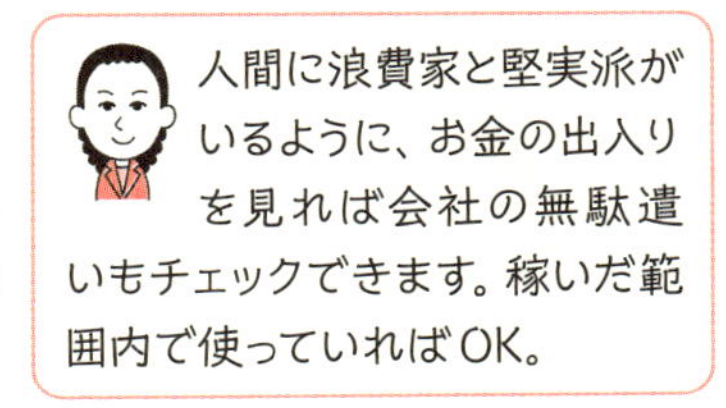

キャッシュフロー（以下CF）は、「現金の流れ」の意味で、最終利益に減価償却費を足した「会社の収益力の指標」でもあります。

会社の会計期間内の現金の流れを、営業活動、投資活動、財務活動などに区分して集計したものが「キャッシュフロー計算書」です。

営業CFで稼いだ現金を投資CFに回し、過不足を財務CFで調整するのが基本的な流れです。営業CFと投資CFの合計がフリーCFです。営業CFのマイナスは要注意で、利益が赤字、販売代金が回収できない、在庫の抱えすぎなどの原因が考えられます。フリーCFのマイナスも良いとは言えず、設備投資のし過ぎなどが考えられます。

また、CFが多すぎて、その資金を有効活用していない場合も将来の利益が期待できずに良好とは言えず、このような場合は**M&A**を仕掛けられるケースになりやすいようです。

キャッシュフロー計算書の項目のイメージ

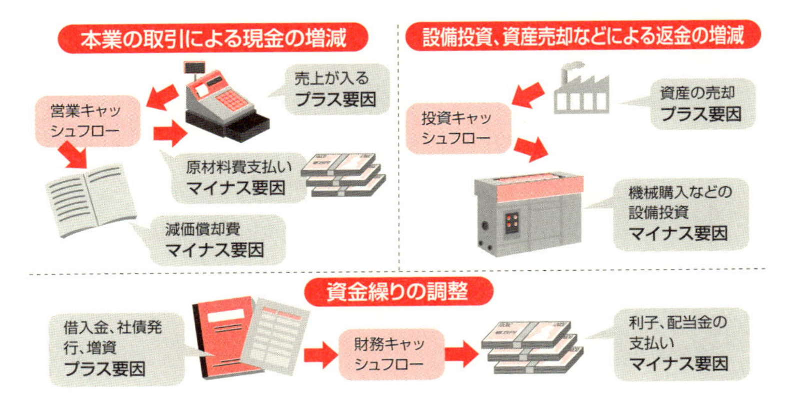

自己資本

他人資本の対義語で、返済の義務がない資金。会社法施行前は株主資本と同義で使われたが、現在は定義があいまい。

自己資本は他人資本と違い、業績が悪ければ出資者に無配当で良く、安全弁となります。しかし、業績好調なら高配当が求められます。

資本主義の初期段階では、経営者自らが株式会社の事業資金を準備して**株式**を持っていたため、株式発行で集めた資金を**自己資本**と呼びました。借入金など他人資本に対する言葉です。会社の規模が大きくなると出資と経営が必ずしも同一ではなくなりました。事業資金は外部の株主から集められ、「出資者は株主」という意味合いで、株主資本という表現が適するようになりました。

それでも、会社法施行前は「自己資本＝株主資本」という扱いが残っていました。他人資本でない部分は自己資本という理解で良かったのです。しかし、会社法で「資本の部」の構成を見直し、株主資本に含まれる項目を定義したことで、現在は「自己資本＝株主資本」ではなくなりました。他人資本に対する一般的な言葉と考える方がよさそうです。

自己資本と株主資本

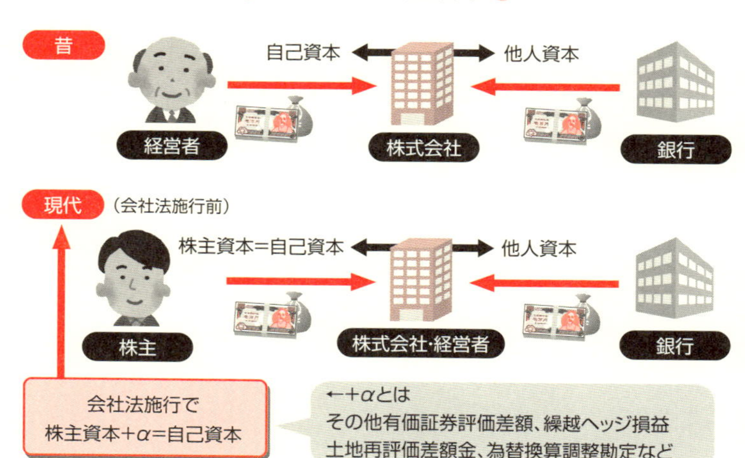

有利子負債

貸借対照表（バランスシート）上の「貸方」の負債のうち、金融機関などからの借入金や社債など、金利を付けて返済する必要がある借金。

必ずしも「有利子負債は悪」とは言えない時代に。低金利下で、株式発行のコストより借入コストが低い場合があるからです。

有利子負債は、短期借入金や長期借入金、**社債**、1年内返済金、償還社債などです。一方、**金利**の発生しない負債は買掛金や未払金です。妥当な有利子負債の額は、業種や会社の規模によりまちまちです。目安は、1年間の売上高で返せる程度で、それ以上の有利子負債があると経営は苦しくなると言われます。また、総資本のうち、有利子負債の比率を見る「有利子負債依存率（度）」や、**自己資本**に対する有利子負債の比率である「有利子負債比率」を使うと、有利子負債の額がその会社の規模に見合う程度かどうかをチェックできます。

有利子負債は、日々金利が発生します。有利子負債の金額が大きければ利払い費用の負担が重く、会社の利益は減ります。つまり、身の丈にあった借金でないと苦しくなるのです。

負債の部の記載項目

貸借対照表のうちの負債の部
流動負債
短期借入金および1年以内に返済する長期債務
買入債務
未払法人税等
未払費用
その他の流動負債
固定負債
長期債務
退職給付引当金
その他の固定負債
負債合計

有利子負債：金利を支払うべき負債（短期借入金および1年以内に返済する長期債務、その他の流動負債、長期債務、その他の固定負債）

！ 有利子負債が多いほど、その会社の利益は減っていく

時価総額

株式市場における上場会社を金額で示したもの。「発行済株式数」×「株価」で、その会社を100%買収するための必要資金とも言える。

お寿司屋さんの「時価」は値段が分からずにドキドキ。金融の世界では市場価格を指し、むしろ透明で公正な価格のイメージです。

時価総額は、株式市場におけるその会社の評価額です。時価総額は、**株価**が上がれば増加し、株価が下がれば減少します。

理論上は、増資をして発行済株式数が増えれば時価総額も大きくなりますが、現実はそうではありません。増資によって市場に出回る株式が増えると、株価が下落することもあります。近年は株式交換による買収防衛の観点から、自社の買収金額ともなる時価総額を引き上げることを経営の1つの目標にする会社も出てきました。

すべての上場会社の時価総額を合計すると、「株式市場全体の規模」を表します。市場全体の時価総額が増加すれば、株式市場での取引が活発になったことを意味します。株式市場の時価総額の推移を見ると、日々の株式取引の勢いがわかり、長期的な傾向を知ることもできます。株式市場に活気があれば、経済全体も明るい状況と判断することができます。

会社の時価総額とは？

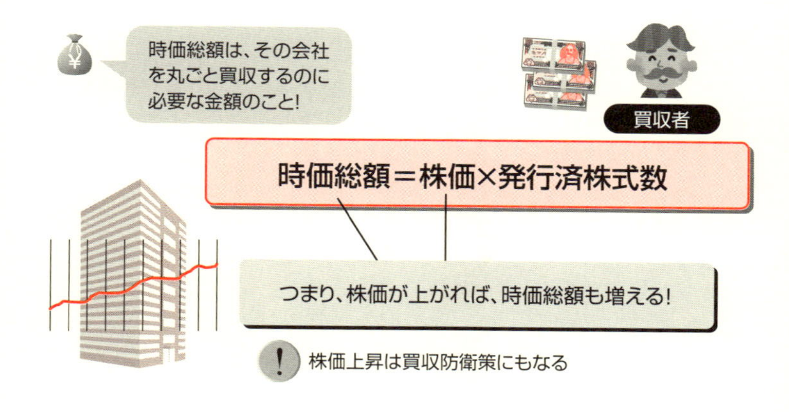

減損会計

会社の保有する固定資産の価値が大幅に下落した場合、決算時に損失額をはっきり公表させる会計処理の方法。

以前の会計基準では、ずっと買った金額のまま評価。気づいたら二束三文で驚くことも。潔く損を認めた方が楽。

会社の「貸借対照表（バランスシート）」では、保有する土地や工場、賃貸ビル、店舗などの固定資産は「簿価」で表示されています。簿価は「帳簿価額」の略で、その資産を取得した時の価額です。

固定資産の時価が大幅に下落した場合には、**決算**時に貸借対照表上の簿価を実勢価格に切り替えて、差額を損失として損益計算書に計上します。また、その資産から将来稼ぐ収益を試算した時に投資資金分を回収できないと判断した場合にも損失処理をします。これが**減損会計**です。

金融庁の企業会計審議会で、2005年4月1日から始まる事業年度からすべての**上場**会社の決算に減損会計が適用されました。対象の資産は、**株式**などを除いて、土地や工場、機械、営業権、のれん代などほぼすべての固定資産です。この会計制度によって、帳簿上には大きな損失が生じますが、貸借対照表は健全化します。

減損会計とは？

固定資産の時価が大幅に下落すると、その差額を損失とする！

貸借対照表	
資産 本社ビル 土地	負債
	資本

損益計算書
損失計上!

時価会計

会社が所有する資産と負債を毎期の時価で評価する会計。資産の購入時ではなく、現在の価値に基づいた会社の資産評価。

若い頃のプロフ写真をずっと使っている人、たまにいます。時価会計は、年相応に写真を更新するようなものです。

時価会計は、会社が売買目的で保有する**有価証券**や**デリバティブ**などの金融資産、販売用不動産などに導入されている会計制度です。以前はこれらの資産も「簿価」で評価していました。簿価は「帳簿価額」の略で、その資産を取得した時の価額です。

しかし、それでは簿価と時価の差が大きくなった時に会社の本当の実力が判断できません。そのため、貸借対照表（バランスシート）では毎期の時価で算定した資産と負債を記載することになりました。おかげで資産評価がより正確になりました。

減損会計と混同されがちですが、単なる持ち合い**株式**の時価会計では、金融資産の評価を貸借対照表上で時価にするので、そもそも評価損失（含み損）を損益計算書上では損失に計上しません（ただし、売買目的有価証券では、損益計算書に損益を計上します）。この点が減損会計と異なる点です。

時価会計が招いた「株式持ち合い解消」

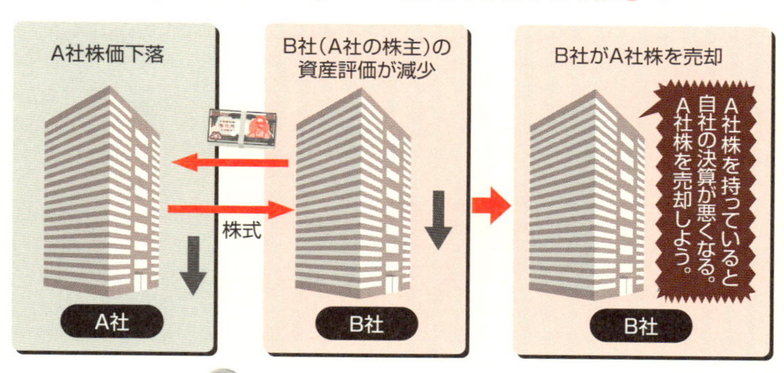

時価会計が「持ち合い解消」を招いた

税効果会計

企業会計と税務会計の考え方の違いから生じるズレを調整するための合理的な処理方法。上場会社には義務付けられている。

税効果会計を適用したら、あ〜ら不思議。自己資本が増えて堅実な会社に見えちゃった。そのカラクリは、繰延税金資産です。

経営の成果を表す「企業会計」と、法人税を計算する「税務会計」は考え方が違います。そのため、企業会計で認識する収益・費用と、法人税法で認識する益金・損金にはズレが生じます。この差額を「前払税金」や「未払税金」などとして処理する方法が、**税効果会計**です。

例えば「貸倒引当金（かしだおれひきあてきん）」（予想される貸し倒れの一定割合を費用とする）は、税法上では損失が確定する年度までは損失になりません。ところが企業会計では、貸倒引当金は損失とし、損益計算書上で費用と認め、利益から引かれます。税効果会計導入の**決算**では、将来損失が確定したら戻るはずの税金相当額を「繰延税金資産」として資産に戻します。損益計算書上でも税金を支払わないと考えます。

税効果会計を導入しない場合は、貸倒引当金を損失と認める分、最終利益が少なくなります。

法人税法と税効果会計導入による企業会計の違い

貸倒引当金 融資先から返済不能の場合に備える穴埋め用のお金（融資額の一定割合）

法人税法
- 今年度：損金にならない
- 貸し倒れが確定した年度（将来）：損金！

企業会計
- 今年度：引当金の額を費用とする
- 損失によって還付される税金（繰延税金資産）＝資産とする
- 貸し倒れが確定した年度（将来）

持株会社

ほかの会社の事業活動を支配する目的で、その会社の株式を多数保有する会社のこと。自らはグループ全体の経営戦略を立てるなどが本業。

複数の会社を統合する場合だけでなく、1つの会社のいくつかの部署を切り離して会社にし、持株会社形態にするケースもあります。

複数の会社の**株式**を保有することによって、それらのグループ会社の経営を支配し、グループ全体の経営計画の立案に関わっている会社のことを**持株会社**と言います。

持株会社には、「純粋持株会社」と「事業持株会社」とがあります。純粋持株会社は、ほかの会社を経営することが本業です。主な収入源はグループ会社からの**配当金**収入で、自らは事業を行っていません。

事業持株会社は、本業を行う一方で、ほかの会社を経営します。一般に持株会社という場合は純粋持株会社を指しており、事業持株会社のことは「親会社」と呼ぶことがほとんどです。

純粋持株会社と事業持株会社の違い

純粋持株会社＝事業展開なし

通常はこの形態を持株会社という

本業なし

出資 株式取得

子会社

出資 株式取得

子会社

出資 株式取得

親会社

子会社

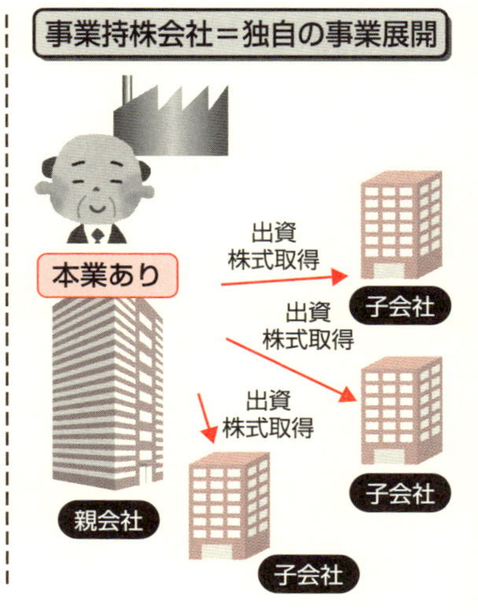

配当性向

最終利益のうちの、配当金の割合。会社の生んだ利益から、どれだけの配当金が株主に支払われるかの比率。株主への利益還元の度合いを見る。

名馬ハイセイコーではありません。「会社が事業で生んだ利益、株主にどれだけの分け前をくれますか？」という指標です。

配当性向（はいとうせいこう）は、会社と株主に配分する利益について、株主にはどれだけ分けるか、という観点の指標です。

1年間の事業の成果である利益は、翌年の事業の元手として会社に残すほか、事業資金を出した株主にも**配当金**が支払われます。配当性向は株主への利益還元で、高い方が魅力的ですが、成長過程の会社は将来の事業資金を社内に残す方が優先という見方もあります。すべての会社において高い配当性向が良いというわけではありません。

なお、会計制度の変更で配当性向の算出方法が変わりました。以前の会計では、最終利益から社内留保と配当金のほかに役員賞与を支払っていました。会社法施行後は、役員賞与は費用になり、利益計算の過程ですでに差し引かれています。

配当性向の計算方法

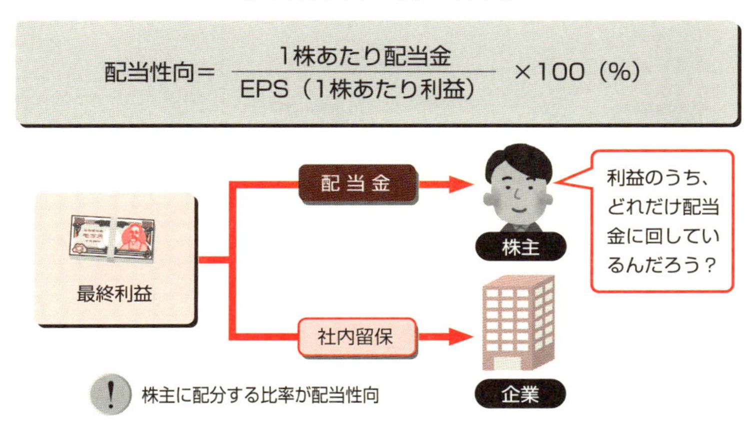

配当利回り

現在の株価で投資をした場合、1年間に受け取れる配当金は投資資金に対する何％なのかを示す、投資収益を見る指標。

「上げ相場は株価収益率、下げ相場は利回り」と言われるように、相場が良くない時には値上がり期待より配当利回りを重視のこと。

株式投資による投資家の収益は、**値上がり益（キャピタル・ゲイン）**と**配当金（インカム・ゲイン）**です。このうち、配当収入の部分を**利回り**計算したものが、**配当利回り**です。配当利回りは、現在の**株価**を投資額とし、それに対する配当金の利回りを示す指標です。配当利回りを計算する際の投資額は、投資家が実際に購入した株価ではありません。なお、配当金は終了した年度の実績ではなく、今期予想配当や来期予想配当という今後の配当予測を使って算出し、投資判断を行います。

株式市場全体の平均配当利回りを使って、預貯金の利率や新発10年物国債利回りなどと比較することがあります。これにより、株式投資が相対的に有利なのかどうかという投資判断ができます。

配当利回りの計算方法

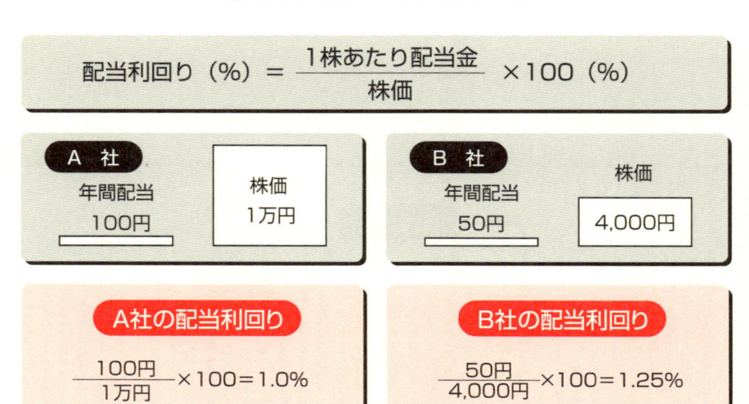

B社の方が利回りが有利になる

PBR

「株価が1株あたりの純資産(株主資本)の何倍になっているか」という株式の価値を資産と比較した指標。

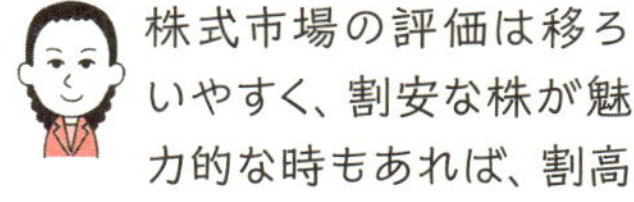

PBR（Price Book-value Ratio：**株価純資産倍率**）は、**株価**を1株あたりの純資産（**自己資本**）で割って求めます。株式会社が解散した場合に残った財産から株主に返される金額と現在の株価とを比較した指標です。

株式会社が解散する場合、保有する金融資産や在庫、不動産などを現金化し、負債を返済します。その後に残った財産が純資産で、持株数に応じて株主に分配します（「残余財産分配請求権」）。解散した場合に株主に分配される金額は、一般に「解散価値」と呼ばれます。

一般的に、株価と純資産が同等の「PBR1倍」は株価の下限と考えられ、1倍以下だと解散価値を下回り、その株価はより割安な状態と言えます。ただし、株価との比較対象が純資産ですから、会社の利益成長力などは考慮していません。ほかの株価指標と併せて使用することが望ましいでしょう。また、低いほど良いわけではなく、1倍割れで極端に低い場合は、市場評価が純資産に比べて異常に低い、つまり何らかの「悪材料」で株価を下げていると考えた方が無難です。

PBRの計算方法

$$\text{PBR}=\frac{\text{株価}}{\text{1株あたり純資産}}\quad\text{（単位:倍）}$$

PBRは株価と純資産を
天秤にかけたもの!

PER

「株価が1株あたりの最終利益の何倍になっているか」という株価の割安性を見る指標。株式の価値を利益と比較する。

ウォール街では「人気の重みで株価は下がる」と言われます。買われ過ぎた株は、下げも大きいもの。

PER（Price Earning Ratio：**株価収益率**）は、**株価**を1株あたりの「最終利益」で割って求めます。会社が1年間事業を行って生み出した最終利益に対し、株価は何倍の評価を得ているかを表します。利益水準以外の要素で高い魅力を持つ銘柄は、PERの倍率が高くなります。しかし、PERが高すぎると、実力の過大評価と見られ、割高と判断されます。

一般にPERが高いほど利益に対して株価が割高、低いほど割安と言えます。ただし、株価が「安い」と、「割安」とは意味が違います。会社の実力低下と同時に株価も安いのか、それとも実力はあるが何らかの理由で下がっているのか、という違いです。

PERは、会社の実力を示す「最終利益」と「株価」の比較です。会社の収益力に見合った株価の水準を推し測るのに有効です。通常、PERの計算には、今期もしくは来期の予想1株あたり利益を使います。株式投資は、投資銘柄の成長性から**キャピタル・ゲイン**が期待できるからです。終了した年度の**決算**数字では過去の利益と現在の株価を比べたものに過ぎず、将来の株価動向には影響しにくいと言えます。

PERの計算方法

$$\text{PER}=\frac{\text{株価}}{\text{1株あたり最終利益}}\quad\text{（単位:倍）}$$

PERは株価と最終利益を天秤にかけたもの!

ROA

総資産に対する最終利益の割合。持っている資産を使って、どれだけ多くの利益を上げたかを示す指標。効率性を表す。

「やせたら着られる」洋服。「いつか使うかもしれない」紙袋。捨てられないモノがあふれて、狭くなった家は低ROA。

ROA（Return On Asset：**総資産利益率**）は、貸借対照表（バランスシート）の総資産（総資本と同額）に対する最終利益の割合で表します。この数字が高ければ、資産を効率良く使って稼いだと言えます。1事業年度を通じて、会社の資産を稼働させた結果、どれだけの利益を上げたのかを見るのです。総資産は、その事業年度の期初・期末平均を使います。

投資家が出資した資本や借入金などの負債は、何らかの資産を購入していて、それが事業収益や財務収益をもたらします。しかし、例えば稼働率の低い工場や収益の悪い店舗など、無駄に保有する資産があったとします。これらは資産価値があるものの、利益を生まず、算出されたROAは低くなります。これは効率が悪い状態です。

ROAの計算方法

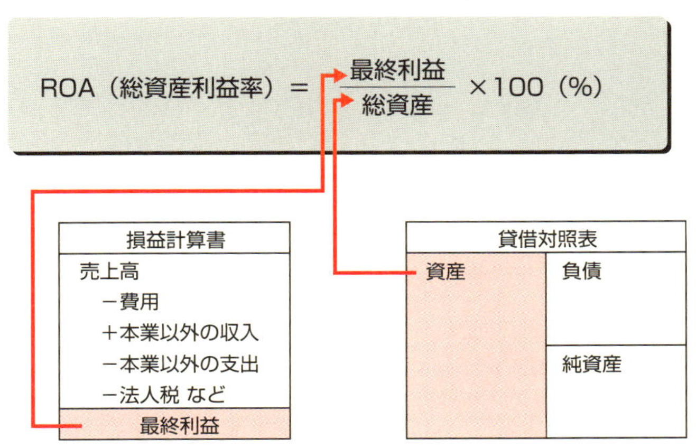

資産を効率よく使って利益をあげたかをチェック

ROE

自己資本に対する最終利益の割合。株主が出資した資本から、どれだけの利益を上げたかを示す指標。高いほど、効率的に利益を出したといえる。

お金持ちなら、たくさん儲けられるのは当たり前。手持ち資金に対してどれだけ儲けたか、と基準を揃えて比較する指標です。

ROE（Return On Equity：**自己資本利益率**）は、貸借対照表（たいしゃくたいしょうひょう）（バランスシート）の**自己資本**に対する、損益計算書の最終利益の割合です。自己資本は、純資産から本来の株主の出資でない新株予約権や少数株主持分を引いたものです。ROEが高ければ、株主の出した資金を使って効率良く稼いだことになります。1事業年度を通じて出資している自己資本を使い、それがどれだけの利益を生み出したかを見るので、純資産はその事業年度の期初・期末平均を使います。複数年のROEを比較すれば、効率性の改善具合を知ることができます。

近年は、ROE向上を経営目標とする会社が増えました。中でも欧米の投資家が投資判断にROEを重視するので、より経営者がROEを高める意識を持つようになったと言えます。

ROEの計算方法

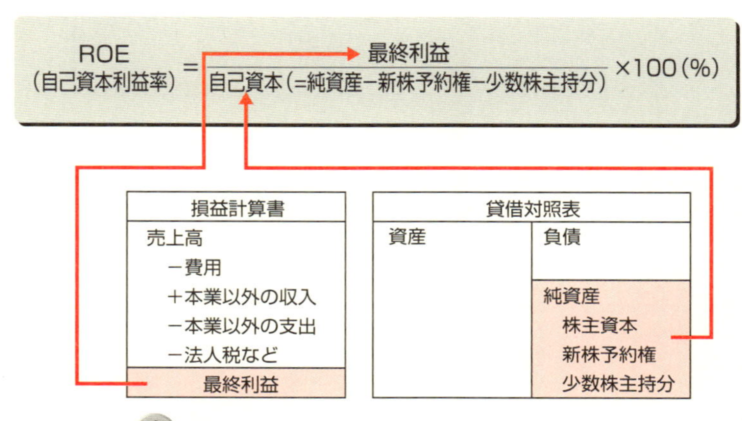

株主のお金を効率よく使って利益をあげたかをチェック

4-17 保険全般の基本は、何か？

まずは保険全般に関する基本を学びましょう。

生命保険 人の命に関わる保険で、主に被保険者が死亡した場合や高度障害になった場合の収入減に備えるために利用される保険。

一昔前の契約場面は、生保レディのG(義理)N(人情)P(プレゼント)。今はコンサルティングや来店型、ネットや通販と多様です。

保険契約は、契約期間内に**被保険者**や保険の対象に万が一の事故が起こった場合、一定の**保険金**が受け取れる取引です。**生命保険**は、人の死亡や高度障害を**保険事故**とする保険契約です。

生命保険は、どのような場合に保険金が受け取れるかで3つに分類されます。「死亡保険」は、被保険者の死亡または**約款**(やっかん)所定の高度障害になった場合です。「生存保険」は、被保険者がある時点で生存している場合です。「生死混合保険」は、被保険者が保険期間内に死亡または高度障害になった場合に死亡（高度障害）保険金が、ある時点で生存していれば生存保険金が受け取れます。

保険を選ぶ基準

保険は「こうなった時に、これが心配」に備えるもの。
どんな時に、どれくらいの資金があれば安心か？

働き手が死亡したら	収入が途絶える →	働き手が死亡した時に備える保険
ケガ・病気、介護状態になったら	治療費がかかる、収入が途絶える →	医療費や介護費用に備える保険
高齢で働けなくなったら	収入が途絶える →	リタイア後の生活費に備える保険

損害保険

偶然の事故や災害などのリスクによって生じる、金銭的な負担に備えるための保険契約。主に物に関わることに備える保険。

損害保険は意外と広範囲。商売上の損害にも備えられます。異常気象による売上不振や悪天候によるイベント中止に備える保険も。

火災や自然災害、日常生活における様々な偶然の事故を原因として、物に対する損害や人に対する損害を補償するのが**損害保険**です。「物」の例としては、建物、家財、車などで、人に対しては自動車事故やスポーツ中のケガ、他人に対する損害賠償などがあります。

通常の損害保険は保険期間が1年または2年です。事故や災害にあわなければ掛金が戻って来ない、掛け捨てタイプが主流です。一方で、「貯蓄タイプ」の損害保険もあります。3年から20年など長期間にわたって補償する機能と貯蓄の機能を併せ持ったタイプです。

損害保険の主な商品

目的	特徴	保険商品
損害補償	火事が原因で家が焼けてしまったための再建費用、家財の購入費用、地震による住宅や家財の損害の補償、自動車事故などによる本人、相手方、搭乗者の治療代や慰謝料、車の修理代、生活上で負ったケガの治療費など	火災保険、地震保険、自動車保険、傷害保険など
長期貯蓄	長期的な資金作り	積立タイプの火災保険・傷害保険など
老後資金準備	年金方式の受け取りで老後の生活費を保障。生存給付金付もあり	積立タイプで年金受取方式の傷害保険など

医療保険

被保険者が病気やケガで入院したり、所定の手術を受けた場合に保険金(給付金)が受け取れる、医療に対する保険。

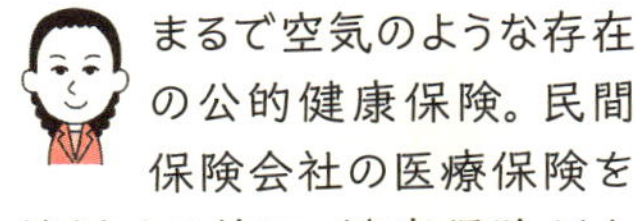

まるで空気のような存在の公的健康保険。民間保険会社の医療保険を検討する前に、健康保険がカバーできる保障を把握すべき。

医療保険の保障内容は、医療に対する保障が主な目的で、死亡に対する保障は少額か、まったくない商品もあります。

医療保険単独の商品と、医療**特約**として**終身**生命保険にセットされる契約があります。医療保険は病気やケガへの幅広い基本的な保障です。がん、成人病、女性特有の病気など、特定の病気に絞った保障(特約を含む)もあります。最近では**保険会社**によって**給付金**の内容が多様です。例えば、1泊の入院や日帰り入院でも給付金が受け取れるものがあります。1回の入院や通算の限度日数にも各社に幅があります。商品選びには、保険期間、給付日数、給付金額、給付の条件などをよく検討し、自分に必要な保障内容、保障額で契約をしましょう。

適切な保障額を考える場合、まずは国民健康保険や健康保険組合など、公的健康保険制度の給付内容をチェックします。その上で不足すると思われる金額を民間の医療保険で補う方が合理的です。

医療保障を選ぶ時のポイント

❶どんな病気やケガを負った時が心配なのかを考える

❷その治療費や、働けない期間の生活に必要な資金額を考える

❸加入している公的健康保険制度からの給付内容を確認する

❹その上で不足すると思われる金額を考える

❺必要な保障とその金額、期間が決まったら、それを満たす医療保険を検討する

介護費用保険

被保険者が「寝たきり」や「認知症」など所定の要介護状態になった時に、介護費用などの補てんとして一時金・年金が受け取れる保険。

商品によっては、公的介護保険で要介護認定されている人でありながら、介護費用保険が給付されないケースもあるので要注意。

介護費用保険は、寝たきりや認知症などになった場合にかかる費用負担への備えです。保障内容はそれぞれの**保険会社**の商品によってまちまちです。**被保険者**が保険会社の定めた独自の段階による要介護状態になった場合に「介護一時金」や「介護年金」が受け取れるものが主流です。そのような中、最近では公的介護保険の要介護度に従った給付条件を設ける商品も発売されるようになりました。

満期まで健康に過ごせた場合には、何も受け取れない掛け捨てタイプと、健康祝い金が受け取れるタイプがあります。介護保障を基本とし、被保険者が死亡した場合に所定の死亡**保険金**が受け取れる「介護保障保険」もあります。

保険期間には、**定期**型と**終身**型があります。介護費用**特約**として終身生命保険にセットされる契約もあります。

どのような状態で介護給付金が支給されるか？

タイプ	給付条件
公的連動タイプ	公的介護保険の要介護度に合わせて保険給付金が支給される （例）「公的介護保険制度に定める要介護○以上に該当すると認定されたとき」
自社基準タイプ	保険会社が約款で定めた介護状態になった時に保険給付金が支給される （例）「寝たきりによる要介護状態になったとき」や「認知症による要介護状態になったとき」などに加え「いずれかの状態がX日継続して医師に診断確定されたとき」
公的連動＋自社基準タイプ	公的介護保険と連動し、かつ保険会社の独自基準をクリアした場合に保険給付金が私有される （例）「公的介護保険制度に定める要介護○以上に該当すると認定されたとき」または「当社指定の要介護状態になったとき」に加え「いずれかの状態がX日継続して医師に診断確定されたとき」

少額短期保険

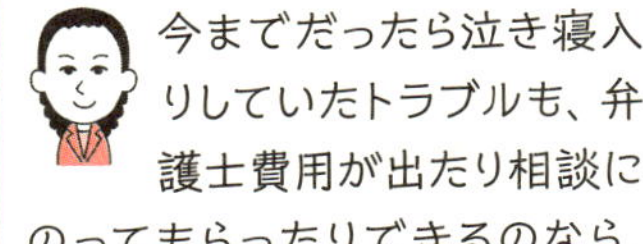

少額の保険料で保険金額も少額、保険期間は1年または2年で、日常の小さなトラブルに備えるための保険。ミニ保険とも呼ばれている。

少額短期保険は、2006年4月の改正保険業法で誕生した、以前は「無認可共済」と呼ばれ保険業法の対象外だった保険です。

少額短期保険は、保険の種類により保険金額に上限が設けられています。例えば、死亡保険なら300万円以下、**医療保険**は80万円以下、**損害保険**は1,000万円以下、などです。

少額短期保険業者は、**保険会社**とは異なります。保険会社が**金融庁**による免許制であるのに対し、少額短期保険業者は財務局への登録制です。資本金の規模も保険会社より小さいため参入しやすく、独自のユニークな商品を掲げて登録をする業者が増加しています。

なお、生命保険会社や損害保険会社の保険は、それぞれ**生命保険契約者保護機構**、**損害保険契約者保護機構**で保護されていますが、少額短期保険会社はこの制度の対象外となっています。

少額短期保険の例

種類	内容
ペット保険	ペットの入院・手術・通院費用、飼い主の入院に伴うペットホテルの費用など
自転車保険	自転車事故による損害賠償金、ケガによる入院費用など
キャンセル費用保険	予定していた旅行やコンサートに行けなくなった場合の航空運賃や宿泊代、チケット代などのキャンセル費用など
モバイル保険	ノートパソコン、タブレット、スマートフォンの破損の修理代、盗難に備えてのる新端末の購入費用など
弁護士保険	ストーカー、DV、離婚、セクハラ、パワハラ、賃金未払い、長時間労働、金銭問題、相続などのトラブルにかかる弁護士費用など
認知症保険	認知症の人が起こした事故による損害賠償金やかかった費用、訴訟にかかる弁護士費用など
孤独死保険	家主が賃借人の自殺、孤独死、殺人など賃貸事業の損失を補償

終身

保険契約においての期間を表す言葉。「死ぬまで」という一生涯を意味する。保険金や給付金を受け取れる保障期間や保険料の払込期間を示す。

誰でも一生に一度は死ぬので「取りっぱぐれのない保険」と言われますが……。あなたより保険会社が先に死なないようにご注意を。

終身とは、保険契約に関わる期間を示す用語で、「死亡するまで」を意味します。また、**生命保険**や**医療保険**等の**保険料**を一生涯払い続けることを「終身払い」と言います。

「終身保険」は、通常、死亡保障が一生涯続き、死亡時に死亡**保険金**が受け取れる生命保険です。死亡保障が終身でも、払込期間は、期間の定めがある**有期**払込と終身払込の２種類があります。

死亡保障だけでなく、医療保険、**がん保険**、**介護費用保険**、**傷害保険**などでも一生涯保障される保険があります。その多くは、それぞれ「終身医療保険」「終身がん保険」「終身介護費用保険」「傷害保険（終身タイプ）」などというように、保険商品の名称に「終身」という言葉がつきます。**個人年金保険**では、年金受取期間が一生涯続くものが「終身年金」で、有期払込と終身払込があります。

終身保険のイメージ

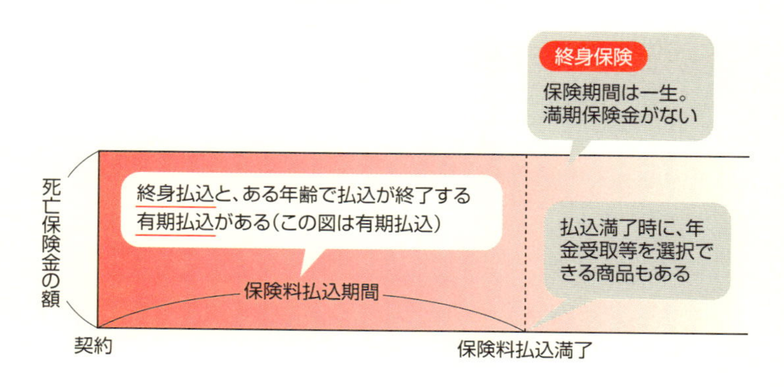

終身保険は、死亡保障が一生涯続く

定期

保険契約において、あらかじめ決められた期間まで、という意味。保険金や給付金の保障が定められた期間に限定される。一生のうち、高額な死亡保険が必要な時期は限られているので、定期保険は有効。

定期とは保険契約に関わる期間を示す用語で、「期間を定めている」ことです。預貯金で使用する「定期」とは意味合いが違い、ある時期までしか保障（補償）しないことを示しています。そのため、通常、**満期保険金**がありません。一般に「掛け捨て」とも言われます。

単に「定期保険」といった場合は通常、死亡保障についての定期保障を意味します。ある年齢まで、または1年や10年、15年といった一定期間の死亡保険です。期間の定めがある定期保険であっても、「**更新**型」なら保険期間の満期に保険期間を更新できます。

医療保険、**がん保険**、**介護費用保険**、**傷害保険**などにも「定期型」や「定期タイプ」などと呼ばれる、保険期間に定めがある保険があります。

定期保険のイメージ

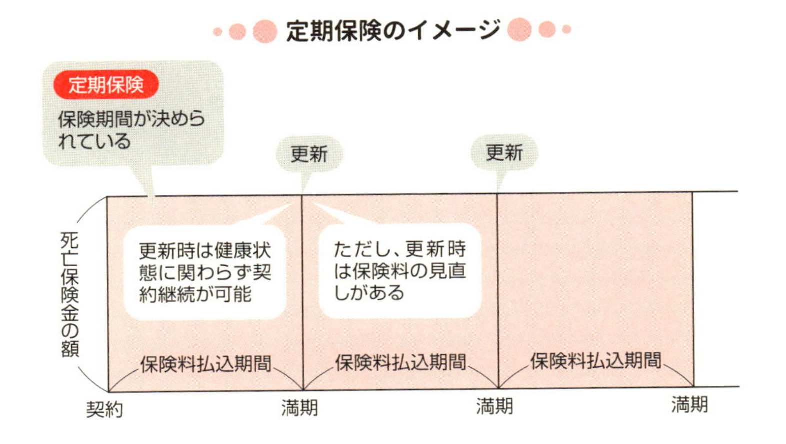

！ 定期保険では、死亡保障は満期まで。その後も保障を得たいなら「更新型」を

有期

年金などの保険期間については「生きている限りその期間まで」受け取れることを指し、払込期間についてはある時期まで保険料を払うことを言う。

有期払いでは、一定年齢に達した以後の保険料負担がなくなるのがメリットです。ただし終身払いより保険料は高めです。

有期とは、保険契約に関わる期間を示す用語です。主に、**終身**保険などの**払込方法**による分類で「有期型」という場合と、**個人年金保険**などで年金が受け取れる期間について「有期型」という場合があります。**保険料**の払い込みが有期型の場合、払込期間が一定年齢で終了することを示します。それに対し、保険料を一生払い込むことを「終身払い」と言います。

個人年金保険などの受取期間が有期型の場合、**被保険者**が生きている限り定められた受取期間中は年金が受け取れますが、死亡すると年金は終了してしまいます。そこで、保証期間内に被保険者が死亡しても保証された残りの期間に対応する年金原価を相続人が受け取れるようにした「保証期間付有期年金」もあります。

また、「確定年金」では、被保険者の生死にかかわらず、定められた期間の年金が受け取れます。もしも年金受取期間中に被保険者が死亡した場合、遺族が引き続き年金か残りの年金原資相当額を死亡保険金として受け取ることができます。

有期年金のイメージ

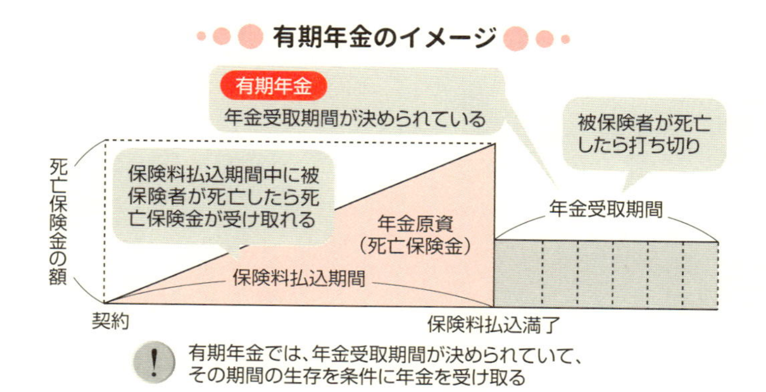

定額保険／変額保険

契約時に将来の保険金額、年金額などが約束されているのが定額保険。保険金額、年金額などが運用の実績しだいで増減するのが変額保険。

「定額保険はローリスク、変額保険はハイリスク」と思われがち。けれどインフレが進むと定額の保険金では満足いかないかも？

定額保険と**変額保険**の違いは、死亡**保険金**や年金などの受取金額に変動があるかないかという点です。

定額型の**生命保険**は死亡保険金、定額型の**個人年金保険**は受取年金額が契約時に定められています。変わらないのは基本保険金額や基本年金額で、積立金の配当部分は、運用の実績しだいで増減します。定額型の保険金や年金は**一般勘定**で運用されています。

変額型の生命保険は、死亡保険金が契約時に定められておらず、運用の結果によって**満期**保険金が決まる生命保険です。ただし、死亡・高度障害で受け取る基本保険金額は保証されています。変額型の個人年金保険は、受取年金額が契約時に定められていない年金保険で、運用実績により年金額が決まります。死亡保険金は死亡時点での積立金額で、払込**保険料**の全額を最低保証するものがほとんどです。

変額型の保険金や年金は、**特別勘定**で運用されています。

変額保険の仕組み

死亡時の保険金
基本保険金＋変動保険金

※多くのケースでは基本保険金を保証

満期時
基本保険金＜満期保険金

変動保険金
契約　基本保険金
保険料払込期間
満期
満期保険金

満期時
基本保険金＞満期保険金

契約
基本保険金
満期
満期保険金
保険料払込期間

一般勘定/特別勘定

一般勘定は保険会社が保有する財産で運用される保険資産、特別勘定は一般勘定から切り離され、株式や債券などで運用される保険資産。

一般勘定は保険会社の健全性を気にかけ、特別勘定は運用資産の価格変動を気にかけること。リスクを誰が背負うかの違いです。

一般勘定は、あらかじめ**保険**金額が契約で決められている**定額**型の保険の運用資産です。**保険会社**自身の所有する資産で運用されています。**リスク**を抑えて安定的な**利回り**を確保する使命があるため、投資対象に制限を設けて安全な運用を行っています。保険会社そのものと言っても良いほどの大きな資産です。

一方、**特別勘定**は、保険金額が運用の結果しだいという**変額**型の保険の運用資産です。一般勘定とは別に運用されています。高利回りを追求する運用を行うため、投資対象を制限しません。**保険契約者**から見ると、保険契約というよりも運用商品という側面を持っています。

一般勘定と特別勘定の違い

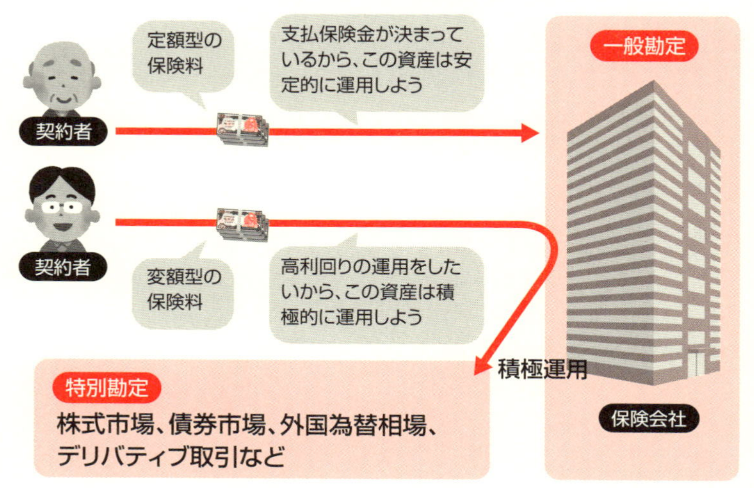

逓減／逓増

逓減は「だんだん減る」、逓増は「だんだん増える」という意味。時間の経過に応じた保険料や受取年金額の変化を示す。

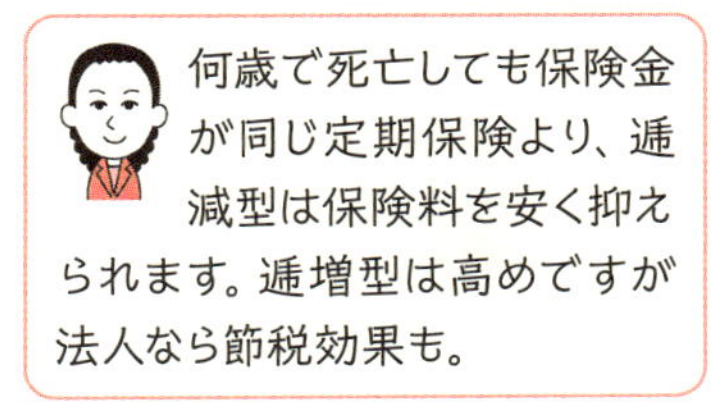

定期保険の中には、加入後の期間経過に応じて**保険金**額が減っていく**逓減**（ていげん）定期保険や、保険金額が増えていく**逓増**（ていぞう）定期保険があります。保険金額が徐々に変わりますが、保障期間内の**保険料**は一定です。子供の成長に応じて必要保障額を減らしていきたいとか、収入の増加に応じて必要保障額を増やしていきたいなどというように、ライフプランに合わせた保障額の設計に利用されます。

また、**個人年金保険**や年金払積立**傷害保険**などの保険商品の中には、将来の受取年金額がだんだん増加していく逓増型を取り扱う**保険会社**もあります。逓増型の年金受取の例として、基本給付額の数％の額が前年の基本給付額に上乗せされていく、というプランがあります。逓増型の年金保険では、年金受取時期に物価が上昇した場合に、物価上昇に対する年金額の相対的な目減りを防ぐ効果があります。

逓増型年金保険のイメージ（終身型の場合）

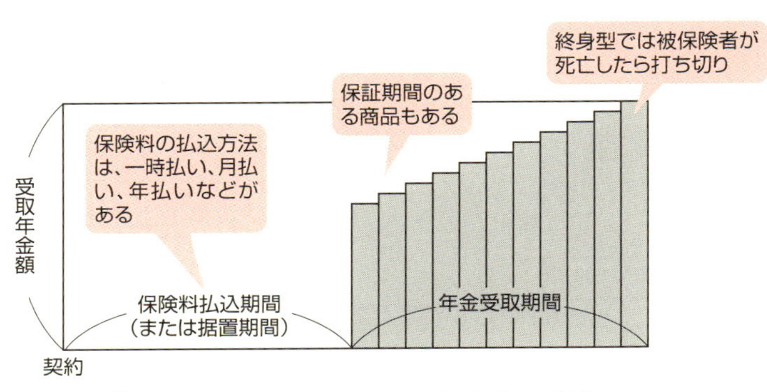

逓増型年金保険（終身型）は、年金受取期間開始後、受取金額が毎年増加する

4-18 生命保険・損害保険には、どのような種類があるか？

保険の基本的な用語をおさえた上で、どのような保障をカバーする保険があるか見ていきましょう。

養老保険

保険期間が決まっており、期間内に死亡したら死亡保険金、満期時に生存していたら満期保険金が受け取れる保険契約。

保障と貯蓄をセットにした、いわば「欲張り」な保険。ただし、そうそうウマい話はなく、掛け捨て保険より保険料は割高です。

養老保険は、死亡や高度障害では**保険金**を受け取りたいが、**満期**時に生きていれば自分でお金を使いたいという両方の要望を満たす保険です。おトクなようですが、死亡保険金と満期保険金が同額で、払込**保険料**に利子が付いた程度です。**予定利率**の低い時期に遺族の生活を十分に満たす保険金額を契約するには、保険料も高額になります。

養老保険は死亡保険金のためと満期金のための両方の保険料を支払います。死亡保険金を受け取る場合は満期保険料が掛け捨て、満期保険金を受け取る場合は死亡保険料が掛け捨てで、コストは割高です。

養老保険の仕組み

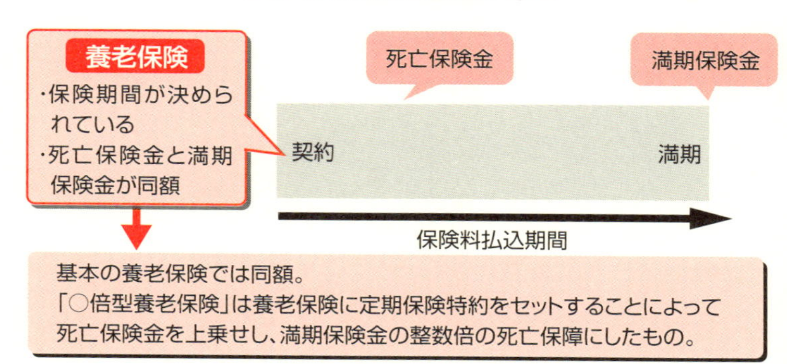

収入保障保険

死亡・高度障害の保険金を年金で受け取る生命保険。年金の受取回数は、いつ死亡するかによって変わる。

よくわからないまま、特約でつけている人も見かけますが、金融資産や十分な遺族保障があれば、必要ないケースもありますよ。

収入保障保険は、**被保険者**が死亡・高度障害状態になった時に年金形式で**保険金**が支払われます。いわば**生命保険**の分割払いで、**保険料**が割安です。「生活保障保険」「家族保障保険」などとも呼ばれます。単独で**主契約**の保険商品、または他の保険の**特約**です。

保険期間は、被保険者の年齢で満了するタイプと、契約からの年数で満了するタイプがあります。年齢の満了間際に死亡した場合は、受け取る回数が少なくなるため、最低保証年数を定める商品がほとんどです。また、年金に代えて一括で受け取れる商品もありますが、年金より受取総額は少なくなります。

収入保障保険の年金受取期間

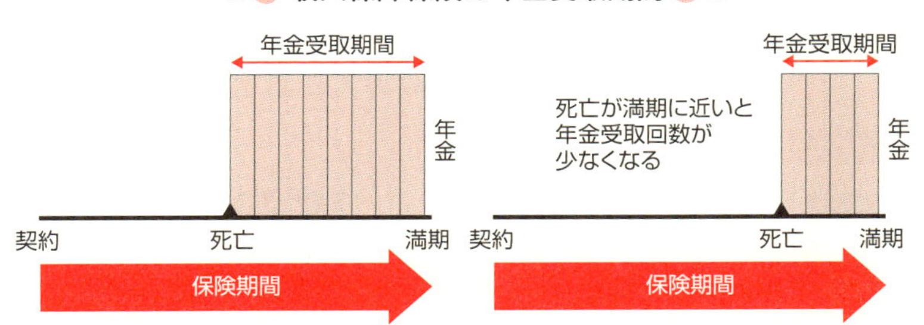

保険期間満了まで年金を受け取る。受取回数は保険期間満了までの期間しだい

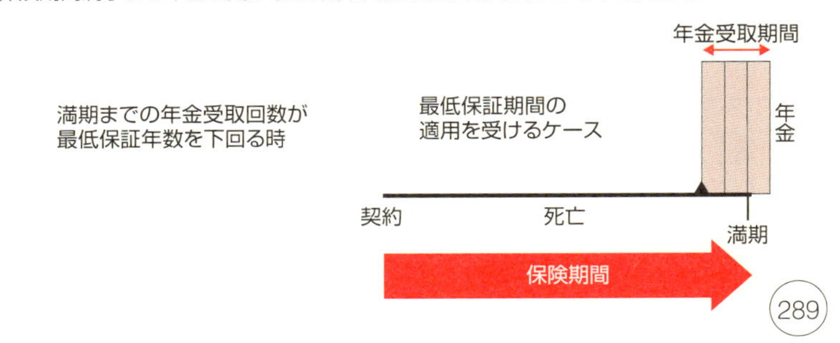

リスク細分型保険

被保険者や保険対象物の個々の事情に応じてリスク度が異なるとの考えに基づいて、保険料に差を生じさせる保険。

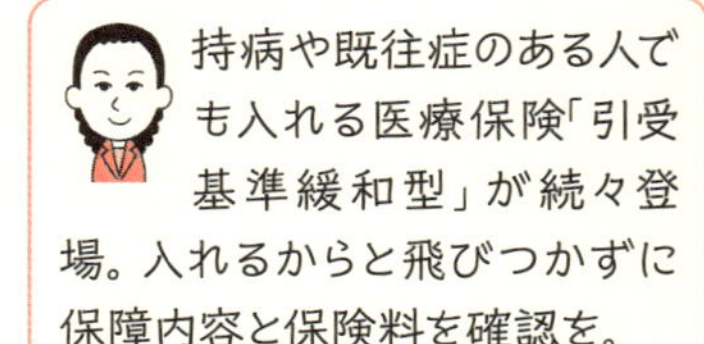

リスク細分型保険は、**保険金**を払う可能性の低い（**リスク**度の小さい）人には**保険料**を割り引き、保険金支払いの可能性が高い（リスク度の大きい）人には保険料を割増にする保険です。リスク細分型保険は、特にインターネット販売や通信販売の保険に多く導入されています。従来の保険に比べて保険料が安くなるケースばかりではなく、リスク度が高ければ保険料が高くなります。

生命保険のリスク細分型保険は、喫煙の有無や血圧・BMI値などで保険料に差を付けています。**自動車保険**では、**保険契約者**と対象車に関するリスク（年齢、性別、運転歴、車の使用目的や使用状況、車種、エアバッグ・ABS・衝突安全ボディーなどの安全装備、地域など）で保険料に差を付けています。

リスク細分型保険の考え方

同じ年齢・性別、同じ保険金額でも……

Aさん
タバコは、吸いません。
血圧は、正常です。
BMIは、正常の範囲です。
健康診断書は、良好です。

保険会社
保険料を20%割引きます!

Bさん
タバコは、ヘビースモーカーです。
血圧は、やや高いです。
BMIは、やや肥満です。
健康診断書は、経過観察です…。

保険会社
保険料は一切割引しません!

保険金を払うリスクによって、保険料に差が付く

三大疾病保障保険

死因トップ3の生活習慣病(がん、急性心筋梗塞、脳卒中)で所定の状態になった時に給付金が受け取れる保険。

死亡保険と比べると保険料が高めです。治療費のカバー、治療期間の収入減の補完など、目的を明確に。ほかの保険との併用も。

三大疾病保障保険(**特定疾病保障保険**)は、がん、急性心筋梗塞、脳卒中に備えた保険です。単にこれらの病気にかかっただけではなく、**保険会社**が定めた「所定の状態」になって初めて**給付金**が受け取れる保険です。給付金を受け取ると、契約は消滅します。給付金と同額の死亡・高度障害保障が付いており、給付金を受け取らずに死亡した場合は同額の死亡保険金が**受取人**に支払われます。

三大疾病保障保険は、**主契約**となる保険と**特約**があります。期間は**終身**と**定期**があります。がんなどでは本人に告知をしないこともあるため、契約時に指定代理請求人を指定しておくこともできます。

給付金が受け取れる条件に注意

※条件は保険会社や保険商品により異なります。

	受け取れる	少ないか、受け取れない
悪性新生物(がん)	・契約後に初めて ・悪性新生物にかかったと医師が診断	・上皮内新生物 ・皮膚がん (皮膚の悪性黒色腫は対象)
急性心筋梗塞	・契約後に発病 ・医師による初診日から60日以上労働が制限される状態と医師が判断	・狭心症 ・不整脈 ・心不全
脳卒中(くも膜下出血、脳内出血、脳梗塞)	・契約後に発病 ・医師による初診日から60日以上、神経学的後遺症が継続したと医師が判断	

がん保険

保障の対象をがんに絞った医療保険の一種。診断給付金、入院給付金が大きな柱だが、保険会社により内容はまちまち。

「日本人の死亡率トップはがん」などと言われると気になるでしょうが、昔の「老衰で死亡」の多くは、実はがんによる死亡だったとか。

がん保険は、**医療保険**の一種です。がんと診断された時に受け取れる診断**給付金**、がんの治療で入院したら受け取れる入院給付金、がんの手術で受け取れる手術給付金、退院後に継続治療で通院すると受け取れる通院給付金などで構成されています。

がん保険は、医療技術の進化や治療の実態の変化に伴い、どんどん進化しているのが現状です。そのため、新商品や改定版の商品が続々登場し、**保険会社**によって、また発売時期によって、保障内容の詳細が異なるので注意が必要です。

例えば、診断給付金は初回診断だけか再発や転移でも対象になるか、治療開始前でも受け取れるか、通常のがん（悪性新生物）のみならず上皮内新生物でも保障されるのか、などが主な違いとなっています。

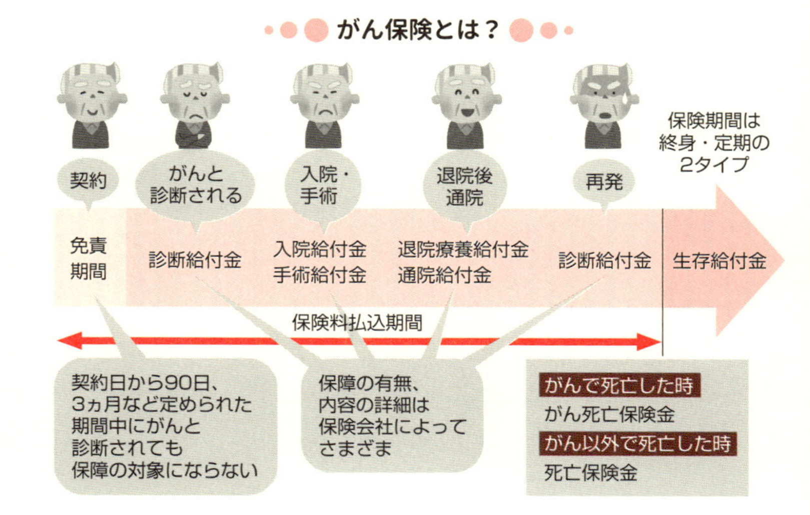

学資保険／子供保険

親が保険契約者、子供が被保険者で、子供の入学や進学に合わせて祝い金や満期保険金が受け取れる保険。養老保険の一種。

「子供が産まれたら学資保険に必ず入るもの」と誤解している方が多くて驚きます。学費を貯める選択肢の1つと考えましょう。

学資保険は、**養老保険**と同様、死亡・高度障害保険金と満期保険金の両方を併せ持った保険です。保険と貯蓄の両方の機能があります。

保険期間の途中で契約者（親）が死亡・高度障害になった場合に**保険料**の払い込みが免除され、**保険金**で子供の学費を保障します。さらに、**満期**まで毎年「育英年金」が受け取れる商品もあります。**被保険者**である子供が死亡した場合には、死亡保険金が受け取れます。一般的な**生命保険**よりも保障額は少額になります。

貯蓄の機能としては、保険料を積み立てて学費が必要な時期にお祝い金や保険金が受け取れます。

保障と貯蓄を兼ねる性格の保険ですが、**予定利率**の低い時期には貯蓄として利益を生むことは難しく、親の死亡・高度障害の際に子供の学費を準備する目的と割り切った方が良さそうです。

祝い金付き学資保険の例

入学金など学費に充てることができる

祝い金　祝い金　祝い金　満期保険金

契約　入学　入学　入学　満期

保険料払込期間

被保険者（子供）が死亡した場合 ➡ 死亡保険金

契約者（親）が死亡した場合 ➡ 保険料払込免除＋入学お祝い金・満期保険金（育英年金付もあり）

自賠責保険

被害者救済の目的で法律により強制加入となっている自動車保険。人身事故のみ適用され、物損は補償されない。原則として加害者が請求する。

強制加入なので、自賠責保険に加入していなかったり有効期限が切れていたりしたら、1年以下の懲役、または50万円以下の罰金です。

自賠責保険は、正式には**自動車賠償責任保険**と言い、公道を走る自動車、バイクは国から強制的に加入させられます。自賠責保険に加入していないとナンバーをもらえず、車検も受けられません。

自賠責保険は、他人を死亡させたりケガをさせたりした場合に**保険金**が支払われ、運転者（加害者）が被害者に対して負う損害賠償専用の保険です。人身事故に対してのみ適用されます。物損事故には適用されず、運転者自身の損害も補償されません。補償内容は加入者全員が同じ条件で、沖縄や離島を除き車種ごとに同じ**保険料**です。

自賠責保険は、被害者に重大な過失がある場合に限り、減額が適用されます。また、加害者が不誠実な場合や**示談**交渉が成立しない場合は、被害者が直接、損害賠償額を加害者の加入している**保険会社**に保険金の前払いを支払うように請求することができます。

自賠責保険の補償内容

事故の程度	損害の内容	被害者1人当たりの支払限度額
ケガ	治療費、文書料、休業損害、慰謝料	最高120万円まで
後遺障害	逸失利益、慰謝料	後遺障害の程度によって75万円～4,000万円
死亡	逸失利益、葬儀費用、慰謝料（本人及び遺族）	最高3,000万円まで
死亡に至るまでの傷害による損害	ケガと同じ	最高120万円まで

（任意の）自動車保険

自動車で事故をした時などに、自賠責保険では補償されない損害を補うための損害保険。強制加入でなく任意に契約する。

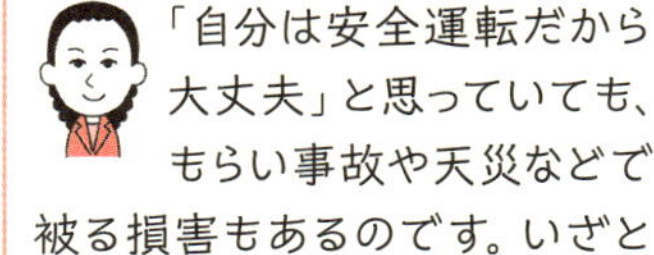

自賠責保険では物の損害を補償してくれませんし、**示談**交渉もしてくれません。自賠責で補償される対人賠償も決して十分な額とは言えません。不足する補償をカバーするのが任意の**自動車保険**です。任意の自動車保険は、年齢や過去の事故歴（等級）、車の使い方など、それぞれ車の保持者の条件に応じて**保険料**が違います。**特約**として、事故や故障でレンタカーを借りた場合の費用や、事故に関する法律相談を受けた場合の費用の補償もあります。

自動車保険は、大きく分けて「対人賠償保険」「対物賠償保険」「人身傷害補償保険」「車両保険」などです。なお、加害者と被害者が一定の親族関係である事故や無免許、酒酔い運転中の事故など、状況によっては**保険金**が受け取れない場合もあります。

自動車保険は、保険自由化を反映して**保険会社**独自の新商品や新サービスの開発が活発で、商品内容の詳細が頻繁に変わっています。

自動車保険の補償内容

保険の種類	特 徴
対人賠償保険	事故の相手（他人）の死傷に対する損害賠償のうち、自賠責の支払額を超える部分の補償
対物賠償保険	事故で他人の物を壊し、損害賠償責任を負った時にその損害に対する補償
人身傷害補償保険	事故で本人や同乗者がケガをした時、他人の車を運転中の事故や歩行中の事故も補償。契約者側に過失があっても総損害額が補償。相手のいない事故でも補償
車両保険	衝突、接触、墜落、転覆、火災、爆発、盗難、台風、洪水、高潮、物の飛来、物の落下など偶然な事故による損害補償

火災保険

住宅が被った損害と、それに伴って発生した費用を補償する損害保険。火災はもちろん、一定の災害の範囲でも適用されるものがある。

火災原因のトップは放火ですが、契約者による自宅の放火や建物の所有者による放火の場合は、火災保険の保険金は支払われません。

損害保険会社の**火災保険**は、火災のみならず、様々な災害を原因として被った建物や家財などの損害を補償する保険です。建物と家財は別々に**保険金**額を設定します。

補償の範囲は、保険の種類によって幅があり、**特約**も豊富です。保険の目的や対象の構造・用途などでよく検討しましょう。また、**保険会社**ごとに独自商品が販売され、補償内容は一律ではなく、**保険契約者**のニーズや予算に合った商品が選べます。最近は無料の付帯サービスで、会社が競っています。「補償型火災保険」は掛け捨てで、「積立型火災保険」は**満期**返戻金があります。低**金利**の下では、補償型が主流です。

火災保険金の契約金額には「新価」と「時価」があります。新価とは損害を負ったものを新しく購入する費用分で、時価とは新価から経過年数に応じた使用分を割り引いた金額分の補償となります。

住宅火災保険と住宅総合保険の補償の範囲

保険	火災	落雷	破裂・爆発	風災・ひょう・雪災	水漏れ	騒じょう・労働争議
住宅火災保険	○	○	○	○	×	×
住宅総合保険	○	○	○	○	○	○

保険	落下・衝突	持ち出し家財	水害	盗難	破損・汚損
住宅火災保険	×	×	×	×	×
住宅総合保険	○	○	○	○	×

地震保険

地震による火災、損壊、埋没・流失による居住用の建物・家財の損害を補償する損害保険。地震保険単独でなく、火災保険にセットされる。近年、加入者が増加傾向。

地震保険は都道府県ごとに保険料が異なります。地域によって、地震が起きる確率や予想される被害の程度に差があるためです。

火災保険では、地震や噴火を原因とする損害は補償されません。そのため、地震が原因の災害で被る損害を補償する保険が求められます。**地震保険**は、火災保険にセットする形で契約し、**主契約**である火災保険の保険金額の30%から50%の範囲内で設定します。

保険期間は1年ですが、主契約の保険期間が2年以上ならそれに併せるか5年の自動継続、または1年の自動継続にします。**保険料**率は建物の構造と地域によって決まっています。相次ぐ自然災害で保険金支払いが急増し、保険料は値上がり傾向です。保険金額は損害の程度により、**全損**、大半損、小半損、一部損の4段階に分けられますが、一定のレベルの損害に至らなければ補償の対象ではありません。

地震保険の留意点

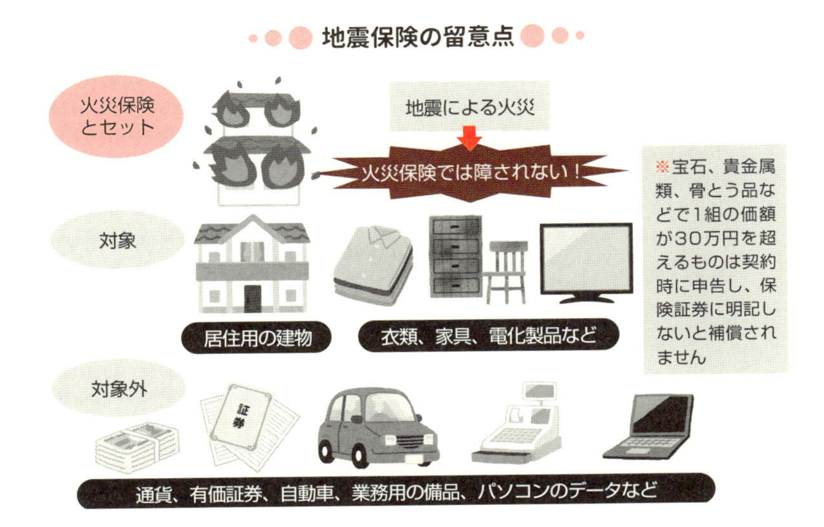

傷害保険

急激かつ偶然の外来の事故によって体にケガを負い、入院や通院をすることになった場合に保険金が支払われる損害保険。

お手持ちのクレジットカードに付いている海外旅行傷害保険の内容を理解していますか？　旅行前に重複して入らないよう注意。

傷害保険は、国内・国外を問わず、家庭、職場、旅行中、スポーツ中などのほとんどの場面においてのケガで、入院、通院、死亡した場合の損害とその費用を補償します。さらに、有毒ガス、溺死、窒息死、リンパ腺炎、破傷風なども補償します。ただし、自動車などの無免許運転や酒酔い運転、自殺、ケンカによるケガ、地震・噴火は補償されません。**生命保険**と違い、契約時に過去の病歴を問われません。

傷害保険には、掛け捨ての「補償型傷害保険」と**満期**返戻金のある「積立型傷害保険」があります。低**金利**の環境下では貯蓄のメリットを享受しにくくなっているため、現在では補償型が主流です。

「ファミリータイプの傷害保険」は、本人の加入同居家族、生計をともにしている別居の家族にまで補償の対象を広げた保険です。一般的には、人数にかかわらず、**保険料**は同じです。

傷害保険の保険金の例

個人賠償責任保険

日常生活の過失で他人に危害を与えた際の損害賠償責任を補償する保険。火災保険や自動車保険などの特約が一般的。

「うっかり」ケガをさせてしまった時が対象で、大人のケンカで相手をケガさせた場合は補償されません。ご注意を。

近年、自転車に乗っていて他人にケガをさせ、高額の損害賠償金を請求されたという事故が相次ぎ、**個人賠償責任保険**への関心が高まっています。他人に危害を与えた、他人の物を壊した、他人に金銭的な損害を与えた、などというケースで法律上の賠償が必要になった場合の賠償金を補償する保険が個人賠償責任保険です。

個人賠償責任保険は、本人だけではなく、同居する家族や別居している未婚の子も**被保険者**の対象となります。したがって、世帯で1人加入していれば、ほとんどの家族の過失をカバーすることができます。**火災保険**や**自動車保険**、**クレジットカード**の契約などに個人賠償責任保険がついているケースが多いものの、契約者本人が気づかずにいたり、重複していたりすることもよくありますので確認しましょう。

なお、自分がケガをした際の治療費や、他人からの借り物を自分が管理している時に壊した場合の賠償金は、対象になりません。

個人賠償責任保険で保障される例・されない例

保障される例	保障されない例
子どもが他人の物を壊した	暴力事件で壊したもの
自転車に乗っていて相手にケガをさせた時の損害賠償	一定年齢（13歳が多い）以上の人のケンカによるケガ
パーティで他人の洋服を汚したクリーニング代金	業務中のケガ
課外活動で他の生徒にケガをさせた	レンタル品の破損
買い物中にうっかり壊した商品	家族間の事故やケガ
キャッチボール中の子どもが駐車していた車にキズをつけた	故意に破壊したもの
散歩中の飼い犬が通りがかりの人に噛みついた	自宅の塀が倒れて通行人に負わせたケガ

4-19 生命保険の契約書に書かれている専門用語の意味は？

生命保険の検討にあたっては、必ず「重要事項説明書」「ご契約のしおり」の内容を確認しましょう。

保険事故

被保険者の死亡や入院、満期など、それを理由に保険金の支払いが発生するとあらかじめ保険契約に定められた出来事。

> 保険を日本に導入したのは福沢諭吉だとか。あらかじめお金を出し合い、災難が生じたらお金を受け取れる制度だったそうです。

保険事故とは、言葉のイメージから**損害保険**の対象ではないかと思われがちですが、損害保険に限らず**生命保険**でも、死亡や高度障害など**保険金**の支払いの対象になる出来事のことを保険事故と言います。

保険事故があった場合には、**保険会社**は契約で定められた保険金や**給付金**を**受取人**に支払います。そのためには、保険会社に対して、保険事故があったことを知らせることが必要です。保険金は、原則として受取人（または**保険契約者**）からの請求で初めて支払われます。

保険金・給付金の受け取り手続きの流れ

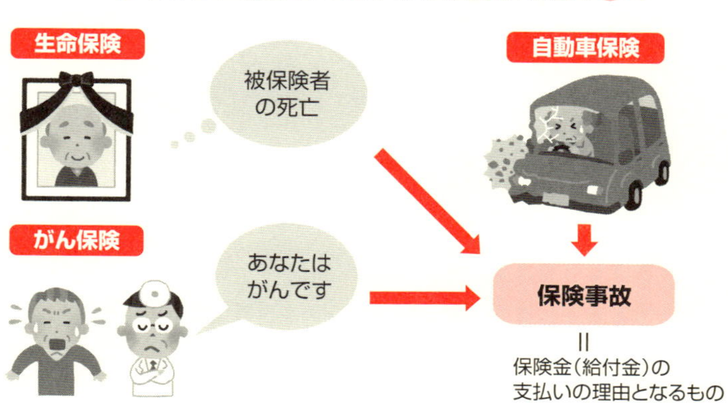

主契約/特約

主契約は、終身保険や定期保険などベースになる保険。特約は、単独では契約できずに主契約にセットされる保険。

主契約という親に、特約という赤ちゃんがおんぶ。親は赤ちゃんをおろして歩けますが、赤ちゃんだけでは歩けません。

主契約は、その名の通り、メインの保険契約のことです。主契約だけを単独の保険として申し込むことができます。

特約は、主契約にオプションでセットする保険契約で、単独で申し込むことはできません。特約は、主契約の保障内容を補充するためや保障の範囲を広げるために利用されるものです。

保険商品の愛称は**保険会社**によってまちまちですが、商品の基本を構成する主契約や特約の種類の名称はほとんどの保険会社で共通しています。まずは契約の内容をしっかり正確に把握しましょう。

生命保険の主な主契約・特約の例

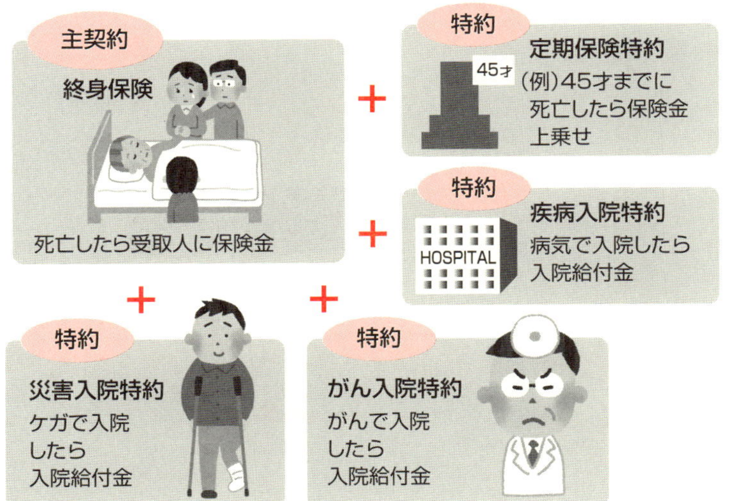

リビング・ニーズ特約

余命6ヵ月以内と医師に診断された場合に、死亡保険金の一部または全部を生前に給付金として受け取れる特約。

特約保険料が無料だなんて、おトク!いえ、保険会社にとってはいずれ支払う保険金。しかも金利分は割り引かれます。

リビング・ニーズ特約は、がん、病気、不慮の事故など余命宣告を受けた要因は問われずに**給付金**が受け取れます。また、**被保険者**本人ではなく「指定代理人制度」を利用して、家族が生前に**保険金**を受け取ることも可能です。リビング・ニーズ特約は、死亡保険金の前払いという位置付けで、特約保険料がかかりません。死亡保険金の**受取人**は、被保険者が死亡した時には、リビング・ニーズ特約を利用した部分が差し引かれた金額の死亡保険金を受け取ります。

なお、リビング・ニーズ特約で前払いされる保険金は、6ヵ月分の利子と保険料が差し引かれます。通常は3,000万円などの金額の上限が設けられており、死亡保険金の範囲に限られます。

リビング・ニーズ特約とは？

保険契約者/被保険者/受取人

契約を結び保険料を払う人が保険契約者。死亡、ケガ・病気などの保険の対象者は被保険者。保険金・給付金・年金などを受け取る人が受取人。

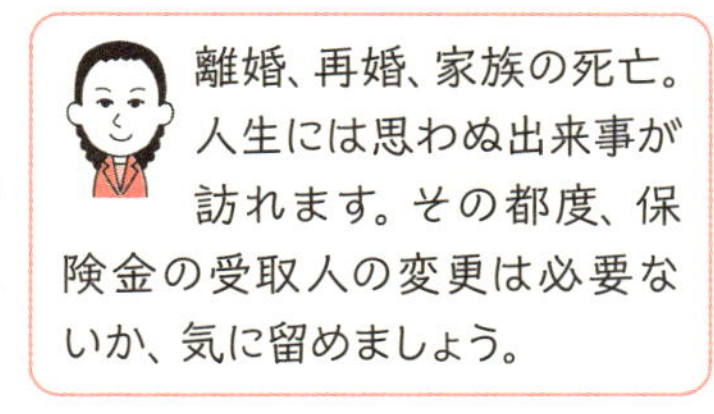

保険契約者、**被保険者**、**受取人**は、それぞれ保険契約に関わりのある関係者を指し、保険証券などに明記されています。保険契約者・被保険者・受取人が同じ人である必要はありません。また、1つの保険契約において、複数の被保険者を定めてもかまいません。

保険契約者は、被保険者や**保険会社**の承諾を得れば変更ができます。保険受取人は、保険期間中なら被保険者の同意を得て変更することができますが、**保険事故**が発生した後などは変更できません。被保険者でない保険契約者が死亡した場合、通常は法定相続人が権利を承継します。受取人が死亡した場合も変更手続きが必要です。

なお、「保険者」とは保険会社のことを指します。

保険契約に関わる関係者

契約を交わす
保険料を支払う
保険契約者

保険の対象に
なっている人
被保険者

保険事故発生

保険金を
受け取る人
受取人

保険会社＝保険者

必ずしも保険契約者、被保険者、受取人が同じ人でなくてもよい

保険料

保険契約者が保険会社に払い込むお金。保険金支払いのための純保険料と保険会社の運営に使われる付加保険料からなる。

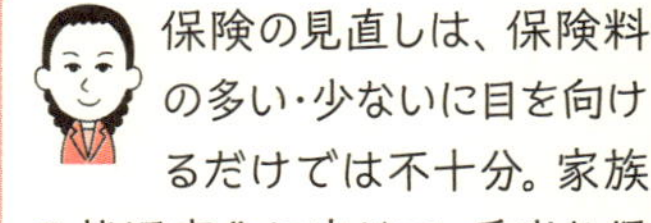

生命保険の**保険料**は、予測された「予定死亡率」「**予定利率**」という原価と「予定事業費率」という基礎率を元に計算されます。

保険料は性別・年齢別の死亡率の影響を受けます。契約年齢が高くなると死亡率も上がるので、保険料も高くなります。**更新**のある**定期**保険などで、更新時に保険料が上がるのはそのためです。保険の運用収益である予定利率が高ければ、保険料は安くなります。予定事業費率は**保険会社**の利益や経費の割合です。

無配当保険は**有配当保険**より保険料が安く、また、**解約返戻金**が低い保険では保険料も安くなります。通信販売やインターネットで申し込むと、低コストゆえに保険料は安くなります。同じ保険商品でも年払いなどの**払込方法**の違いで保険料を抑えられます。

生命保険の保険料を決める3つの基礎率

基礎率	説明
①予定死亡率	統計から性別・年齢別の死亡者数（生存者数）を予測して、将来の保険金額に充てる必要額を算出
②予定利率	資産運用による一定の収益を見込んで保険料を割り引く率
③予定事業費率	保険会社の事業運営に必要と見込まれる諸経費の率

※基礎率は、保険種類や契約時期によって異なります。

払込方法

保険料の月払いや年払いなどの分割や一時払いという払込回数と、口座振替や集金、団体扱いの給与天引き、カード払いなどの払込経路のこと。

保険料をクレジットカード払いにするとカードのポイントがつきます。保険料を長年支払うと知らず知らずにポイントが貯まります。

保険契約時には、**保険契約者**は何種類か用意された**保険料**の**払込方法**を、払込回数や払込経路を検討しながら選べます。払込回数は、「分割払い」と「一時払い」があります。

一般的に分割払いは、年1回の「年払い」、半年ごとの「半年払い」、毎月の「月払い」の順に、まとめて払い込むほど保険料は割安です。年払い・半年払いを一部まとめる「前納」や、全部まとめる「全期前納」、月払いをまとめる「一括払い」などもできます。年払いや半年払いは、その期間の途中で解約・死亡しても保険料の払い戻しはありません。前納・全期前納・一括払いは、払込時期が来るまで**保険会社**に預り金として積み立てるため、保険契約期間の途中で解約・死亡した場合、まだ払込時期が来ていない期間にあたる保険料（未経過保険料）は返還されます。

一時払いは、全保険期間の保険料を契約時にまとめて払う方法です。

払込経路は「口座振替扱」「団体扱（給与天引き）」「集金扱」「送金扱」「店頭扱」があります。一般的に集金、送金、店頭扱に割引はなく、口座振替、団体の順に保険料が割安になります。

生命保険料の払込方法の種類

分割				一時払い
月払い	半年払い	年払い	前納・一括払い	
毎月	半年ごと	年1回	保険期間全体の保険料を一度に払い込む	保険料を一度に払い込む
半年や1年という単位なので、その期間途中に解約・死亡しても保険料の払い戻しはない			未経過保険料は保険会社の預り金なので、払込時期が来ていない保険料は返還される	保険料が最も安い

保険金/給付金

保険事故が発生した時、受取人が保険会社から受け取るお金。保険金は死亡・高度障害、給付金は一般にそれ以外。

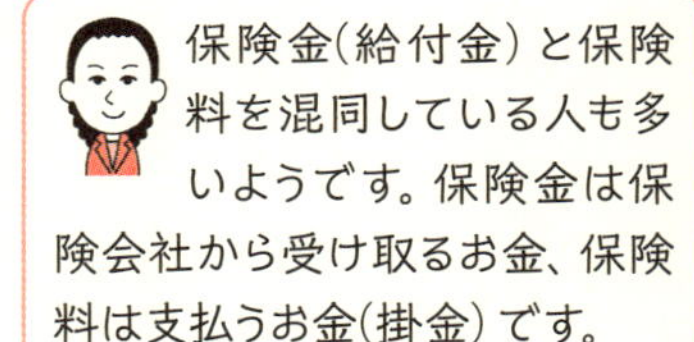

保険金も**給付金**も、**保険事故**が起こった時に、**受取人**が**保険会社**から受け取るお金のことです。広い意味では保険金も給付金も保険金の枠で捉えられています。

生命保険契約で保険金は、**被保険者**の死亡・高度障害によって受け取るお金を指し、給付金は被保険者の死亡・高度障害以外で受け取るお金を指すのが一般的です。給付金には、入院した時の入院給付金、手術をしたら手術給付金、不慮の事故で所定の障害状態になればその程度により障害給付金、生存していることが条件で受け取れる生存給付金などがあります。**損害保険**契約では、保険事故の発生によって損害が生じた場合に、被保険者に支払われるお金のことを保険金と呼びます。

保険金・給付金を一時金で受け取った時の税金

保険金・給付金	受取人	税金の種類	税金の金額
満期保険金・満期返戻金	契約者と同一	総合課税(一時所得)	次の結果の金額とほかの所得を合算 {(満期時受取額−払込保険料累計)−50万円}×1/2 ※一時払養老保険などで保険期間が5年以下の満期返戻金は20.315%の源泉分離課税
死亡保険金	相続人	相続税	次の金額まで非課税 500万円×法定相続人数 (これを超えた分が相続財産に加えられる)
その他の給付金・保険金	入院給付金(保険金)、手術給付金(保険金)、障害給付金(保険金)、介護給付金(保険金)など		非課税

告知義務

保険契約の申し込みに際し、保険契約者・被保険者が保険会社に対し現在の健康状態や過去の病歴などを正確に告げる義務。

自分の健康状態を隠したり、ウソをついたりしての契約は、NGです。契約解除か保険金が受け取れない事態になります。

保険は、**保険契約者**が少しずつ**保険料**を負担し、金銭が必要な人を支え合う仕組みです。**保険会社**は、保険契約者の公平性を保つために、危険にあう可能性の高い人との契約を制限したり引き受けない場合があります。**被保険者**の健康状態や過去の病歴、現在の職業などの重要な事実を告知するのはその判断のためです。

もし、故意または重大な過失で重要な事実を告げなかったり、ウソの告知をした場合は、**告知義務**違反です。保険会社は契約後（または契約の復活後）2年以内なら保険契約を解除できます。告知義務違反の内容に関わる原因で死亡しても、死亡**保険金**は受け取れません。

告知や医師の診査なしで加入できる「無選択型保険」もあります。健康状態などの告知は不要ですが、**保険料**は割高です。なお、無選択型保険でも、すべての場合で保険金が受け取れるわけではありません。

保険契約時の告知の方法

告知方法	内容
医師の診査	社医（会社の従業員である医師）または嘱託医（開業医で委託を受けている医師）が行なう検診と告知
医師の診査に類するもの	●団体の健康管理証明書（健康診断の検診結果） ●生命保険面接士による報告書
告知書扱	告知書のみで健康状態の告知を行なうこと（保険の種類や保険金額、年齢で制限がある）

有配当/無配当保険

保険が予定利率を超えて運用された時、配当金が分配されるのが有配当保険、分配のない保険契約が無配当保険。

配当があるからお得、配当がないから損というものではありません。配当は保険金に使われなかったお金の事後清算みたいなもの。

保険料は、3つの「基礎率」によって算出されています（本文304ページの表を参照）。実際の運用が予想以上なら「剰余金」が生まれ、その一部を**保険契約者**に**配当金**として還元します。これが**有配当保険**で、契約者に還元しない保険が**無配当保険**です。

有配当保険は、2つの種類に分けられます。通常の配当は「3利源配当タイプ」で、毎年の予定死亡率・**予定利率**・予定事業費率の3つの基礎率と、運用結果との差に剰余金が生じたら配当金を分配します。あくまで剰余金が発生した場合の配当であり、保証されているものではありません。

一方、「5年ごと利差配当タイプ」や「3年ごと利差配当タイプ」は、3つの基礎率のうち、予定利率との差益だけを5年や3年分まとめて配当します。予定死亡率と予定事業費率との差益を分配しないことで、保険料が安くなります。

同じ保障内容でも無配当保険ならば、さらに保険料は安くなります。

有配当の保険と無配当の保険

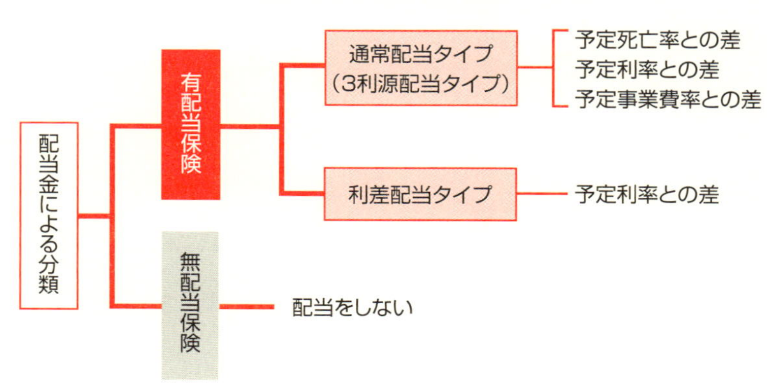

予定利率

保険会社が保険の運用収益を見込み、保険契約者の払い込む保険料からその運用収益を割り引くが、その割引率のこと。

予定利率が高い保険は、「お宝保険」と呼ばれます。せっかくのお宝保険を、保険の見直しでうっかり転換しないよう要注意。

予定利率とは、保険の運用**利回り**のことです。**保険会社**は、**保険契約者**から集めた**保険料**をまとめて運用しています。保険料から経費を差し引き、運用利益を上乗せしたものが、将来の**保険金**となります。これを逆算して必要な保険金の総額から運用収益を割り引いて保険料を決めています。運用収益の分を割り引くということは、保険会社が保険契約者に対してその分の利回り保証をしていることと同じです。予定利率が高いと保険料は安くなり、予定利率が低いと保険料は高くなります。運用が予定利率を下回ると逆ザヤ（予想と逆に損をすること）になります。

予定利率は、保険会社が独自に決めますが、**金融庁**が定める「標準利率」を指標にしています。

契約時の予定利率は基本的には**満期**まで変わりませんが、保険会社が破綻しそうな場合などには、引き下げられることもあります。引き下げの下限は3%で、保険業の継続が困難な場合に限られます。

予定利率と保険料

保険料計算の元　3つの基礎率

基礎率	内容
予定死亡率	性別・年齢の将来における死亡率に左右される
予定利率	引き下げ　新規契約の保険料が引き上げ 引き上げ　新規契約の保険料が引き下げ
予定事業費率	保険会社の事業運営（コスト削減など）による

（保険契約の）満期／更新

満期は、保険契約の期間が満了すること。満期を迎えた後に契約を継続できる制度が更新。

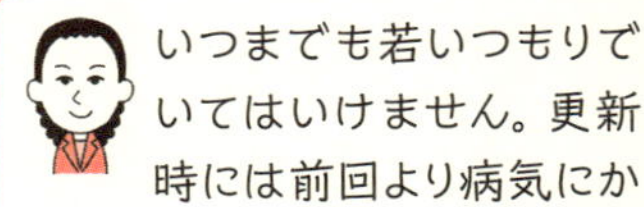

いつまでも若いつもりでいてはいけません。更新時には前回より病気にかかるリスクが高まります。だから保険料が高いのです。

終身保険は、**被保険者**の死亡によって保険契約が終了し、**満期**という概念はありません。**定期保険**、**養老保険**のタイプの保険契約には、契約の満了である満期が設けられています。定期保険や**医療保険**では、満期後に80歳などの保険会社が定める年齢までは契約を継続できる制度があり、これを**更新**と言います。

定期保険や医療保険（**特約**を含む）は、長期にわたって保険期間を設定する「全期型保険」より、「更新型保険」が多く利用されています。更新型では5年、10年という短期にして、その期間が満了するごとに更新するか、その保険を止めるかを選択します。通常、更新の2週間前までに申し出なければ自動的に継続されます。

更新の際は、健康状態にかかわらず原則としてそれまでと同じ保障内容・保障金額で継続されます。更新時の年齢によって**保険料**が再計算されるため、通常は保険料が高くなります。

更新型保険と全期型保険

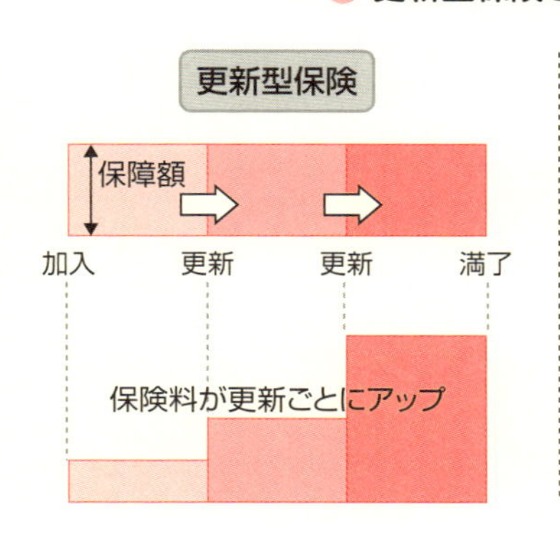

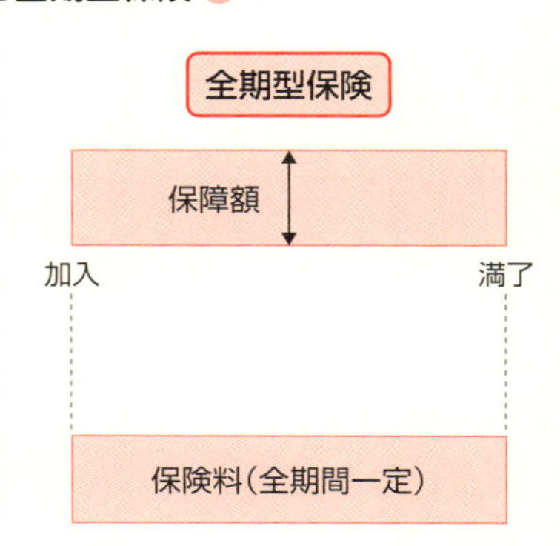

解約返戻金

保険契約を解約した場合に保険契約者に払い戻されるお金。金額は保険種類、年齢、保険期間、経過年数などで決まる。

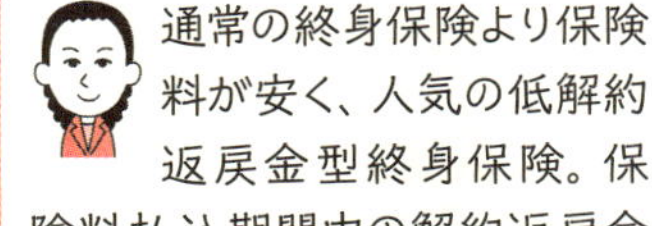

通常の終身保険より保険料が安く、人気の低解約返戻金型終身保険。保険料払込期間中の解約返戻金が低い点をお忘れなく。

それまで結んでいた保険契約を、将来にわたり解消することを「解約」と言います。解約によって契約は消滅し、それ以後の保障はなくなります。一度解約をした保険は元に戻すことができません。

解約をした時に**保険会社**から**保険契約者**に支払われるお金を**解約返戻金**（へんれいきん）と言います。一部の貯蓄性のある保険商品を除き、通常、解約返戻金は払い込んだ**保険料**より少なくなります。保険料や掛金は貯蓄のように単純に積み立てられているものではなく、死亡保険金や運営の費用に使われているからです。よく「保険契約を解約をすると“損”をする」と言われますが、解約までの間の経費や保障に対する保険料として使われていたと考え、損得で判断するものではありません。

解約返戻金の金額は、保険種類、年齢、保険期間、経過年数などで決まります。特に契約後短期間で解約をした場合には、まったくないか、あっても少額です。保険証券に解約返戻金額を経過年数ごとに記載している保険会社もあります。

解約返戻金とは？

これまで支払った保険料

保険料
保険料
保険料
保険料
保険料

＋ 配当金

− 保障のためのコスト

− 保険運用の経費

＝ 解約返戻金

クーリング・オフ

契約をした後でも、撤回する旨を書面で表明すれば、その契約を撤回できるという制度。契約撤回請求権。

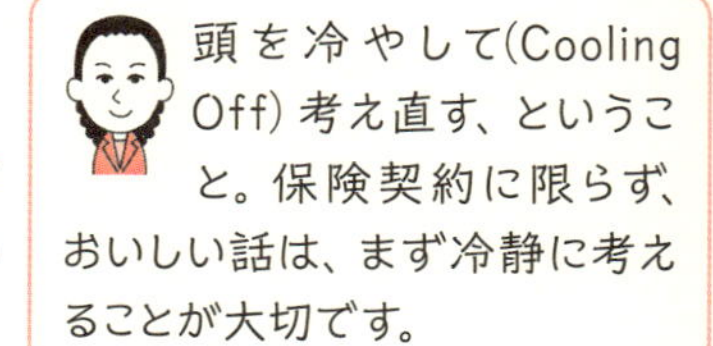

保険契約でも一定の条件を満たしていれば、**クーリング・オフ（契約撤回請求権）**が使えます。クーリング・オフができる一定の条件とは、**保険会社**の営業所や店舗以外の場所で契約した場合で、契約書を交わした日を含めた8日以内です。詳細は、保険会社や契約によって違う場合もあります。契約の際の医師による審査を受けてしまうと、撤回はできません。なお、保険期間1年以内の契約は対象外です。

クーリング・オフの手続きは、はがきか封書を使い、自筆で書いた書面に、契約書に押した印鑑を捺印をして、保険会社の本社または支社宛に郵送します。郵便の消印が撤回の申込日となります。契約が撤回されると、**保険料**の全額が保険会社から**保険契約者**に返金されます。

クーリング・オフの申し出の際の書面の書き方の例

●×△生命保険会社御中

私、○田○子は、次の契約の申し込み撤回を行ないます。

商品名 □□終身保険

契約者 ○田○子

被保険者 ○田○子

領収書番号 1234567

取り扱い営業所 ××営業所

令和四年三月十五日

住所 東京都世田谷区××一丁目一-一

氏名 ○田○子 印

契約転換制度

現在の契約を解約し、解約返戻金を活用して、新たな保険に加入する方法。現在の契約の積立部分や配当金を下取りし、元の契約は消滅する。

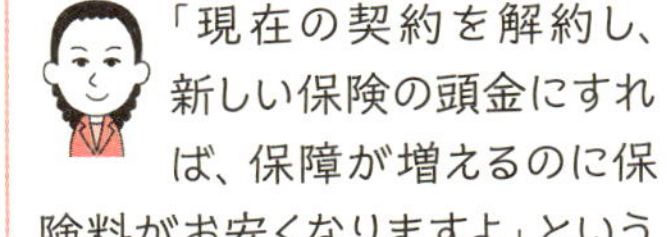

契約転換制度では、現在の保険の**解約返戻金**に相当する金額を、新しく加入する保険の頭金として**保険料**の一部の一時払いに利用します。保障額や保障の範囲をより充実させたい場合や、保険の種類を変更したい場合に利用されています。会社によって取り扱い基準が違い、転換制度のない**保険会社**もあります。

転換は同じ保険会社でなければ利用できません。「告知」または「診査」が必要です。最初の契約時から年齢が上がっているため、同額の保障なら保険料は高くなるのが通常です。契約の開始時期は引き継がれますが、**予定利率**は契約転換の時点のものに変わります。

保険会社が転換制度を勧める際は、新旧の契約内容などを記載した書面を交付・説明し、**保険契約者**は書面を受領してサインをします。月々の支払保険料よりも変更前後の保障内容の違いを確認し、納得して契約することが大切です。また、新規契約と同様の条件で、**クーリング・オフ**の適用を申し出ることもできます。

こんな転換に注意！

4-20 損害保険の契約書に書かれている専門用語の意味は？

パンフレットや保険証券をよく読んで、あなたに必要な補償を選び、適切な金額で保険をかけましょう。

保険価額

保険事故が発生した場合に、被保険者が被ると思われる最高の損害額。通常、物を対象にした場合は時価となる。

損害保険は「利得禁止の原則」という、保険金で儲けてはいけないルールがあります。保険金額や保険価額以上のお金はもらえません。

保険価額は、損害を金銭的に評価した時の、最高の見積り額です。保険金額と異なることもあります。通常は時価額（または時価）で、時価額とは、保険対象の物を同等の新しい物を購入するのに必要な金額から使用した期間の消耗分を差し引いた金額です。

保険金額は、保険を設定する契約金額です。**保険事故**が発生した場合に**保険会社**が支払う**保険金**の限度額で、**保険契約者**と保険会社の間の契約で決定します。

保険料は、保険契約の対価として、保険契約者が保険会社に支払うお金です。保険料は、保険事故の**リスク**の度合いに比例します。

保険価額とは？

全損

保険の対象物が完全に滅失（全焼、全壊）した場合や、修理不能な状態、あるいは修理可能でも修理・回収にかかる費用が新たに購入するより高い場合の損害。

車がメチャメチャで走れない状態だけでなく、修理費が車両保険の保険価額以上になってしまった場合も全損に該当します。

火災保険であれば全焼や全壊、**自動車保険**であれば修理不能の状態など、保険の対象物が完全に滅失した場合を、「現実**全損**」と言います。また、修理費が時価よりも高い場合を「経済的全損」と言います。どちらも「時価額」が損害額となります。「分損」というのは、修理費が時価額よりも小さくなる場合を言い、修理費を損害額とします。

具体的な全損の例としては、地震などで損害を被った場合に、土台・柱・壁・屋根などの主要構造部の損害の額が、その建物の時価の50%以上となったようなケースです。また、その建物の延床面積の70%以上部分の床面積が焼失もしくは流失してしまったケースや、地震等を原因とする地すべりが起こって建物全体が居住不能（一時的な場合を除く）になってしまったケースも全損です。

全損とは？

車の全損➡修理不能の状態

・修理できない事故車両、盗難・水没などで発見できない場合
・修理可能でも、修理代やレッカー代などが保険価額（通常は時価）を超える場合

建物・家財の全損

建物➡主要構造部の損害額が建物の時価50%以上焼失または流失した床面積が建物の延床面積の70%以上
家財➡家財の損害額が家財の時価80%以上

比例てん補

損害保険で保険金額が保険の対象物の時価よりも低く設定されていた場合、不足割合と同じ比率で保険金を削減すること。

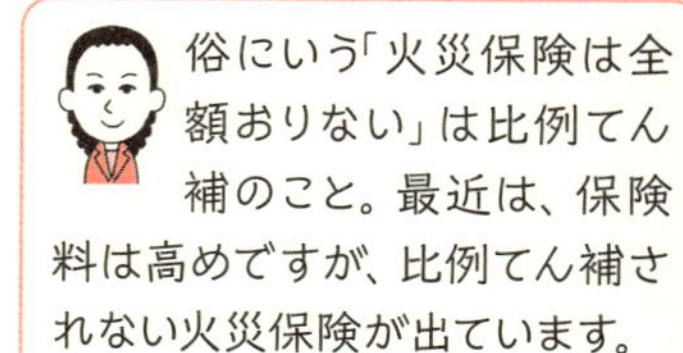

損害額が保険金額を上回っても、**保険価額**に対する保険金額の割合と同じ比率までしか**保険金**が支払われないルールが**比例てん補**です。保険金額を上限に実際の損害額を支払うのは「実損てん補」です。仮に保険金の額を保険の目的物の保険価額（一般的には時価）の3分の2の金額で契約したとします。後に損害を受けた時、実際の損害額に対しても、3分の2だけしか保険金が支払われません。

なお、時価に対して8割未満の保険金額の契約では、保険価額の8割に対する比例で支払保険金を計算することになっています。

最近は、補償が充実した新型**火災保険**が登場しています。**再調達価額**を下回る保険金額を設定しても、それを上限に減額されず、実際の損害に応じた保険金が受け取れるタイプがあります。

比例てん補の考え方

時価1,500万円の家が全焼したら、保険金はいくらか？

全焼!

保険金額 2,000万円 → （時価の超過分は支払われない）→ 保険金支払額 1,500万円

実損てん補：保険金額 1,500万円 → 保険金支払額 1,500万円

比例てん補：保険金額 1,000万円 → 保険金支払額

1,500万円（損害額）×1,000万円（保険金額）÷1,500（保険価額）×80%=800万円

再調達価額

もう一度、保険の対象と同じ物や同等の物を建築したり購入したりして、新しく取得する場合に必要な金額。

古い保険契約では、十分な補償を得られない可能性があります。いざという時のためを思えば、再調達価額で契約見直しを。

例えば、建物を対象としている**火災保険**の**保険金**の金額を設定する場合、通常は時価を基準に契約金額を設定します。すると、経過年数や使用消耗によって評価された低い価値の契約になります。

時価を基準にして契約金額を設定すると、損壊後に被災者の建て直し資金が不足することもあります。「価額協定保険特約」を付けて**再調達価額**（**再取得価額**）で保険契約を設定すれば、被災後に同等の新築の家を建てるための資金が契約金額になります。ただし、保険金額が高額になりますので、当然、その分の**保険料**は高くなります。

再調達価額と時価額

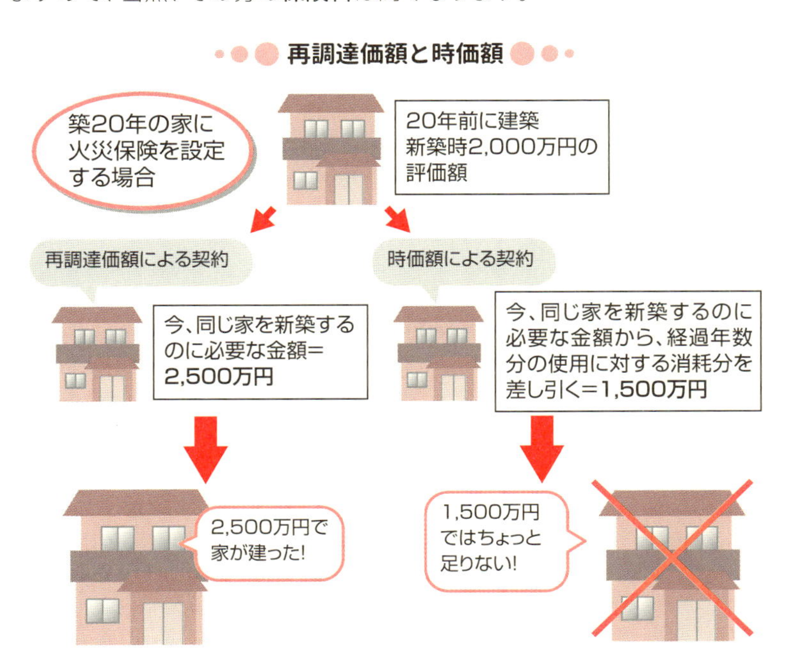

免責

損害に対する自己負担分。保険契約のうち、保険会社が保険金を払わず、一定金額以下の損害については、契約者や被保険者が自己負担するものとして設定する。

保険の話ではないのですが、最近やたらと「当社は責任を負いかねます」が目につきます。何でもかんでも自己責任、ですか！

免責は「責任の免除」を意味し、損害のうち、**保険会社**が**保険金**を支払わない事項や範囲を示します。免責金額を設定すると、**保険料**が安くなります。例えば車両保険について、5万円や10万円の免責を付ける場合がよくあります。車を壁にこすった傷などの小さな損害を免責で補償の対象外にすることで、保険会社は保険金の支払いを抑えられます。その結果、保険料を引き下げられるのです。

免責金額を超える損害については、免責金額を差し引いた金額が支払われる方式の「エクセス」と、損害額の全額が支払われる方式の「フランチャイズ」があります。

免責の考え方（エクセス型）

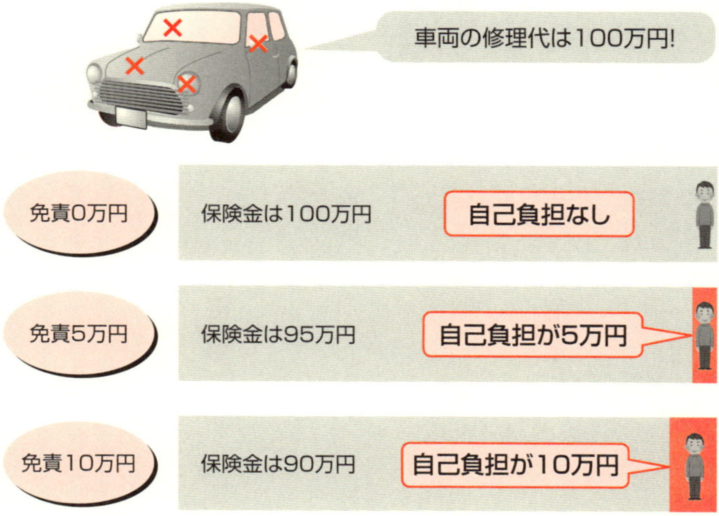

車両の修理代は100万円!

免責0万円　保険金は100万円　自己負担なし

免責5万円　保険金は95万円　自己負担が5万円

免責10万円　保険金は90万円　自己負担が10万円

示談 当事者間の話し合いで解決すること。被害者、加害者が損害賠償責任の有無、その賠償額や支払い方法等についてお互いに話し合いで確定する。

自分が過失ゼロの被害者の場合、賠償責任を負わないため、自分が契約している自動車保険の示談サービスが使えません。心細い。

示談（じだん）とは、交通事故に限らず借家の立ち退き、お金の貸し借り、離婚の慰謝料請求なども含め、裁判を利用しない利害関係者双方の話し合いのことで、民法上の和解契約に該当する法律行為です。現実的には、損害賠償額を決めることを指します。

自動車保険における示談交渉代行サービスでは、事故が起きた場合に、加害者本人ではなく、**保険会社**の代理人が被害者の元に行くなり、電話をするなりして、解決のための話し合いをします。

自動車事故には3つの責任があります。道路交通法による懲役・禁固・罰金などの「刑事責任」と、違反点数による免許停止・取り消しなどの「行政責任」、それと被害者に損害賠償金を支払う「民事責任」です。交通事故の場合で加害者と被害者が示談するのは、この損害賠償金の問題を解決するということになります。

示談交渉サービスとは？

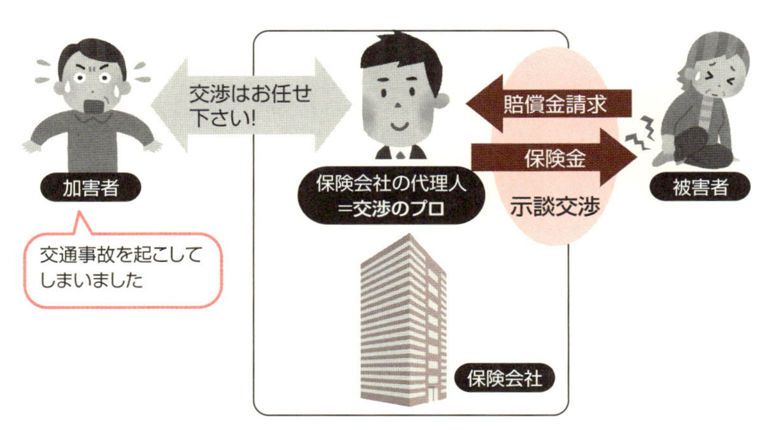

ノンフリート等級

自動車保険において、自動車1台ごとに事故歴を反映して保険料を算定する仕組み。等級が上がれば保険料が安くなる。

自動車事故を起こしやすい人、現在の等級の低い人は要注意。事故で保険を使うと3年間は「事故有」のレッテルです。

自動車保険は、自動車の保有台数が10台未満のノンフリート契約者と10台以上のフリート契約者で**保険料**率が異なります。ノンフリート契約者に適用される等級制度が**ノンフリート等級**です。

自動車保険を初めて契約する人は、原則として6等級からスタートします。等級は1から20まであり、1年間に事故で保険を使わなければ、1等級上がる仕組みです。等級が高いほど、保険料が安くなります。

事故で保険を使った人は、負担が重くなります。同じ等級内に、無事故者と事故有者の区分が設けられ、割増、割引率が異なります。その上、事故1件につき3年間は事故有係数が適用されます。また、軽微な事故で車両保険を使った場合、以前なら「等級すえおき事故」と呼ばれて等級がダウンしませんでしたが、すえおきは廃止され、1等級ダウンになりました。

ノンフリート等級は2013年に改定された

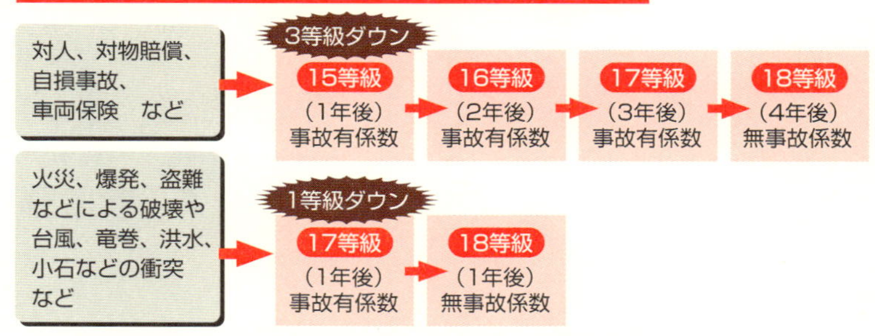

※人身傷害補償保険や搭乗者傷害保険だけの請求、代車費用特約の請求、弁護士費用特約、ファミリーバイク特約などの請求はノーカウント

再保険

保険会社がほかの保険会社に再保険料を支払い、自社の引き受けた契約上のリスクを他社に移転すること。保険会社のための保険。

再保険は、保険の縁の下の力持ち。巨大地震が起こった時は、政府や再保険会社に支払い責任を分担させることになっています。

再保険は、**保険会社**が引き受けた保険の一部もしくは全部をほかの保険会社（または政府）に移転することです。一般にはあまり知られていませんが、保険会社の安定性、健全性を維持するための制度です。**損害保険**会社は、高額の**保険金**支払いが起こった場合に、経営に支障がない程度の損害を測定し、引き受けた保険契約の一部をほかの保険会社に引き受けてもらいます。

再保険を専門に受ける保険会社を「再保険会社」と言います。

再保険は、個々の保険会社で負担することが難しい大口の保険、例えば地震への備えであったり、大型船・ジャンボジェット・石油コンビナートなどの予測できない火災や事故、テロなどにかかる**リスク**を分散することが目的です。再保険はリスクを回避する方法の1つとして、保険会社のリスク管理には欠かせないものでもあります。

再保険の仕組み

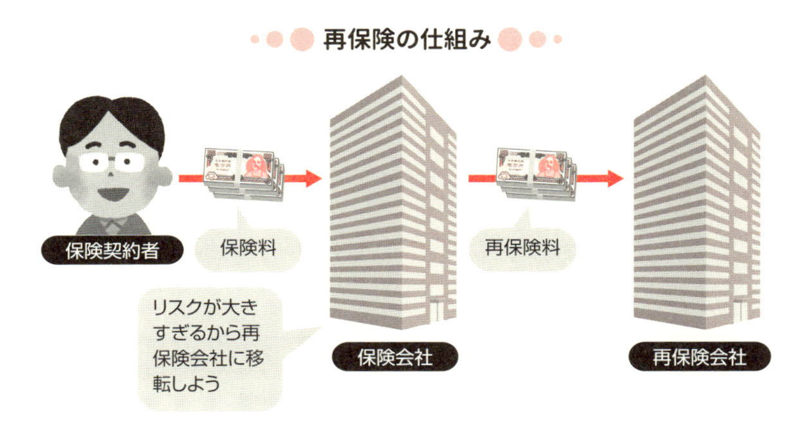

保険会社は、再保険を行うことで、リスクを小さくする

4-21 公的年金、私的年金の仕組みとは？

個人が保険会社と契約をする個人年金保険や、企業年金の新しい形である確定拠出年金が注目されています。

公的年金

法律に基づき加入が義務付けられている年金制度。国民年金、厚生年金の2種類で老齢給付、障害給付、遺族給付がある。

老後の年金、自分の親と同じように受け取れると思ったら大間違い。現役時代のうちに「ねんきん定期便」で確認し、早めの老後対策を。

公的年金は、3つの**リスク**をカバーする国の制度です。老いに対して老齢年金、高度障害は障害年金、家族の死亡による収入減への備えが遺族年金です。年金**保険料**を支払う立場は「**被保険者**」または「加入者」です。公的年金を受け取る立場は「受給者」です。現役世代のすべての人が国民年金に加入し、職業等に応じて国民年金第1号、第2号、第3号に分かれます。以前、国民年金の上乗せ部分は民間サラリーマン等が加入する厚生年金、公務員等が加入する共済年金に分かれていましたが、2015年10月に一元化され、公務員も厚生年金に統一されました。

公的年金制度の概要

国民年金第1号被保険者
自営業者、学生等
（20歳以上60歳未満で第2号・第3号以外の人）

国民年金第2号被保険者

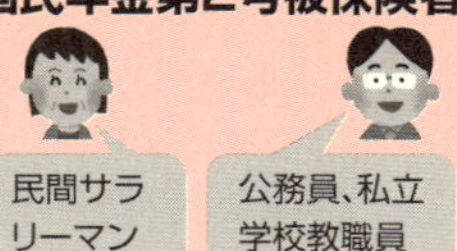

民間サラリーマン
公務員、私立学校教職員

国民年金第3号被保険者
専業主婦等

（老齢・障害・遺族）基礎年金

寡婦年金・死亡一時金

（老齢・障害・遺族）
厚生年金
障害手当金

企業年金

企業や個人事業主が主体となり、従業員の退職後の生活安定のために公的年金の補完として年金または一時金を支給する制度。

「企業年金は賃金の後払い」。古き良き時代の概念は、いまや企業の負担に。老後の生活は自助努力が当たり前になっています。

日本の**企業年金**制度の代表的なものとして、厚生年金基金、**確定給付企業年金**、**企業型確定拠出年金**、キャッシュバランスプラン、中小企業退職金共済などがあります。

従来は厚生年金基金が主流でしたが、年金基金の積立不足問題により解散する基金が出てきました。その後、企業の業績低迷や高齢化などが年金制度の維持を苦しめ、多くの基金が確定給付企業年金や企業型確定拠出年金に移行しています。

キャッシュバランスプランは従来からある確定給付企業年金制度と企業型確定拠出年金制度の特徴を兼ね備え、ハイブリッド型と呼ばれます。

中小企業退職金共済制度では、中小企業が従業員の退職後生活を保障する制度を設けられるよう、国が掛金の一部を国が援助しています。

企業年金制度の再編

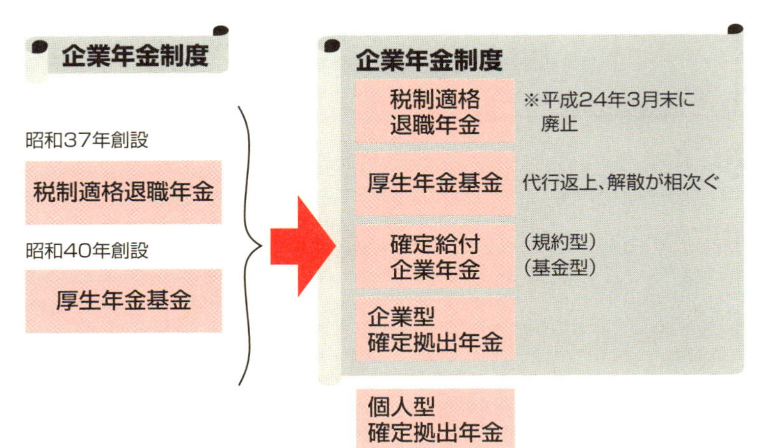

企業型確定拠出年金

会社が従業員の老後の生活資金の準備目的の掛金を出し、従業員ごとに持ち分が区分される年金制度。運用は自己責任。

従来は、退職者に高利回りの年金を払う一方で、現役の賞与は不十分という状況もあり、確定拠出年金に移行が進みました。

企業型確定拠出年金は、従来からある**企業年金**と異なり、企業が資産運用**リスク**を直接負いません。加入対象者は、制度導入企業の従業員です。企業は、労使合意による企業型年金規約に基づいた掛金（拠出金）を、従業員ごとの個人別管理口座に拠出します。拠出金は、年間限度額が設けられています。企業がマッチング拠出を導入していれば、加入者も一定の範囲内で自らの資金を上乗せできます。

従業員は、将来の退職金や老後の年金として受け取るまで、運営管理機関が提示した**金融商品**の中から年金資産を自らの判断で運用します。金融商品は、主に**投資信託**です。

この年金資産は、転職や退職の際に移管できます（ポータビリティと呼びます）。**個人型確定拠出年金（iDeCo）**との間でも可能です。

給付は、老後に受け取る「老齢給付金（老齢年金、老齢一時金）」、高度障害を負った時の「障害給付金」、死亡した時の「死亡一時金」があります。

企業型確定拠出年金の税制メリット

拠出時	運用時	受取時
企業 損金算入 **従業員** マッチング拠出の場合、拠出額の全額が所得控除	利子、分配金、譲渡益について、一般の金融資産としての課税をせず、非課税 ※特別法人税凍結	**老齢年金** 雑所得として総合課税、公的年金等控除の適用 **老齢一時金** 退職所得として退職所得控除の適用 **障害給付金** 非課税 **死亡一時金** みなし相続財産として相続税の非課税限度額適用

個人型確定拠出年金

個人が自分の老後の生活資金を準備するための制度。税金面で優遇される。掛金を自分で拠出する。

税制優遇のメリットが前面に出されますが、手数料も要確認。運営管理機関によって手数料額が違うので、比較しましょう。

iDeCo（イデコ）は、**個人型確定拠出年金**の愛称です。運用しだいで、将来の年金額が決まる点は**企業型確定拠出年金**と同じですが、制度は異なります。

iDeCoは、運営管理機関を自分で選び、掛金も自分で拠出します。掛金には限度額がありますが、拠出した全額が所得控除となり、その年の所得税・住民税が節税できます。もとは自営業者や**企業年金**を導入しない企業の従業員のための制度でしたが、公務員や専業主婦・パートタイマーも加入できるようになりました。

年金資産は、運営管理機関が提示した**金融商品**の中から自らの判断で運用します。この個人別管理資産は、転職や退職の際に移管できます（ポータビリティ）。企業型確定拠出年金との間でも可能です。

給付には、老後に受け取る老齢給付金（老齢年金、老齢一時金）、高度障害を負った時の障害給付金、死亡した時の死亡一時金があります。

個人型確定拠出年金の税制メリット

拠出時	運用時	受取時
全額所得控除	利子、分配金、譲渡益について、一般の金融資産としての課税をせず、非課税 ※特別法人税凍結	**老齢年金** 雑所得として総合課税、公的年金等控除の適用 **老齢一時金** 退職所得として退職所得控除の適用 **障害給付金** 非課税 **死亡一時金** みなし相続財産として相続税の非課税限度額適用

確定給付企業年金

将来の年金額が確定している企業年金。国の厚生年金の代行を行わない点が厚生年金基金と異なる。

かつて企業年金の柱だった適格退職年金が廃止され、その受け皿として登場。しかし将来の給付を確定させる運用は難しいのでは？

厚生年金基金は、厚生年金の老齢厚生年金の報酬比例部分を国に代わって支給する点が特徴の1つです。そのため**終身**年金が原則で、さらに運用環境が悪ければ年金基金の積立不足が生じるなど、バブル崩壊後の企業には厳しい制度となってしまいました。

そこで新しい制度の**企業年金**制度が求められ、2002年4月から導入されたのが**確定給付企業年金**です。労使の合意で柔軟な設計ができます。運用形態の違いで「規約型」と「基金型」があります。規約型は税制適格退職年金のように、従業員と企業の間で退職金規定や規約を定め、企業が**信託銀行**や**生命保険**会社などと信託契約・保険契約を結びます。基金型は厚生年金基金のように企業年金基金という法人を設立し、信託銀行や生命保険会社などと契約をします。

確定給付企業年金の仕組み

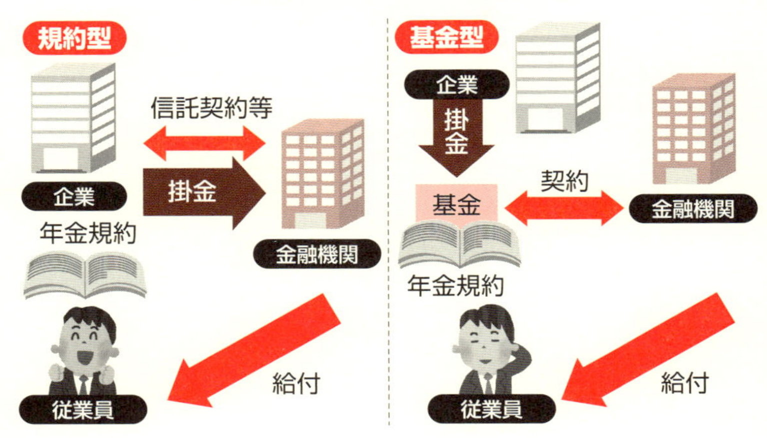

個人年金保険

長生きのリスクと死亡のリスクへの備えを兼ねた保険。年金支払期間、年金額の計算など種類多数。

個人年金保険は老後の生活費を貯める目的。長年おつきあいする保険です。自分の老後まで保険会社が長生きするかも重要です。

個人年金保険は、老後の生活資金を貯める目的に死亡保険が付いた年金商品で、貯蓄と違う点は、税制上は保険商品とみなされる点です。しかし、**生命保険**のように医師の診査や告知は不要です。

保険会社によって取り扱う個人年金保険の詳細が異なりますが、おおよその商品特性は次の通りです。**保険料**を一括で払い込む「一時払い」や、「月払い」「年払い」などで一定期間払い込むタイプがあり、保険料の払込満了の数年後またはあらかじめ定めておいた開始年齢から年金の受取期間が始まります。また、将来の受取年金額が契約時に定められている「**定額**型年金保険」と、運用実績によって年金額が変動する「**変額**型年金保険」があります。変額とはいえ、運用期間中の死亡**保険金**を最低保証する商品がほとんどです。

受取期間による分類では、**被保険者**が生存している限り年金が受け取れる「**終身**年金」、被保険者の生死にかかわらず契約時に約束した10年間や15年間といった期間において年金が受け取れる「確定年金」、約束した年金支払期間中は被保険者が生存している場合に限り年金が受け取れる「**有期**年金」があります。

個人年金の種類と特徴

種類	特徴
終身年金 保証期間付終身年金	年金を一生受け取るタイプ。ほかのタイプより保険料が高い。同年齢では女性の保険料が高い
確定年金	契約時に定めた期間、被保険者の生死にかかわらず年金を受け取るタイプ。保険料の男女差がほとんどない
有期年金 保証期間付有期年金	契約時に定めた期間内で、被保険者の生存を条件に年金を受け取るタイプ

変額年金保険

個人年金保険の一種で、保険料運用期間の運用実績によって将来の受取年金額が変動するもの。

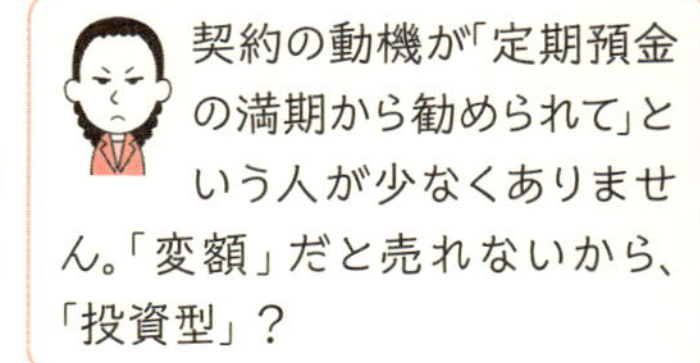

昔からなじみのある、契約時にあらかじめ受取年金額が決まっている**個人年金保険**は、**定額**型と言います。

変額年金保険（**投資型年金保険**）は、年金支払いのための原資を**投資信託**や国内外の**株式**や**債券**などの**有価証券**等で運用します。この運用専門の資産を**特別勘定**と言います。年金の受け取りが始まってからの期間は、**一般勘定**という**保険会社**が運用する勘定に移されるタイプがほとんどです。つまり、受け取れる年金額は特別勘定での運用成績と年金受取開始時の**予定利率**によって決まります。ただし、保険会社によっては、年金の最低額を保証する商品もあります。

年金受取開始前に**被保険者**が死亡した場合は、死亡**保険金**が**受取人**に支払われます。算定は死亡時点での積立金額が基本で、払込**保険料**合計額を最低保証する商品や、死亡保険金額が運用状況によってステップアップする商品があるなど、詳細は商品ごとに特徴があります。

変額年金保険のイメージ（一例）

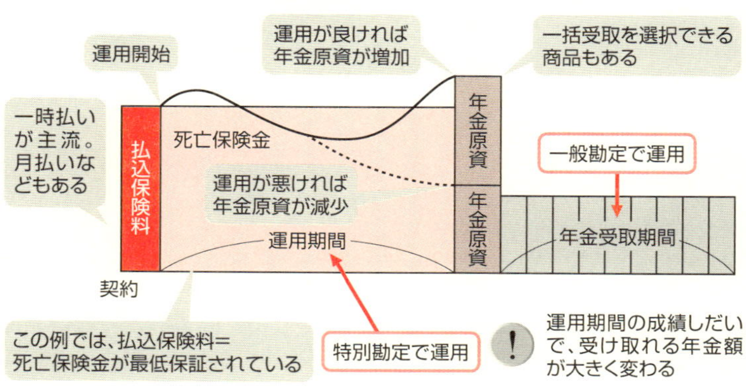

トンチン年金

契約者同士で出し合った保険料を、受取時に生存している人たちの年金原資として分け合う、長生きするほど有利な年金保険。

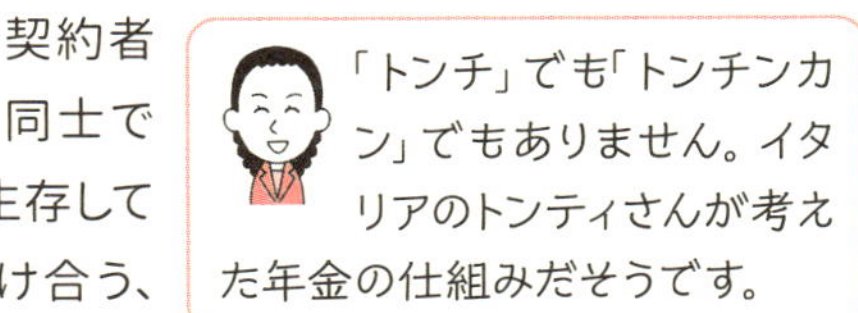

トンチン年金は、長生きに備えた年金保険です。一定年齢以上の長生きをするほどお得になるため、「人生100年時代」を念頭に注目を集めています。

トンチン年金の**保険契約者**全員が出し合った**保険料**は、将来、年金受取時に生き残っている**受取人**に、年金として分配されます。年金受取開始前に受取人が死亡した場合、死亡**保険金**は支払われないか、非常に少ない金額です。**解約返戻金**は、低く抑えてあります。年金受取開始まで生存していなければ、自分の払った保険料は、ほかの契約者の年金の財源として回されてしまいます。トンチン年金の仕組みは、いわば「サバイバル」です。

生命保険では、契約者が出し合った保険料は死亡した人の受取人に回されますが、トンチン年金は反対です。契約者が互いに出した保険料は、生き残っている人の年金に回されるのです。

トンチン年金のイメージ

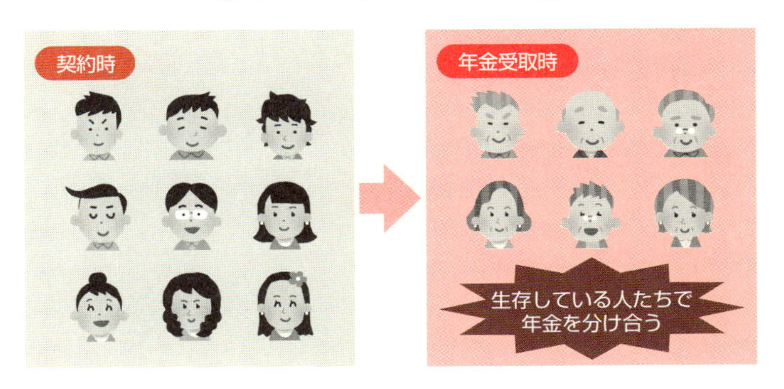

Column 将来が不確定なことを認め、受け入れて資産運用をしましょう

資産運用の成果は、運用中の金利、為替、株式相場などの環境によって大きく左右されます。確定利回りの金融商品でも、物価の変動しだいで実質利回りがマイナスになることもあります。預け入れ時から満期金の受け取り時までの間に物価が金利以上に上昇してしまえば、預け入れ時に買えたはずのものが満期金で買えなくなってしまいます。

効率の良い資産運用をするには、経済や金融市場の動向を先読みし、環境に適した金融商品を選んでタイミング良く投資をするのが理想といえるでしょう。

しかし、そう簡単に投資環境は先読みできません。実際には、景気指標は市場の動きを後追いしています。関連する用語の定義を知ったぐらいで相場動向を予測できるものではないのが現実です。また、誰もが予測しなかった出来事で相場が急変するのもよくあることです。

資産を無難に守るなら、分散投資が鉄則です。頻繁な売買でさや取りをしたいのであれば(それは好みの問題なので否定はしません)、刻々と変化する世界経済の隅々まで目を光らせてトレーディングを行えば、ある程度の予見はできるかもしれません。

一番怖いのは、一度大もうけを経験し、値上がりの面白さにだけハマって次々と同じような金融商品に資産をつぎ込んだ挙句、売り逃げもできずに暴落に見舞われるタイプの方です。そういう方ほど、値上がりや暴落の理由を特に追求せず、「買値に戻ったら売って投資は止める」とおっしゃいます。再びその時と同じ環境が整わなければ、その方の売れる日は来ないでしょう。相場は皮肉なもので、簡単に買値に戻るようなら、その後さらに勢いづいてもっと値上がりするでしょう。

結局、将来どうなるか分からないことを大前提に、資産配分を考えて投資をするしかないのです。何が「当たる」か分からない投資環境だと認識し、資産のポートフォリオを組むということです。

• 第5章 •

金融政策に関する用語

金融商品の運用成果は、その時の環境に左右されます。経済環境をコントロールする金融政策についても学んでおきましょう。

5-1 政府や中央銀行は、どんな金融政策を行っているか？

金融政策は、物価や景気を安定させるために行われます。

金融政策

中央銀行が実施する経済政策。通貨の流通量を適切に保ち、物価の安定を保つなどの目的で行われる。金融システムの安定を保つ目的もある。

ジャブジャブはとても便利な言葉。これ一言で、緩和政策によってお金が世の中に大量に出回ることを表現しています。

日本の**金融政策**の従来の方針は、具体的に「**金利**を○%に誘導する」という水準を示すことが主でしたが、近年では、市中（世の中）に出回るお金の量を調整する**量的緩和政策**が行われています。お金の量を調整する方法として、**公開市場操作**があります。

金融政策における「緩和」は、市中のお金の量を増やすことです。**日本銀行**が民間**金融機関**から**国債**や**手形**などの資産を買い、市場に資金を供給する方法が代表的です。反対に「引き締め」は減らすことです。国債などを売却して資金を吸収する方法などがあります。

日銀の主な金融政策

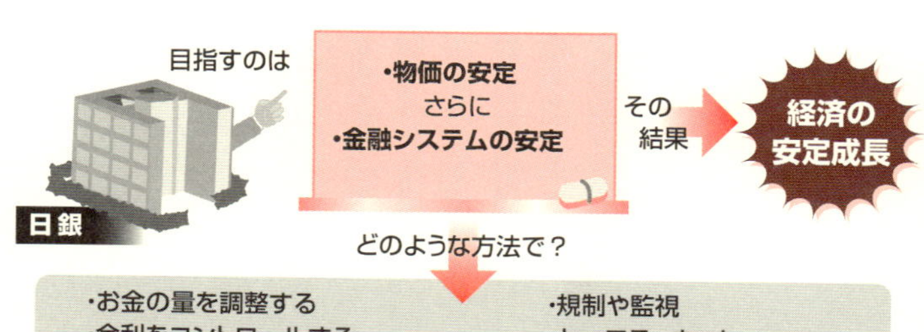

アベノミクス

2012年12月に発足した、第2次安倍晋三内閣の経済政策。持続的な経済成長による富の拡大を目指した。

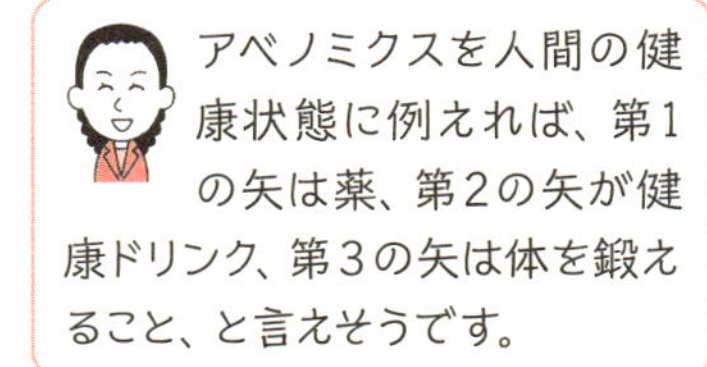

アベノミクス政策の柱は「3本の矢」に例えられます。「大胆な**金融政策**」が1本目の矢。本丸と呼ばれ、一番力を入れたところです。金融緩和でお金の流通量を増やし、人々の**デフレ**マインドを払しょくする政策です。「機動的な**財政出動**」が2本目の矢。国土強靭化を掲げての公共工事等、経済対策で政府自らが率先して需要を創り出す政策です。「民間投資を喚起する成長戦略」が3本目の矢。規制緩和や税制改革を通じて、民間の投資や消費を掘り起こそうというものでした。

具体的な目標は、**GDP**（**国内総生産**）成長率が10年間の平均で3%に達すること。安定的な成長を目指していました。

アベノミクスにより企業業績は順調に伸びたものの、消費が盛り上がらないまま、新型コロナウィルスが発生する事態に。2020年8月に安倍首相は突然の退任となりました。

アベノミクス3本の矢

3本の矢	
大胆な金融政策	世の中にお金の量が増える
（お金を使う ↓）	
機動的な財政出動	約10兆円の経済対策予算
（消費・投資 ↓）	
民間投資を喚起する成長戦略	規制緩和・税制改革

金融庁

金融制度の企画立案、金融機関の検査、監督、監視などを担当する行政機関。金融システムの安定的維持と金融利用者の保護が目的。

金融機関の体制チェック、新型コロナで苦しむ事業者の資金繰り支援。マネー・ローンダリングやサイバー攻撃対策など大忙し。

金融庁（Financial Services Agency：**FSA**）は、金融監督庁と旧大蔵省金融企画局が統合して、2000年に発足しました。以前、大蔵省の下にあった機能は、金融庁と財務省に分かれました。

金融庁の役割は、安定した金融システムを保つことと、経済発展を支える投資資金がスムーズに流れる**金融市場**を維持すること、預金者や**保険契約者**、投資家の保護を図ることなどです。そのために金融庁は、金融制度の企画立案や銀行業界、証券業界などの民間の**金融機関**等に対する検査・監督、金融市場での証券取引等の監督・監視を担っています。近年、増加している個人の金融トラブルを未然に防ぐ注意喚起も行われます。

金融庁の中に設置された**証券取引等監視委員会**（**SESC**）は、公正な証券取引のために監視を行う機関です。また、個別金融機関の破綻処理なども金融庁で行っています。

金融庁の役割

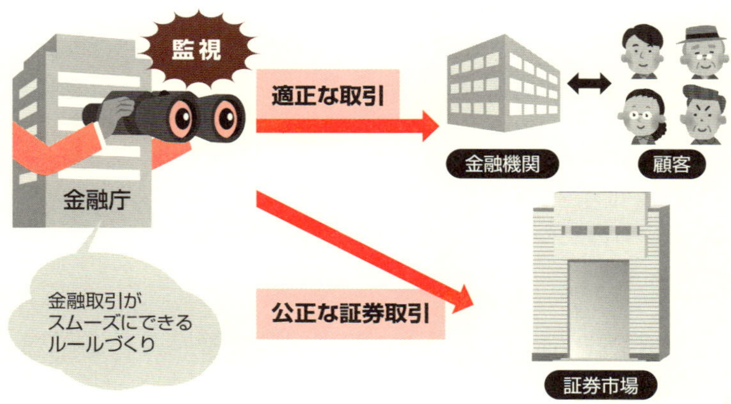

フィデューシャリー・デューティー

「受託者責任」と訳される、金融庁が示した金融機関が顧客本位の業務運営を行うための原則。金融機関のあり方を示す。

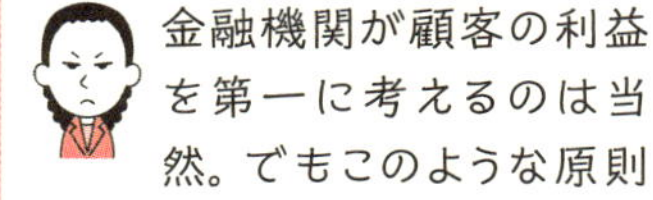

金融機関が顧客の利益を第一に考えるのは当然。でもこのような原則が示されるのは、それができていなかった証拠。

フィデューシャリー・デューティー（fiduciary duty）とは、フィデューシャリー（受託者）が負う様々なデューティー（責任）です。ここでの受託者は、**金融機関**です。**金融商品**の開発、運用、販売、資産管理に関わる金融機関が果たす役割や責任を指しています。

日本の金融業界では、**金融庁**の「金融モニタリング基本方針」で示されました。金融機関は、顧客本位の業務運営に関する明確な方針を策定・公表し、その取り組み状況を定期的に公表すべきとされています。「金融機関は顧客に対して利益を最大限にすることを目標とする」「顧客の利益に反する行為を行ってはならない」といった内容です。

具体的には、手数料を明確にする、重要な情報の分かりやすい提示、顧客にふさわしいサービスの提供、従業員に対し顧客との利益相反についての適切な管理やガバナンス体制の整備などです。これを受け、各金融機関は、ホームページなどでフィデューシャリー・デューティーのためのアクションプランを宣言しています。また、これらの原則を実施しない場合は、実施しない理由を説明しなければなりません。

フィデューシャリー・デューティー

顧客本位の業務運営に関する方針の策定・公表等

利益相反の適切管理

顧客の最善の利益の追求

中央銀行

国や同一通貨地域内で中核となる銀行。物価や通貨の安定のために金融政策を実施したり、民間金融機関に融資を行う。

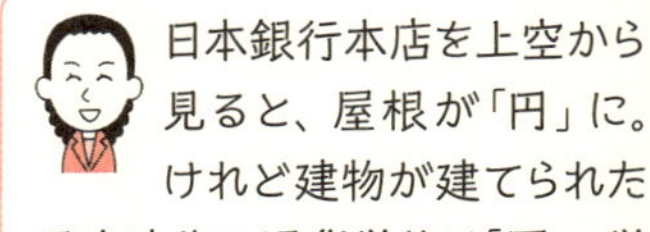

中央銀行は、「銀行の銀行」として金融システムの最終的な拠り所となる機関です。物価や**通貨**の安定を図るために**金融政策**を行うので、国の経済をコントロールしていると言っても過言ではありません。中央銀行の政策は、その国の経済環境に大きな影響を及ぼします。

中央銀行は、ほとんどの国や同一通貨地域内に存在します。日本の中央銀行は**日本銀行**です。米国は、**FOMC（連邦公開市場委員会）**のあるFRS（連邦準備制度）が中央銀行の役割を担い、英国はイングランド銀行が中央銀行です。EUには、**ECB（欧州中央銀行）**があります。

新型コロナウィルスが発生して以後、各国の中央銀行は、緊急対策として異例の規模の金融緩和を行ってきました。しかし、2021年後半からインフレが加速し、物価の安定のため、各中央銀行は徐々に金融引き締めに舵を切るようになりました。

経済に影響を与える中央銀行の機能

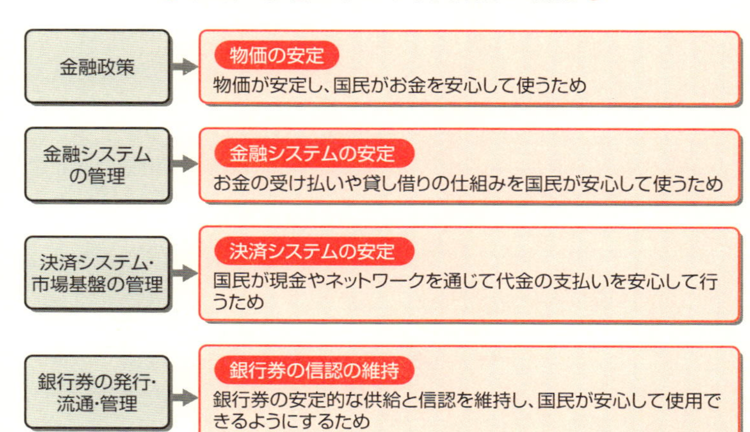

日本銀行

日本の中央銀行。物価の安定、通貨価値の維持、金融システムの安定などのために金融政策を行う。日本政府からは独立した立場。

世界の中央銀行が金融政策を引き締めに転換する中、いつまでも金融緩和をやめられない日銀。大丈夫かな？

日本銀行（**日銀**）の主な役割は、次の通りです。日銀券の発行という「お金の発行」、**金融機関**が日銀に開いている口座（日銀当座預金）を通じて、金融機関からのお金の預かりと貸し出しや資金決済を行う「銀行の銀行」、政府の資金の収入と支出を管理する「政府の資金管理」、**金融政策**を通じた「健全な金融システムの維持・経済の安定」です。

金融政策は、**中央銀行**による経済政策です。その国の景気を安定させ、経済成長が続くために行います。**通貨**を発行する立場としては、相対的に物価を安定させたり**為替相場**を安定させるなどの金融政策を行い、通貨の価値を保とうとします。

日銀では、金融政策の手段として、**政策金利**の操作、**公開市場操作**、**預金準備率操作**を行っています。これらの金融政策の基本方針を決定するのが日銀内にある**金融政策決定会合**です。また、日銀では、企業の資金繰りや雇用環境、業績見通し等から日本経済の先行きを知るため、**日銀短観**を調査・公表しています。

日銀の主な役割

役割	内容	経済への影響
お金の発行	紙幣の発行量を調節する	金利の調節機能、物価の安定
銀行の銀行	金融機関との資金取引	資金不足への対応、金融システムの安定
政府の資金管理	政府が日銀に口座を持つ	政府資金の収入と支出を管理

金融政策決定会合

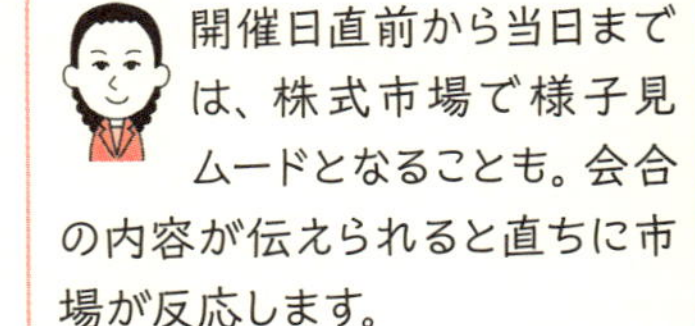

日銀内で、金融政策運営の基本方針を決定するために開かれる会合。金融市場の調節や政策判断の方針を討議・決定する。

日本銀行の役割の1つに、物価の安定や金融システムの安定を維持するための**金融政策**があります。日銀の最高意思決定機関である「日銀政策委員会」が金融政策運営を討議・決定する会合が、**金融政策決定会合**です。

金融政策とは、国の金融面での方向性を決めることです。手段として**政策金利**の上げ下げや、市中の資金量の調節があります。

金融政策決定会合は、年間に8回開かれ、月の初めの会合は2日間にわたります。会合終了後、その日のうちに「金融経済月報（基本的見解）」が公表され、議事の要旨は約1ヵ月後に公表されます。

日銀政策委員会のメンバーは、日銀総裁、副総裁2人、審議委員6人の合計9人で、多数決で方針を決定します。審議委員の任期は5年です。経済や金融に関する専門知識を持つ人たちの中から、国会の両議院の同意を得た上で内閣により任命されます。

政策決定会合での政策決定からの流れ

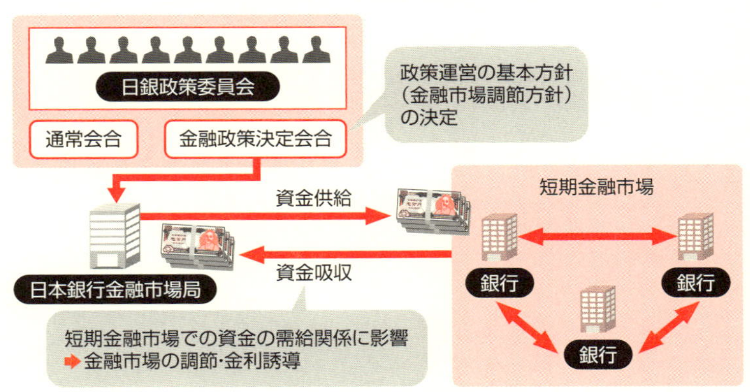

政策金利

中央銀行が金融政策でコントロールする金利。現在の日銀の政策では、短期金利の操作より10年物国債金利のゼロ％程度を維持する政策が主。

中央銀行が金利の目標を上げ下げして景気をコントロール。……って、実際は、そう思い通りにはならないもので。

かつての公定歩合のように、**中央銀行**の政策によって操作される**金利**を**政策金利**と言います。中央銀行が政策金利を操作するのは、その国の物価や**通貨**を安定させるためです。

現在、日銀の政策金利は、無担保コール翌日物金利を指しています。2020年に新型コロナウィルスが発生して以後、日銀は、それまで以上に大規模な金融緩和を行いました。政府の緊急経済対策で国債の発行額が増えることを前提に、政策金利の操作よりも、10年物国債の買入れなど**債券**市場の安定化に力を注いでいます。

政策金利の公表

金融政策決定会合

政策金利
政策目標から外し、マネタリーベースの残高（量）を目標とする政策に

誘導目標を公表

アナウンスメント効果
・市場参加者が政策金利の水準を意識して取引
・今後の経済情勢（金利動向や物価、株価など）の予測に影響

短期金融市場
銀行
銀行
銀行

公開市場操作

中央銀行が行う金融調節。有価証券や手形を金融機関との間で売買し、市場の資金量を増減する。

手術(オペ)しようにも、血液(お金)がたくさん流れすぎて手の施しようがないのでは？　買いオペ「札割れ」記録更新中。

公開市場操作（**オペレーション**）は、**中央銀行**（日本では**日本銀行**）の有効な金融調節手段となっています。中央銀行が**有価証券**、**手形**類を**金融機関**との間で売買して、市場の資金量を増減させます。

景気が良すぎて市場の**通貨**量が多いと判断した場合には、「売りオペ」を行います。日銀が持つ証券を売り、金融機関が代金を支払って市場の資金を減らします。逆に、景気が悪く、市場で通貨が不足していると判断した場合には、「買いオペ」です。日銀が金融機関の証券を買い、代金を支払って市場に資金を供給します。

このように、公開市場操作は、中央銀行自らが**金融市場**で取引をする**金融政策**で、市場参加者に中央銀行の景気判断をストレートに伝える効果も持ち合わせています。

日銀の公開市場操作による金融調整

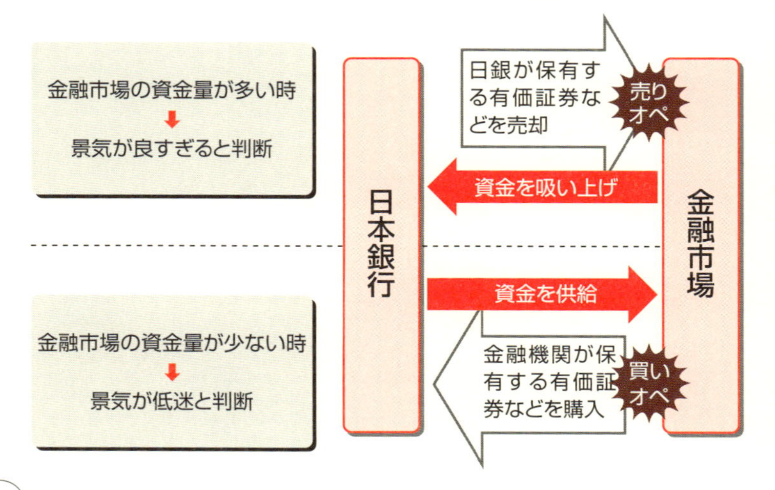

預金準備率操作

市中の資金量を調節する金融政策の1つ。日銀が民間金融機関に義務付けている準備預金の比率を変更すること。

もはや日本では金融政策の手段ではなく、短期市場にその座をバトンタッチ。1991年からずっと、預金準備率は変更されていません。

日本銀行は、民間の**金融機関**に対して、強制的に預金量の一定割合を日銀に預け入れさせています。目的は、預金者が急に多額のお金を引き出すことになった場合への備えです。日銀に預け入れる資金が「預金準備金」で、預金量に対して預け入れる割合が「預金準備率」です。「支払準備率」「法定準備率」とも呼ばれます。

日銀が預金準備率を上げ下げして金融機関から強制的に預かる資金量を増減し、市中の資金量をコントロールするのが**預金準備率操作**です。預金準備金は、日銀当座預金の一部なので利子が付きません。預金準備率を引き下げると、金融機関の資金は日銀内の当座預金から融資や投資などを通じて経済全体に出ていき、世の中に出回る資金量が増え、**金利**が引き下がるという効果を狙った**金融政策**です。

反対に、預金準備率を上げると金融機関から市中に貸し出される資金量が減り、金利上昇を招きます。

預金準備率操作の影響

日本銀行
預金準備率を引き上げ！
民間金融機関
預金準備金を増やさなければならない
市中に流れる資金量が減少
金利上昇！

日本銀行
預金準備率を引き下げ！
民間金融機関
預金準備金を減らすことができる
市中に流れる資金量が増加
金利下落！

量的緩和政策

中央銀行がお金の流通量を増やして経済の活性化を図る景気刺激策。日本では、2001年から2006年3月まで実施されていた。

2014年のハロウィンで追加緩和。「トリック・オア・トリート。お金をまかなきゃ、いたずらするぞ!」とでも言われましたか？

金融の**量的緩和政策**は、**金融機関**の貸出金額を増やし、融資資金が企業の投資活動や個人の消費に使われて経済活動を刺激する狙いです。日本では**デフレ**を克服し、経済の持続的成長を促すために、2001年から量的緩和政策を実施しました。2006年3月に**日銀**の**金融政策決定会合**は物価が安定したと見て、量的緩和政策を解除しました。

2013年4月、**アベノミクス**の下、日銀は過去に例のない「量的・質的金融緩和政策」を実施。その後、手を替え品を替え、**金融政策**の手段は「量」から「**金利**の上下」に戻りました。無担保コール翌日物の金利誘導の目標値を上げ下げする金融政策です。

新型コロナウィルスが発生して以後、日銀は大規模の金融緩和を行い、各国が引き締めに転じても量的緩和が続いています。

量的緩和政策の効果

ゼロ金利政策

コール市場の金利を実質的にゼロにし、市場金利を低く促し、景気を刺激して拡大させようとする日本銀行の金融緩和政策。

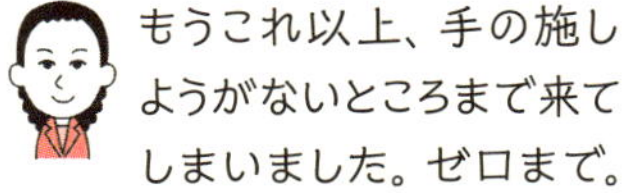

もうこれ以上、手の施しようがないところまで来てしまいました。ゼロまで。……ということで、次は違う方法、そう、量的緩和だ！

お金は、経済の血液とも言われています。滞ると健康を害するからです。**日銀**は、市場のお金の量を調節して物価を安定させ、景気を適切な状態に保とうとします。**デフレ**時には市場の資金量が増える政策、**インフレ**時には資金量が減る政策を採ります。

ゼロ金利政策とは、日銀が**コール市場**において、仲介業者の手数料を差し引いて、実質的にゼロとなる水準まで**金利**を下げることです。**金融政策**では、「今日借りて明日返す」というほどの短期間のお金の貸し借りである「無担保コール翌日物」が使われます。

ゼロ金利政策の仕組み

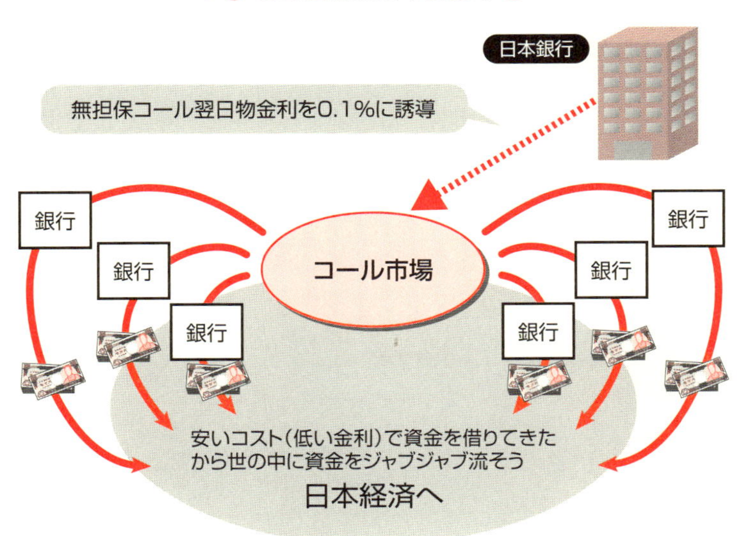

セーフティネット貸付

政府による中小企業の資金繰り対策の1つ。一定の要件を満たせば、政府系金融機関から低利で融資を受けられる制度。

資金繰りに困った時の助け船です。被災した方や中小企業の味方になってくれます。ただし、要件を満たす人だけが対象です。

世界的な金融不安や景気の悪化、災害の影響などで中小企業の経営環境は一段と厳しさを増しています。政府による中小企業の資金繰り支援政策には、要件を満たした人に低**金利**で融資をする**セーフティネット貸付**と、中小企業が**金融機関**から融資を受ける際に信用保証協会が100%債務保証をする「緊急保証制度」などがあります。**政府系金融機関**である**日本政策金融公庫**が窓口になります。

セーフティネット貸付には、「経営環境変化対応資金」「金融環境変化対応資金」「取引企業倒産対応資金」があります。設備資金や運転資金などのために、一定の要件を満たした中小企業経営者が低金利で融資を受けられます。ただし、中長期的に見て、業況が回復し、かつ発展が見込まれなければ適用できません。また、**商工中金**でも独自のセーフティネット貸付を実施しています。

セーフティネット貸付の概要

利用できる人	利用できる融資制度	融資額
社会的、経済的環境の変化などにより、売上や利益が減少した人	経営環境変化対応資金	4,800万円以内
取引金融機関の経営破綻などにより、資金繰りに困難を来している人	金融環境変化対応資金	別枠 4,000万円以内
取引企業などの倒産により、経営に困難を来している人	取引企業倒産対応資金	別枠 3,000万円以内

出典 日本政策金融公庫HP

財政出動

税金や国債などを使って、通常の歳出に上乗せした公の事業を行うこと。雇用を生み、消費を刺激する。

国の予算を取ったからにはきちんと経済が活性化しなければ、財政赤字を増やすだけです。

アベノミクスでは、「機動的な**財政出動**」として、経済対策を打ち出し、政府自らが率先して需要を創り出すという政策を行いました。

岸田政権の下では、「コロナ克服・新時代開拓のための経済対策」として、55.7兆円の財政支出が打ち出されています。新型コロナウィルスの感染拡大防止、安全・安心を確保した社会経済活動の再開、未来社会を切り拓く「新しい資本主義」のために成長、分配戦略に資金を投じる考えです。

何もしなければ財布のひもを固く締めたままの経済環境に、政府のお金を使ってインフラ整備などを行えば、資材や設備の需要が生まれ、雇用が増えます。また、補助金などは、直接国民の財布が潤う政策です。国民の所得が増えて、経済全体が活性化することを狙いとしています。

財政出動は、政策で本来の歳出以上の支出を行うわけですから、財政悪化をもたらします。さじ加減が難しいと言えます。

財政出動と財政悪化

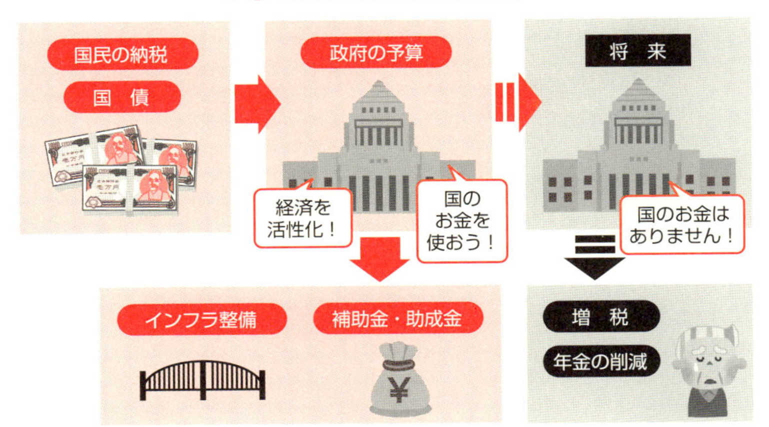

5-2 景気を判断する指標には、どのようなものがあるか？

景気指標からは、経済の現状を知ることができます。

GDP

国内の経済活動から生み出される付加価値の合計額。一定期間内の一国内の経済活動の規模や動向を示す指標。

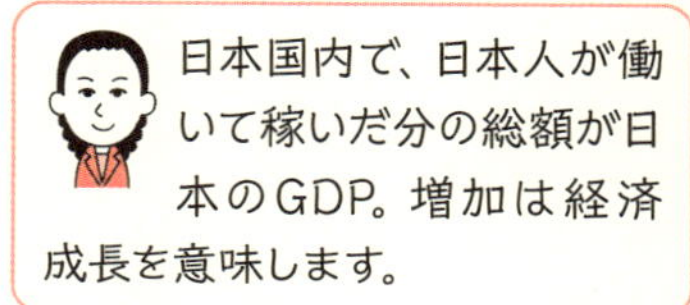

日本国内で、日本人が働いて稼いだ分の総額が日本のGDP。増加は経済成長を意味します。

1つの国の経済の流れの各段階で生み出した付加価値の総額が**GDP**（Gross Domestic Product：**国内総生産**）です。材料やネタに手を加えた「加工」や「ノウハウ」が「付加価値」で、これを全産業で足したものです。

なお、「経済成長率」は、その国の経済活動の規模の伸びを表すデータで、GDPの前年比の変化率です。経済成長率が大きければ、その国の産業全体の利益や、国民の所得が増えていることになります。物価の変動を考慮して調整した経済成長率を「実質経済成長率」と言い、調整する前のデータを「名目経済成長率」と言います。

経済の流れと付加価値

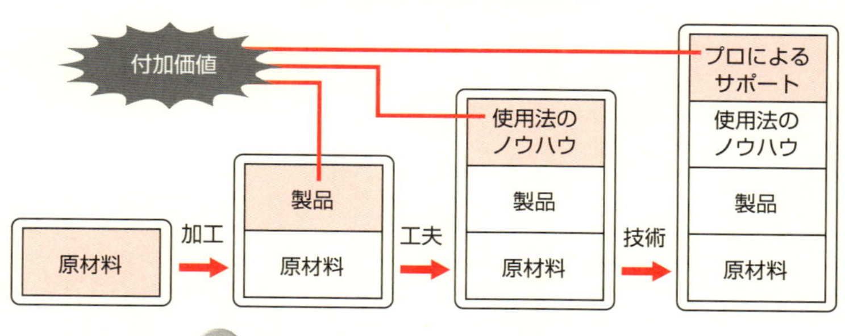

GDPは新しく生み出した付加価値の合計

景気動向指数

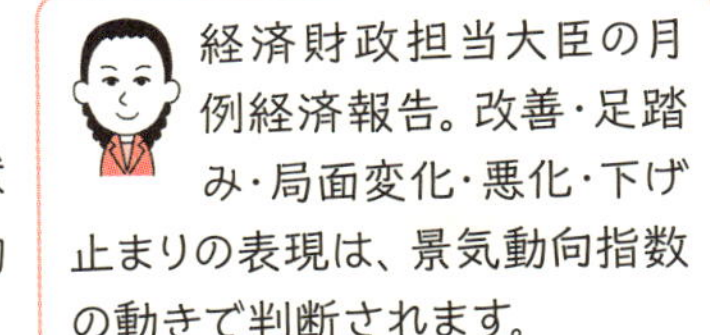

内閣府が毎月発表している、景気の現状と、上向きや下向きなどの転換を総合的に見る指標。景気の方向性を見るDIと、量を見るCIがある。

景気動向指数は、景気の動きを総合的に見るためにいくつかの指標を組み合わせた景気指標です。現在は、生産、雇用、販売、お金の流れ、法人税収入などあらゆる側面を網羅した30項目が利用されています。それぞれの指標に基づいて、景気の改善、横ばい、悪化といった転換局面の判断や予測が下されます。

採用されている一つひとつの景気指標にはそれぞれ特徴があり、これらの景気指標を統合して1つの指標に合成した指数で、景気全体の動向を把握します。各指標をグループ分けし、景気を先取りして動く「先行指数」、景気と並行して動く「一致指数」、景気に遅れて動く「遅行指数」にまとめて検証と予測に使っています。

景気動向指数を構成する30の指標（2021年3月分以降）

先行指数	最終需要財在庫率指数、鉱工業生産財在庫率指数、新規求人数（除学卒）、実質機械受注（製造業）、新設住宅着工床面積、消費者態度指数、日経商品指数（42種総合）、マネーストック（M2）、東証株価指数、投資環境指数（製造業）、中小企業売上見通しDI
一致指数	生産指数（鉱工業）、鉱工業用生産財出荷指数、耐久消費財出荷指数、労働投入量指数（調査産業計）、投資財出荷指数（除輸送機械）、商業販売額（小売業）、商業販売額（卸売業）、営業利益（全産業）、有効求人倍率（除学卒）、輸出数量指数
遅行指数	第3次産業活動指数（対事業所サービス業）、常用雇用指数（調査産業計）、実質法人企業設備投資（全産業）、家計消費支出（全国勤労者世帯、名目）、法人税収入、完全失業率、きまって支給する給与（製造業、名目）、消費者物価指数（生鮮食料品を除く総合）、最終需要財在庫指数

日銀短観

日本銀行が3ヵ月ごとに実施する民間企業の景況感や設備投資計画などに関する調査。「短観」と呼ばれ、正式名称は「企業短期観測調査」。

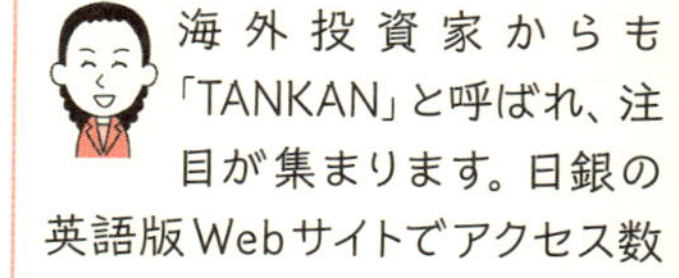

海外投資家からも「TANKAN」と呼ばれ、注目が集まります。日銀の英語版Webサイトでアクセス数トップは短観のページだとか。

日銀短観は、1万社を超える各企業の経営者に対し、企業の業績、資金繰り、雇用など業況全般の見通しを問うマインド調査です。

短観の中でも特に大企業・製造業の「業況判断指数」が注目されます。経営者が感じる景気の現状や先行きに対する見方を数値化した指数で、多くの経営者の考えが反映するため経済予測として重要視されています。景気の方向は、企業や家計など経済に参加する人の気持ちが決定するからです。

日銀短観は、**日本銀行**という**金融政策**当局自身が調査する点や、質問紙の回収率が高い点、速報性がある点で信頼性が高く、景気判断の重要な目安になっています。

日銀短観の調査方法

貴社の業況についてどのように判断しますか？

質問

例えば、回答の割合が次のようになったとすると…

良い	さほど良くない	悪い
40%	40%	20%

（「良い」40%）－（「悪い」20%）＝＋20%

業況判断指数（DI）は良いと答えた割合から、悪いと答えた割合を引いて求める。したがって、DIの最高は＋100%、最低は－100%。

国際収支統計

国と国との間で取引をした内容と、そのお金の流れをまとめた統計。取引を国単位で把握するため、国際比較が可能。

輸入して支払いが多ければ「赤字」、輸出してお金を稼げば「黒字」。国全体のお金のやりくりを示す、まさに「家計簿」です。

国際収支統計は、1つの国の家計簿のようなもので、**IMF（国際通貨基金）**のルールに従って作成されています。他の国からモノやサービスを買う、自国のものを外国に売る、他の国の企業に出資や投資をする、その利益を受け取る、お金を貸す・借りる、このような様々な取引が一定のルールで記録されます。国際収支は、大きく「経常収支」「資本移転等収支」「金融収支」に分けられます。

日本の国際収支は、円建てです。外貨で取引を行ったものは、市場の為替レートで円に換算することになっています。財務省が**日本銀行**に委託して作成し、財務省から公表されています。

国際収支を見ると、その国の経済や産業の構造がわかります。近年の日本は、モノの輸出入だけでなく、外国とのサービスのやり取りや外国への投資が増えています。近年は、海外の投資先からの**配当金**や利子収入などの「第一次所得収支」が日本の経常黒字を生み出しています。

国際収支の項目

経常収支	貿易・サービス収支	実体を伴う収支の状況
	貿易収支	モノの輸出入
	サービス収支	輸送、旅行、金融の手数料、特許使用料など
	第一次所得収支	親子会社間の配当や利子、証券投資収益、利子など
	第二次所得収支	政府の資金協力、物資などの援助、寄付、贈与など
資本移転等収支		資産の移転、債務免除、資金援助など
金融収支	直接投資	株式の取得、海外不動産の売買など
	証券投資	株式や債券などの証券売買、投資信託の購入など
	金融派生商品	オプション取引の差損益など
	その他投資	他に該当しない出資、現預金、保険や年金の準備金
	外貨準備	外国為替特別会計、日本銀行の保有資産など

インフレ

物価が上昇し続ける現象。モノに対して相対的にお金の価値が下落し、お金への信認が低下している状態。収入が増えなければ生活は厳しい。

お金の価値をモノと相対評価した尺度が物価。モノの値段が高いインフレの状態は、お金の価値が低いことを意味します。

物価は、**需要と供給**のバランスで決まります。需要とはモノやサービスを買いたいという意欲で、供給は生産や在庫、サービスの量などです。

インフレ（インフレーション）は発生の原因によって3つのタイプがあります。1つめは、「デマンド・プル・インフレ」です。消費の需要が供給を上回れば物価は上がります。2つめは「コスト・プッシュ・インフレ」です。コストの上昇もインフレを招きます。好景気で消費が活発なら商品は値上がりし、原材料高も重なります。好景気でなくても、資源価格が上がれば物価も上昇します。3つめは、「輸入インフレ」です。原材料の多くを輸入する日本は円安になれば輸入価格の上昇でインフレになります。

インフレの下では、モノを明日買うより今日の方が安いので、人々が買い急ぎ、消費が増えて、お金の需要が増えるので、消費に対して生産が追いつかない状況になることもあります。

なお、景気の停滞とインフレが同時に起こることをスタグフレーションと言います。

好景気下におけるインフレ

デフレ

物価が下がり続ける現象。モノに対して相対的にお金の価値が上昇しており、お金への信認が高まっている状態。消費者は嬉しいが、経済は停滞傾向。

ときおり「デフレは悪か？」という議論がなされますが、何が原因でデフレなのか、その原因の良し悪しの方が大事です。

物価が継続して下がり続ける状態が**デフレ**で、正式には**デフレーション**と言います。モノやサービスの価格が全体的に下がることです。

物価は、**需要と供給**のバランスで決まります。不景気などで人々の買いたい意欲が落ちると、商品が余ったりサービス合戦が加速して価格引き下げ圧力が強まり、物価が下落します。物価が下がってもなお、消費者が必要以上のものを買わずにいると、企業の売上や利益が落ち込みます。従業員の給与は上がらず雇用環境が悪化し、景気低迷の悪循環（デフレスパイラル）に陥ることもあります。

デフレの要因は、いくつか考えられます。モノが市場にあふれて飽和状態となり、消費が長続きしなかったこと（バブル経済の反動）や、人件費の安価な新興国などで生産された部品や製品の輸入量増加（価格低下圧力の強まり）などです。

デフレによる良い影響と悪い影響

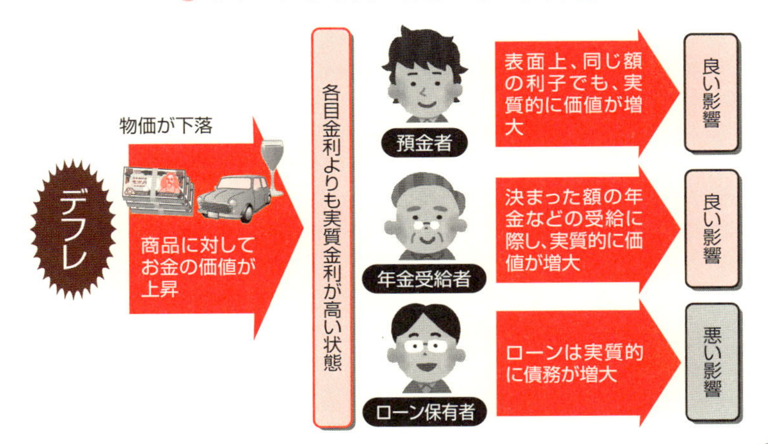

マネタリーベース

日銀がどの程度資金を供給しているかを見る指標。具体的には、現金の流通量と日銀当座預金残高の合計。

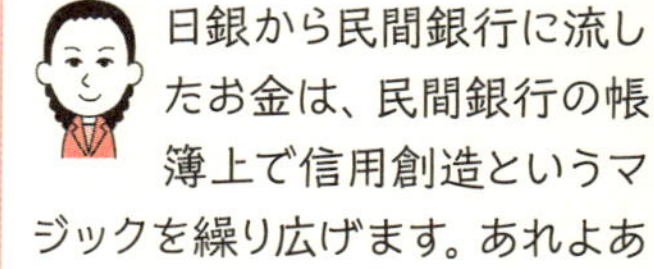

日銀から民間銀行に流したお金は、民間銀行の帳簿上で信用創造というマジックを繰り広げます。あれよあれよという間に膨れます。

マネタリーベースは、「日本銀行券発行高」と「貨幣流通高」、「日銀当座預金」の合計額です。別名、**資金供給量**とも言います。毎月の月中平均残高を使い、流通する資金量を把握します。

マネタリーベースは、**信用創造機能**の基礎とも言えます。貸し出しと預金を繰り返しながら経済を循環し、世の中の預金通貨を何倍にも膨らませます。そのため、**ハイパワードマネー**（強力通貨、高馬力のお金）とも呼ばれます。日銀がマネタリーベースを増減すれば、巡り巡って数倍もの市中のお金の量の増減に影響を与えます。

日銀が供給した資金が世の中で膨らむ様子

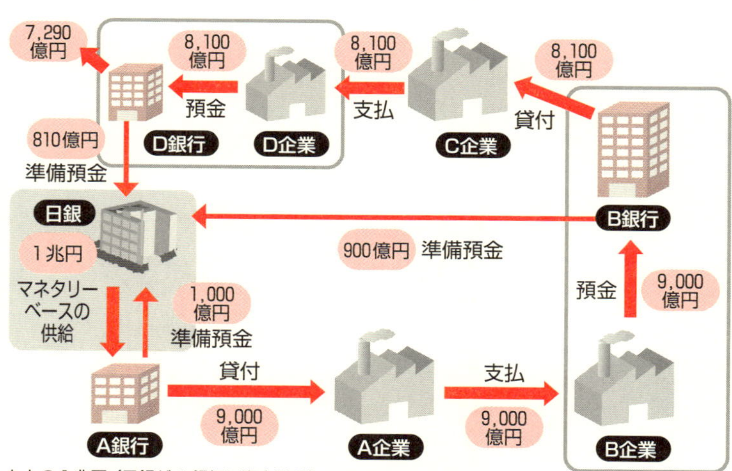

もとの1兆円（日銀がA銀行に資金供給）がB企業の預金9,000億円とD企業の預金8,100億円に（B+Dの預金=17,100億円）。
さらにD銀行は7,290億円を貸し付けて……と続く。もともとは日銀が供給した1兆円。

マネーストック統計

経済全体に流通している通貨の量のこと。企業や個人、地方公共団体などが持っている通貨の残高合計。金融機関や政府が持つ預金などは対象外。

日銀が民間銀行から証券を買ってお金を銀行に振り込むけれど、それが銀行のタンス預金になっていたら元も子もありません。

マネーストック統計は、**通貨**の流通量を表す指標です。毎月、**日銀**から前年比の伸び率が発表されます。2008年6月よりマネーサプライ（Money supply：通貨供給量）はマネーストック（Money Stock：通貨残高）に名称を変え、対象の**金融商品**も見直しました。日銀はマネタリーサーベイで「M3」（**現金通貨**＋預金通貨＋準通貨＋CD）の変動を公表しています。「預金通貨」とは当座預金、普通預金、貯蓄預金などで、「準通貨」とは定期預金、定期積金、**外貨預金**などです。

現金通貨の流通量は、経済が活発なら増加、不況なら減少します。マネーストック統計から景気の先行きを予測できます。

日銀の**金融政策**では、景気悪化と判断した場合、**金利**を下げたり、**量的緩和政策**を実施したりして景気を刺激します。

マネタリーベースとマネーストックの関係

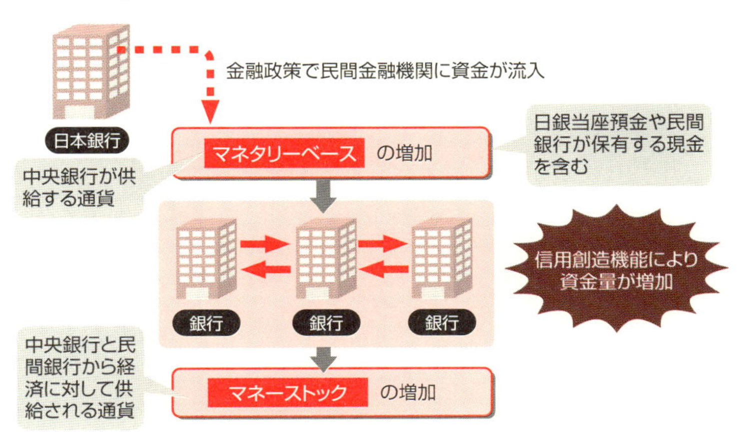

消費者物価指数

毎月1回総務省統計局が発表している、消費者が商品やサービスを購入する際の値段の動きを表す指数。

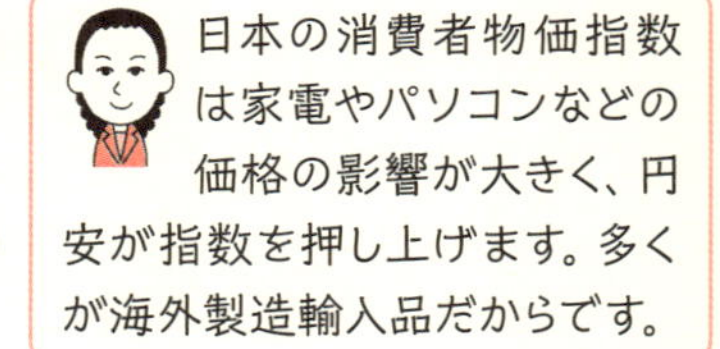

消費者物価指数では、一般の世帯の消費生活に必要な商品やサービスがどのような物価変動の影響を受けているかが分かります。一般消費者の家計支出の中でも買う回数が多く、いつの時代でも求められる日常的な商品やサービスの582品目の値段を調査して、指数にします。毎月中旬の小売りの値段が調査対象です。

調査結果は、基準年を100の指数で表しますが、基準となる年は5年ごとに更新され、現在は2020年基準を採用しています。東京都区部の指数はその月内に、全国の指数は翌月中に発表されています。

物価を表す指標は、ほかに**日本銀行**が発表する企業物価指数（旧卸売物価指数）があります。企業物価指数は、企業間での出荷、卸売段階での商品価格を示したものです。

消費者物価指数の推移

米国雇用統計

米国の雇用情勢を表す代表的な指標。投資家の注目度が高く、市場に与える影響が大きいため「お祭り」とも呼ばれる。

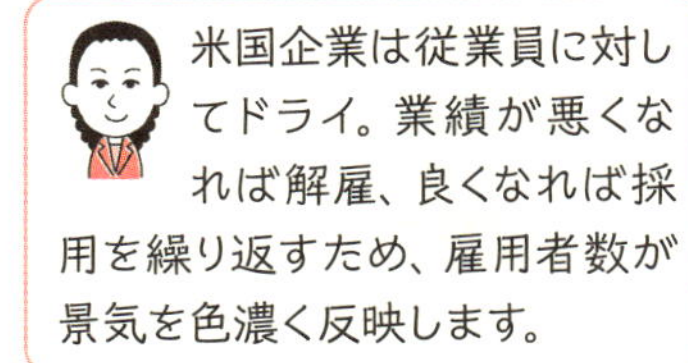

世界各国で、雇用に関する統計は景気を反映する指標として注目されますが、特に**米国雇用統計**は注目度が高い指標です。毎月、第1金曜日に米国労働省から発表されます。政府発表の指標で一番早い統計のため、関心が集まります。米国の雇用統計は10数項目あり、そのうち「非農業部門雇用者数」と「失業率」が注目されます。米国の**株式**市場は雇用統計の結果の影響を強く受ける傾向があります。アナリストなどによる事前予想の値と発表値の差が大きければ市場に動揺を与えます。さらに日本の株式市場もその余波を受けることが多くなっています。

労働者が増えれば消費も増え、物価や資産価値が上昇し好景気と判断されます。米国では**GDP**のうち個人消費が7割を占め、FRB（Federal Reserve Board：連邦準備理事会）の**金融政策**は雇用統計を重視します。

米国企業の雇用調整

企業収益悪化 → 従業員削減 → コスト削減 → 業績回復 → 従業員採用 → 所得増加 → 消費が活発に

米国雇用統計

景気を映す鏡

Column 金融商品だけが、あなたの資産を殖やすのではありません

本書を手に取っていただいた方の中の多くは、複雑な金融商品や難解な金融用語について、ご自身の力で理解しようと考えていらっしゃるでしょう。また、「今どき、資産運用の１つでもできなければ、時代に乗り遅れる」とお考えになり、金融の勉強してみようとお手に取ってくださった方もいらっしゃるでしょう。

どうぞ、金融商品の勉強をなさるのと同時に、ご自身のお金の出入りについてマネジメントをする力を身につけてください。金融商品でお金を殖やそうとするのと同じように、いいえ、それ以上に、あなた自身の持つ能力はお金を生むはずです。

金融商品は、お金がお金を生み出すツールです。投じた元本に対して利子や配当金が付いたり、元本そのものが値上がりしたりして利益を生み、あなたの資産を殖やしてくれます。そのための勉強が不足していたり、運用中の判断が間違っていたり、時には運が背いてしまったりすれば、あなたの資産は減ってしまうこともあります。資産運用には、時間と労力が必要です。

人には、それぞれが得意とする能力や興味があり、それはみな同じではありません。しかし、数年おきに訪れる「投資ブーム」の渦中では「投資をしていなければ時代遅れ」という雰囲気が漂い、疑問を感じます。仕事で稼ぐことが得意な人、家計管理をしっかりして無駄な支出を抑える人は、資産運用以上の利潤を生む力を持っているともいえるのです。

人生を送る上で、基本的な、最低限の金融知識は持っていた方が良いでしょう。しかし、誰もが必ず金融商品による資産運用や投資をしなければいけないというわけではありません。現状の生活の中であなたが資産運用にかけられる時間や労力、または運用への興味や情報収集能力などとの見合いで、資産運用や投資をすべきかどうかや運用する額が決まってくるのではないでしょうか。

あなた自身の稼ぐ力や支出をコントロールする力を、どうぞ信じてください。その上で、時間と労力に見合う資産運用を行うことが大切です。

第6章

国際金融に関する用語

　グローバル化した金融マーケットに対応した資金運用のために、知っておきたい用語を解説します。

6-1 国際的な金融機関には、どのようなものがあるか？

国際金融システムの要となる金融機関と海外の中央銀行について見てみましょう。

世界銀行

各国の中央銀行に対して融資を行う、国際金融機関の中心となる国連の専門機関。一般には、国際復興開発銀行を指す。

日本も高度経済成長期直前までお世話になりました。火力発電所や鉄道、高速道路、製鉄会社の工場などの建設費を借りました。

世界銀行は**国際復興開発銀行**のことですが、1960年設立の「国際開発協会」と併せて呼ぶこともあります。国際復興開発銀行は、1944年にブレトンウッズ協定によって**IMF**（**国際通貨基金**）とともに設立が決定され、1946年に業務開始、1947年に国連の専門機関となりました。

当初の目的は第二次世界大戦後の復興と開発促進、現在は特に発展途上国に対する援助機関としての役割が中心です。長期で条件の比較的厳しい融資を途上国向けに行います。各国の出資で運営されており、2021年10月現在、国際復興開発銀行の加盟国は189ヵ国で、日本は1952年に加盟しています。本部はワシントンD.C.にあります。

世界銀行グループ

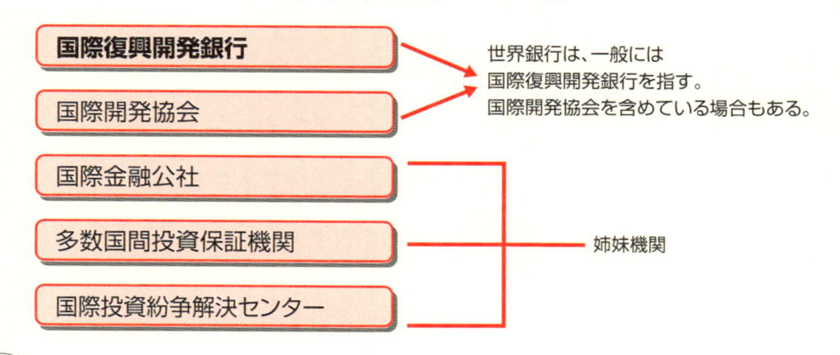

BIS

各国の中央銀行同士の決済や預金の受け入れなどの役割を担う世界の中央銀行。約90年の歴史がある。

段階的実施が始まったバーゼルⅢ。早くもマイナス面が露呈、複雑さゆえの危機対応力が懸念されます。

BIS（Bank for International Settlements：**国際決済銀行**）は、1930年に設立された最も古い国際的な**金融機関**です。本部はスイスのバーゼルにあります。銀行の名前は、第1次世界大戦で敗戦国となったドイツが支払う賠償金の事務を取り扱っていたことが由来です。現在の主な業務は、**中央銀行**同士で協力し合う場を提供することや、金融の安定化に努めること、中央銀行からの預金受け入れなどです。

BISの主な組織は、メンバー国の中央銀行からなる年次総会と取締役会、各種委員会です。中でも**BIS規制**を担当するバーゼル銀行監督委員会は、世界レベルでの銀行監督と銀行監督上の諸問題の解決に努め、新しいBIS規制（バーゼルIII）の適用が始まりました。

BISの組織

BIS
（本部：スイスのバーゼル）

預金
受け入れ

中央銀行
中央銀行
中央銀行
中央銀行

※隔月で中央銀行総裁会議

役　割
①各国の中央銀行の協働関係強化
②金融システムに関与する機関との連携
③各国の政策課題や金融市場の研究
④中央銀行の代行

バーゼル合意（BIS 規制）
国際的な銀行の自己資本比率に関する合意

委員会
・バーゼル銀行監督委員会
・グローバル金融システム委員会
・支払決済委員会
・市場委員会

IMF

世界各国の中央銀行を取りまとめる役割を持つ、国連の専門機関。為替相場の安定を図る目的で金融支援等を行う。1930年代の世界恐慌の再発防止のため、1944年に設立。

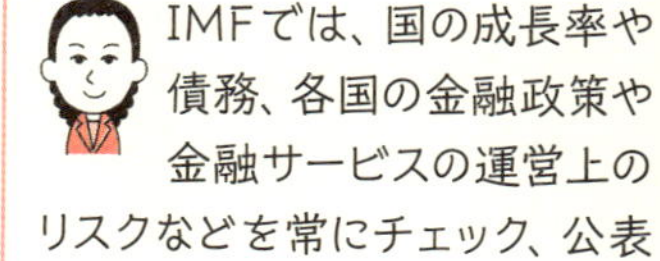

IMFでは、国の成長率や債務、各国の金融政策や金融サービスの運営上のリスクなどを常にチェック、公表しています。

IMF（International Monetary Fund：**国際通貨基金**）は、**通貨**システムの監視や為替、貿易に関する規制撤廃などの役割を担っています。最大の目的は国際間の通貨システムが安定的に維持されるよう、為替レートを安定させることです。為替レートが安定していれば、国際間の資金決済がスムーズに行えます。ひいては、世界各国においての経済成長維持や生活水準の向上につながります。また、貧困の減少にも貢献しています。2021年10月末時点の加盟国数は、190ヵ国です。

さらにIMFは、加盟国の財政や金融に関する問題解決のために金融支援を行います。低所得国や貧困国に対しては融資限度額を増やしたりゼロ金利にするなどの対応で、危機防止に役立っています。さらに「特別引出権（SDR）」という国際準備資産を使い、国際収支が悪化している加盟国に対して外貨を融通する制度を設けています。

IMFの役割

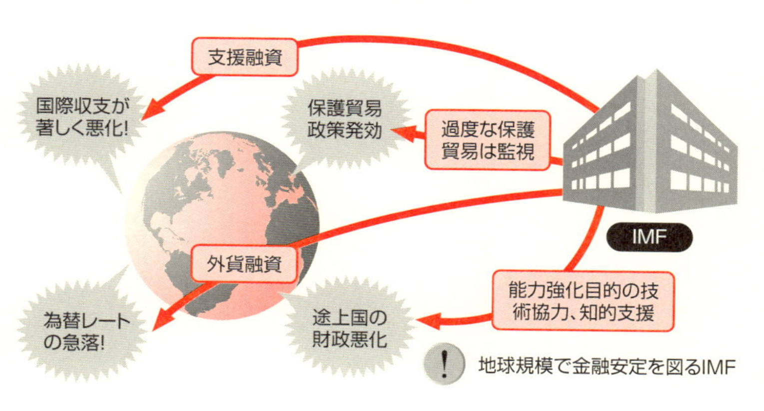

地球規模で金融安定を図るIMF

FOMC

米国の金融政策に関する方針を決定する連邦準備制度の最高意思決定機関。FF金利の誘導目標、景況判断および運営方針などを決める。

米国の金融政策の動向が株式市場に与える影響が大きい近年は、世界中でFOMCの議事や議長の発言に敏感になっています。

米国の**中央銀行**にあたるFRS（Federal Reserve System：連邦準備制度）は、FRB（Federal Reserve Board：連邦準備理事会）の7人の理事と、全米12ヵ所にある「地区連邦準備銀行（連銀）」のうちのニューヨーク連銀を含む5名の地区連銀総裁の計12人で構成されています。

FOMC（Federal Open Market Committee：**連邦公開市場委員会**）は、このFRSの**金融政策**に基づいて**公開市場操作**の方針を決定する委員会で、日本で言えば**日銀**の**金融政策決定会合**に相当します。

FOMCは、約6週間ごとに年8回、火曜日に開催されます。終了後には声明文が公表されます。例えば、景気の見通しや今後の金融政策の運営姿勢、FF金利（Federal Fundsrate：米国の物価や景気などを考慮してFRSが操作する**短期金利**）の誘導目標などが示されます。米国経済が世界に及ぼす影響は大きく、この声明文は米国のみならず、世界のマーケット参加者からも注目されています。

FOMCの構成員

FRB（連邦準備理事会）議長以下、7人の理事

理事7人がFOMCへ参加

連邦準備銀行（12の地区連銀）
ボストン、ニューヨーク、フィラデルフィア、クリーブランド、リッチモンド、アトランタ、シカゴ、セントルイス、ミネアポリス、カンザスシティ、ダラス、サンフランシスコ

連銀の総裁がFOMCへ

FOMC（連邦公開市場委員会）
FRB理事7人
ニューヨーク連銀総裁
ほかの地区連銀総裁から4人選出

議長は大統領の指名を受け、議会の承認を経て就任

ECB

欧州中央銀行。ユーロ通貨圏19ヵ国の統一した金融政策を決め、最終責任を持つ唯一の中央銀行。欧州通貨ユーロの発行、管理を行う。

資本不足の多くの銀行やウクライナ問題、南欧経済の低迷を抱えるユーロ圏。日米よりも金融の舵取りが難しい局面です。

ECB（European Central Bank：**欧州中央銀行**）は、欧州通貨連合のスタートに伴い、欧州連合条約の規定に従って、1998年6月発足したヨーロッパの**中央銀行**です。欧州単一通貨の**ユーロ**（加盟国19ヵ国）を発行する権利を持ち、管理も担います。本部はドイツのフランクフルトで、ユーロ加盟各国の中央銀行総裁らで構成され毎月開かれるECB政策理事会が、最高意思決定機関です。

欧州財政危機の後は、ECBがユーロ圏の**金融政策**に関する議論を行っています。加盟国が足並みを揃えてECBの統一した政策を実施する一方で、実際の金融調節や財政政策は各国の中央銀行がそれぞれに実施するという体制の困難に直面しています。

ECB制度とユーロ圏の中央銀行の関係

ユーロシステム

ECB（欧州中央銀行）

役員会	政策理事会	一般理事会
ECB総裁 ECB副総裁 理事	ECB総裁 ECB副総裁 理事 ユーロ圏中央銀行総裁	ECB総裁 ECB副総裁 理事 ユーロ圏中央銀行総裁 非ユーロ圏中央銀行総裁
金融政策の実施	金融政策の決定	中央銀行間協力

ユーロ圏の中央銀行（19行）
ECBの指示に従い、統一的な金融政策を実施

非ユーロ圏の中央銀行（8行）
独自の金融政策を実施

OECD

世界中の人々が経済面、社会福祉面で向上するための政策を推進する活動を行う国際機関。経済協力開発機構の略称。日・米・欧の先進国が加盟。

OECDは世界最大のシンクタンクと呼ばれます。また、活動のスタイルはクラブのようであり、加盟国間で交渉する場ではありません。

OECD（Organisation for Economic Co-operation and Development：**経済協力開発機構**）の設立目的は、(1) 経済成長、(2) 開発途上国援助、(3) 多角的な自由貿易拡大です。欧州と北米が自由主義経済の発展のために対等に協力し合う機構として、1961年に設立されました。日本は1964年にOECD加盟国となりました。本部はフランスのパリにあり、2021年6月時点の加盟国は38ヵ国です。

OECDでは、国際マクロ経済動向、貿易、開発援助、持続可能な開発、ガバナンスなどの分野について、先進国間で自由に意見や情報を交換し合います。また、各国政府が共通に抱える問題の解決策を導く場の提供や、各分野の国際基準の策定も行います。

OECDの閣僚理事会はOECDの最高機関です。これまで日本からは、経済産業大臣、外務大臣、経済財政担当大臣などが出席しています。G7サミット(主要国首脳会議)の1ヵ月前に開催されるため、前哨戦として重要な会議の位置付けにもなっています。

OECDの目的

アジア開発銀行

アジア・太平洋地域の国際開発金融機関。同地域の貧困削減と平等な経済成長の実現を最重要課題とする。本部はマニラ。

歴代の総裁は日本人。現在日本銀行総裁の黒田東彦氏は2013年3月までアジア開発銀行の総裁を務めていました。

アジア開発銀行（Asian Development Bank：**ADB**）は、1966年に31の国・地域によって設立された、アジア・太平洋地域を対象とする国際開発金融機関です。国際開発金融機関には、**世界銀行**と4つの地域開発金融機関（欧州開発復興銀国、米州開発銀行、アフリカ開発銀行とアジア開発銀行）があり、**金融**、技術、知的貢献を通じて途上国を支援しています。

アジア・太平洋地域は、世界でも最大の貧困人口を抱える地域です。この地域の平等な経済成長を目指して、貧困削減を図り、社会開発と経済発展を促進するための課題解決に取り組んでいます。例えば、豊かでインクルーシブ、気候変動や災害等のショックに強い、持続可能なアジア・太平洋地域の実現に向けた取り組みを行っています。

加盟国・地域は、アジア・太平洋地域内のほか、アメリカ、ドイツ、フランスなど域外の国も加盟しています。日本は設立以来、最大の出資国です。

アジア開発銀行の役割

アジアインフラ投資銀行

中国主導で2015年に発足した、アジアのインフラ整備を支援する国際金融機関。日本と米国は加盟していない。

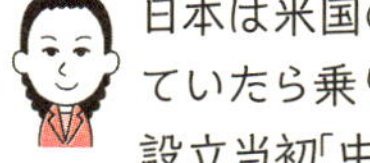

日本は米国の顔色を伺っていたら乗り遅れた？ 設立当初「中国の独壇場」を懸念した印象は払しょくされつつあるようで。

アジアインフラ投資銀行（Asian Infrastructure Investment Bank：**AIIB**）は、中国の習近平国家主席が提唱し、2015年に正式に設立されました。立ち遅れているアジア諸国のインフラ整備資金の支援が目的です。

世界銀行、**国際通貨基金**（**IMF**）、**アジア開発銀行**（**ADB**）といった機関や、**G7**などの国際的な枠組みは、先進国主導です。しかし近年は、経済成長を背景に新興国の発言力が高まり、先進国だけで世界のルールを決められない時代となってきました。中国やインドなどを含めた**G20**が誕生するなど、新興国が発言できる枠組みが求められる中、アジアインフラ投資銀行の果たす役割にも期待が寄せられています。

設立当初は、中国主導の**リスク**や、常駐理事会を置かないこと、透明性や公平性の確保が懸念されるなどの不安要素が先行していましたが、アジア開発銀行や世界銀行との協調融資など慎重な運営を行い、中国側はこれら国際銀行を補完する役割だと説明しています。欧州の先進国は、「アジアにはビジネスチャンスがある」と考え、多くの国が加盟しています。

アジアインフラ投資銀行の創立メンバー（57ヵ国）

地域	参加国
アジア	中国、韓国、インドネシア、カンボジア、シンガポール、タイ、フィリピン、ブルネイ、ベトナム、マレーシア、ミャンマー、ラオス、インド、バングラデシュ、モルディブ、モンゴル、ネパール、パキスタン、スリランカ
旧ソ連	ロシア、カザフスタン、ウズベキスタン、タジキスタン、アゼルバイジャン、キルギス、グルジア
オセアニア	オーストラリア、ニュージーランド
中東	サウジアラビア、カタール、オーマン、クウェート，UAE、ヨルダン、トルコ、イスラエル、イラン
欧州	英国、ドイツ、フランス、イタリア、スペイン、ポルトガル、スイス、ルクセンブルク、オーストリア、デンマーク、ノルウェー、スウェーデン、フィンランド、アイスランド、ポーランド、マルタ
その他	エジプト、南アフリカ、ブラジル

6-2 国際通貨体制は、どのように維持されているか？

世界各国の中央銀行などは為替取引の安定を通じて、自国の通貨の価格維持などを行います。

為替介入

中央銀行などの通貨当局が、外国為替市場で相場の安定を図るなどの目的で外国為替の売買を行うこと。日本では財務大臣が権限を持つ。

本来自由なマーケットのはずなのに、財務大臣が口出し、日銀が手出しをして、思惑どおりの方向に動かす力を加えて操作するのです。

為替介入（かわせ）は、正式には「外国為替平衡操作」と言います。一般的には、通貨当局である**中央銀行**などが相場をある方向に操作するために**外国為替**を売買することです。急激な為替変動が経済の混乱を招くような場合などに実施されます。例えば、円高ドル安に対しては「円売りドル買い介入」、円安ドル高の場合は「円買いドル売り介入」を行い、相場変動を抑えようとします。為替介入の資金は、財務省が管轄する「外国為替資金特別会計」が財源です。介入して買った外貨が**外貨準備**で、外国為替資金特別会計の中で米国債などを購入し、運用されています。

為替介入の代表的な方法

単独介入	委託介入	協調介入
政府（日本の場合は財務省）・中央銀行（日本の場合は日本銀行）が独自の判断で為替介入を行うこと	海外時間（ロンドン、ニューヨークなど東京マーケットが開いていない時間帯）で、介入の必要性があった場合に、海外の中央銀行に対して介入を委託すること	各国の中央銀行がお互いに緊密な連絡をとりあって、ほぼ同じ時期に複数の中央銀行が介入を行うこと。もっとも効果が高い方法

外貨準備

政府や中央銀行が持つ外貨建ての資産。日本の場合は、為替介入用の外国為替資金特別会計が財務省に、国際金融協力目的の外貨が日銀にある。

世界で外貨準備を一番多く持っている国は中国。2位の日本の約3倍。それでも日本の外貨準備高は、EU諸国合計の約2倍です。

外貨準備は、**現金通貨**で**外国為替**をただ保有しているのではなく、その多くが**外国債**などの外貨建て証券や**外貨預金**、金（ゴールド）などで運用されています。民間企業や個人の保有する外貨建ての資産は含まれません。金額で示されるため、**外貨準備高**とも呼ばれます。

外貨準備は、輸入代金や借入金返済などの対外支払いに保有するだけでなく、通貨危機などで他国への外貨建て債務の返済などが困難になった場合に使用する準備資産です。**為替介入**にも使われます。

財務省発表の「外貨準備等の状況」によれば、2021年11月末時点における日本の外貨準備高は、約1兆4,058億ドルとなっています。

為替介入と外貨準備の関係（円売りドル買い介入のケース）

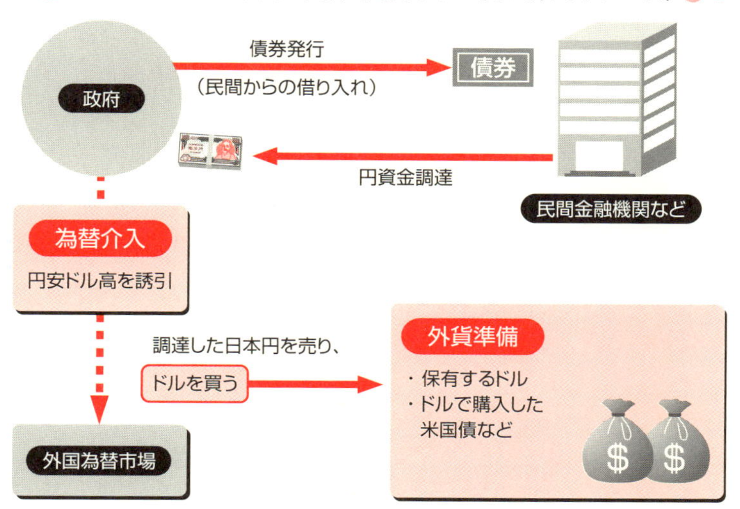

通貨切り下げ

ある通貨(基本的には基軸通貨であるアメリカドル)に対して、自国の通貨の価値を下げること。固定相場を採用する通貨で行われる政策。

インフレが進みすぎてコーヒー1杯3万円になると表示が不便。この時、100円を1円に切り下げればコーヒーは300円になります。

過去に円が固定相場だった時代にニクソンショックが起こり、円に対して**アメリカドル**が切り下げられました。1ドル＝360円から1ドル＝308円へと円高・ドル安水準に変更されたのです。これは米国がアメリカドルを切り下げた例です。**通貨切り下げ**とは、自国通貨の価値を下げることです。

自国通貨を切り下げると、国際市場で外貨建ての輸出品は値下がりして輸出が増え、輸出産業の収益力が上がり、その国の経済が活性化します。一方では、輸入品価格の相対的な値上がりが物価の上昇につながり、消費者の日常生活にダメージを与える可能性もあります。

通貨切り下げの反対が「通貨切り上げ」で、自国通貨の価値を上げることです。切り上げ国の輸出産業に逆風、輸入品に追い風となります。

1ドル=360円から1ドル=308円に

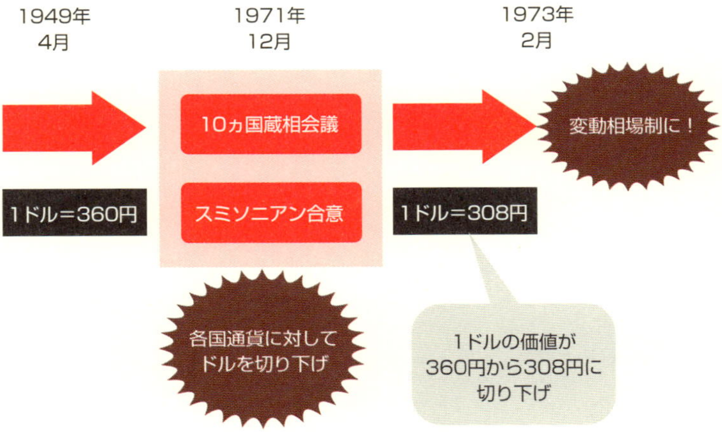

1949年4月
1ドル=360円

1971年12月
10ヵ国蔵相会議
スミソニアン合意
各国通貨に対してドルを切り下げ
1ドル=308円
1ドルの価値が360円から308円に切り下げ

1973年2月
変動相場制に！

ドルペッグ制

自国の通貨と、アメリカドルとの為替レートの交換比率を一定に保つ制度。アメリカドル以外の通貨との為替レートは変動する。

ドルペッグを採用する新興国は、まるでユーロとギリシャの関係のよう。米国の金融政策について行けるかが問題です。

自国・地域の**通貨**と特定の外国通貨の交換比率を一定に保つ為替制度を「ペッグ制（ペッグ＝釘で止める）」と言い、特に**アメリカドル**との交換比率を固定することを**ドルペッグ制**と言います。

ペッグ制は、一般に貿易規模が小さく、競争力がある産業を持たない国などが採用しています。貿易を円滑に行うなどの理由で、自国と貿易上の結び付きが強く、経済的に関係が深い経済大国の通貨と連動させています。例えば、中南米の多くはドルペッグ制です。

経済成長が著しかった当時の中国では、2005年7月にアメリカドルとのペッグ制において交換比率を見直しましたが、2008年7月には世界経済の悪化を理由にいったんドルペッグ制に戻した後、2010年6月に再度ドルペッグ制を廃止しました。

ドルペッグ制のメリットとデメリット

ドルペッグ制は、経済成長率の高い新興国で多く採用

ドルペッグ制のメリット

- 自国通貨が安定する。
- 海外からの投資を呼び込むことができる。
- 経済成長が加速する。

ドルペッグ制のデメリット

- 経済成長でインフレが進行する。
- インフレが進行しても為替変動による通貨調整が効かないため、通貨危機が起こりやすい。

G7

先進7ヵ国の財務大臣・中央銀行総裁が集まり、国際的な経済・金融問題について討議する国際会議。冷戦終了後にロシアも加わり、G8になるも、軍事介入を機に参加停止に。

Gはグループの G。G7なら先進7ヵ国、G8になるとロシアが加わり主要8ヵ国と言われ、先進国の会議ではなくなるのですね。

単に**G7**という場合は、「財務大臣・中央銀行総裁会議」を指していることがほとんどです。もともとは先進国首脳会議（サミット）参加国間で、物価や**為替**における問題点を協議する場として設立され、第1回は1986年9月にワシントンD.C.で開催されました。

メンバーはフランス、米国、イギリス、ドイツ、日本、イタリア、カナダの財務大臣および**中央銀行**総裁です。ドイツ、フランス、イタリアの中央銀行である**ECB**（**欧州中央銀行**）からも総裁などが出席します。G7は**IMF**（**国際通貨基金**）の会議の合間に、非公式で同じ7ヵ国メンバーで開催される会議を指すこともあります。

なお、サミットとは別の会議です。ロシアが加わりG8になる以前のサミットもG7と呼ばれていました。これは「先進国首脳会議」であり、政府の長が集まって国際的な政治、経済問題を討議する会議です。

7ヵ国のグループと国際会議

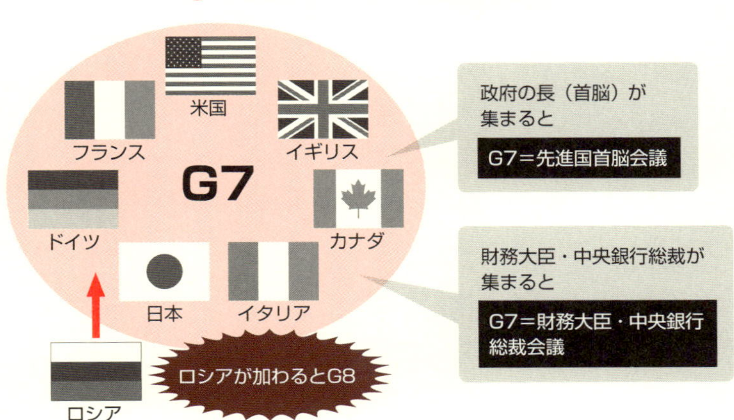

G20

20ヵ国・地域(G20)首脳会議(サミット)。国際経済協力や財政・金融問題、環境問題、途上国開発などを先進国と新興国がともに議論する場。

先進国がリーダーシップを失ってG20に。さらには米国の政治学者が国際社会は指導国不在だとして「Gゼロ」と名付けました。

G20は、G8（主要国首脳会議）の参加国と新興国の11ヵ国、そしてEUを加えた20ヵ国・地域のグループです。

G20の首脳が集まる会議が「G20首脳会合」です。「金融サミット」とも呼ばれ、世界的な**金融**危機を受けて2008年に開催されました。正式名称は「金融・世界経済に関する首脳会合」です。

G20の財務大臣および**中央銀行**総裁は、それより前の1999年より「G20財務相・中央銀行総裁会議」を開催しています。

国際的な問題解決の場として1975年に7ヵ国で開催した先進国首脳会議（G7サミット）は、後にロシアが加わりG8になりました（2022年2月現在、ロシアは不参加でG7）。その後、新興国が急速に発展を遂げたことや、先進国と新興国との間の問題解決にも対応するため、新興国が国際会議の席上に仲間入りをし、G20が開催されるようになりました。しかし、20の国と地域はそれぞれ異なる事情を抱え、まとまりに欠けるようです。

G7からG8、そしてG20へ

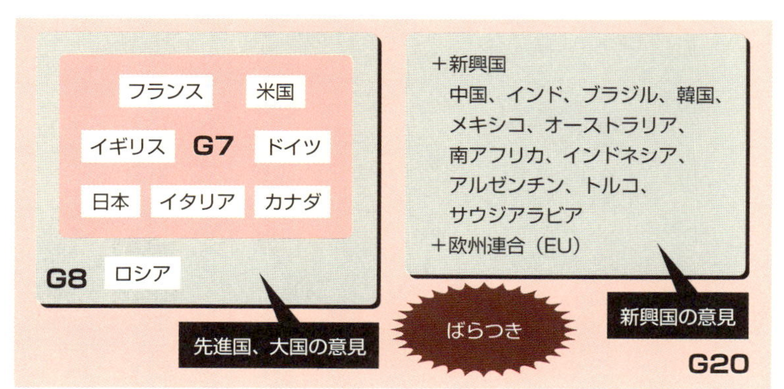

6-3 国際的な金融問題には、どのようなものがあるか？

全世界を巻き込むほどの金融問題には、どのような出来事があったのでしょうか。

サブプライムローン問題

米国での信用力の低い人への住宅ローンの焦げ付きから、証券化商品の価格下落、金融機関に損失が生じた問題。

従来の米国では、住宅といえば投資対象。サブプライムローン問題を経て「家は住むもの」に意識が変わったようです。

「サブプライムローン」とは、収入や保有資産の少ない低所得層向けに貸し出す**住宅ローン**です。金融工学を駆使した**証券化**の商品開発が進んだところに、世界的なカネ余りで世界中の投資家が米国のサブプライムローンを組み入れた証券化商品に投資しました。

しかし、米国地価の値下がりでサブプライムローンが焦げ付き、これらを組み入れた証券化商品が巨大損失を計上したのが、**サブプライムローン問題**です。サブプライムローン問題は、米国発の金融危機に発展、日本を含め世界中の**株価**が暴落しました。

サブプライムローンが問題になるまで

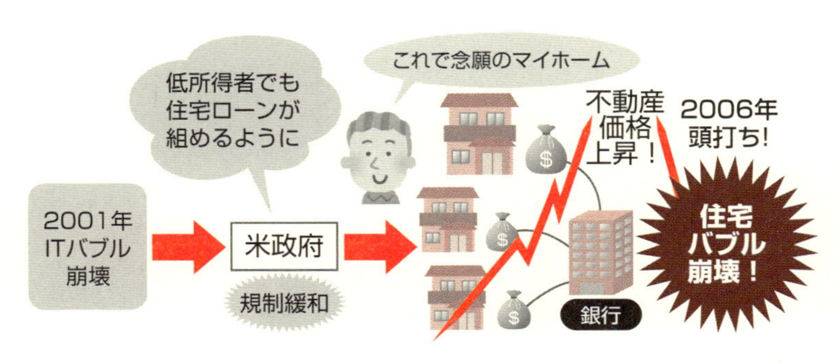

リーマン・ショック

サブプライムローン問題の影響で米国の証券会社リーマン・ブラザーズが事実上破綻、米国バブル経済崩壊が世界的に波及した金融危機。

米国発の金融危機が、日本の雇用や消費に打撃を与えました。金融経済のグローバル化によって世界中に悪影響が広がったのです。

サブプライムローン問題は、当初の想像をはるかに超える損失額でした。**証券化**ビジネスの発展でローン証券はより複雑化、それらを組み入れた**金融商品**の価値すら測れなくなっていました。

サブプライムローン問題後、多額の損失を計上した**金融機関**に対し、米英の政府や中東・アジアの政府系ファンドや民間金融機関が支援策を講じましたが、2008年9月、ついにリーマン・ブラザーズが米国最大規模の負債を抱え、事実上、破綻しました。直接的な理由は、サブプライムローンから派生したCDS（Credit Default Swap）という信用**リスク**を売買する取引による多額の損失です。その影響は、信用不安による**金融市場**からの資金撤退につながり、世界中の金融システムの機能不全、不安感で世界中の株式市場が大暴落しました。

米国内では個人の自己破産も相次ぎました。日本では米国に輸出する製品に関連する業界を中心に大きな痛手を受けました。

サブプライム問題がリーマン・ショックへ

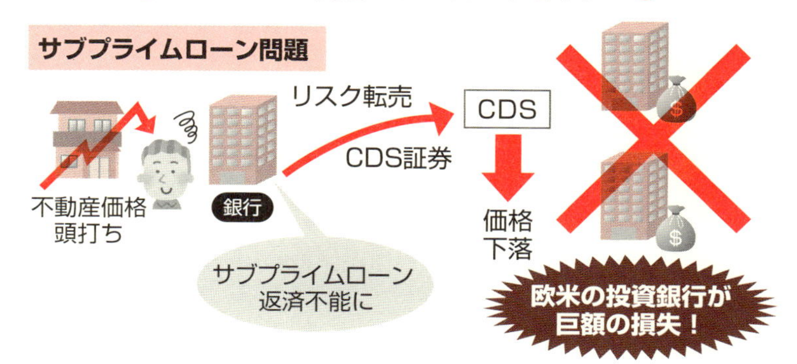

欧州財政危機

2009年10月にギリシャの新政権が前政権時代の財政に関する粉飾を発見、国債のデフォルト不安がユーロ圏に波及した危機。

ユーロにしがみついていたいがためにウソの財政報告をしていたギリシャ。他国もか?と疑念は世界中の不安を呼び大きな問題に。

欧州統一通貨の**ユーロ**は、**通貨**が統一されていることから生じるデメリットがあります。財政事情や物価、雇用環境などが異なる国々の間で同じ通貨を使う点に難があると言われています。国ごとに事情が異なれば、統一通貨で経済の波を調節することは困難です。

この面をカバーするためと、危機時に統一通貨圏内で連鎖しないようにするため、**ECB（欧州中央銀行）**はユーロ導入国に一定の経済的基準の維持を義務付けています。そんな中、基準を守るためにギリシャの前政権は粉飾をしており、実際は**国債**が**デフォルト**の恐れを抱えていました。

新政権は財政再建に着手しましたが、厳しい財政緊縮で経済は悪循環、ギリシャ国債の**格付**は下がり、余波は通貨圏内に広がって事態からの脱却がなかなか見られません。ユーロも暴落しました。**欧州財政危機**を契機に、欧州金融安定基金が創設されました。

欧州財政危機のきっかけ

前政権下で作成されたルール
財政赤字はGDPの3%以下に

7.7%じゃないか!

やっぱり
9.8%じゃないか!

財政赤字は
GDP比
5.0%

粉飾!

政権交代後、
前政権の粉飾を発見

ギリシャ

パパンドレウ政権

国債暴落!
ユーロ暴落

支援

ドイツ

フランス

ギリシャ向け融資も焦げ付き?

事態の収束の
ため創設

欧州金融
安定基金

今後の行方は?

第7章

利用者保護制度に関する用語

金融取引は自己責任が基本です。そのためには正しい情報公開と利用者保護の仕組みが必要です。

7-1 利用者保護とは、何か？

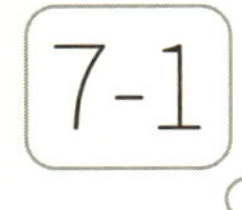

預金者や投資家が安心して金融商品を取引できる仕組みを確認しましょう。

金融商品取引法

証券取引法、金融先物業法、投資顧問業法などを廃止した上で一本化し、投資家保護の目的を強化した新しい法律。

プロとアマの取引ルールが異なります。プロは1年以上の取引経験、純資産額3億円以上、投資性のある金融資産3億円以上の人。

金融商品取引法とは、証券取引法、金融先物業法、投資顧問業法など、以前は**金融商品**ごとにばらばらだった法体系を統一し、共通の勧誘・販売ルールを定め、2007年9月30日に施行された法律です。商品ファンド法や信託業法は、削除された一部が金融商品取引法に移行されています。**インサイダー取引**違反の罰則強化や**TOB**ルールの明確化、金融商品販売の際の説明責任の徹底などが特徴です。

金融商品取引法における販売業者のルール

顧客に合った商品を勧めること!

顧客の知識や経験、資産状況、投資目的等を確認した上で、顧客に合った商品を勧めることが義務付けられている（適合性の原則）

書面や目論見書を顧客に必ず渡すこと!

登録業の種類と登録番号/事業者名と住所/金融商品の概要/手数料や報酬などの費用/元本割れの可能性の有無と理由/追証などを求められる可能性がある場合は、その原因…等

セーフティネット

一般に、広く大勢の人が安心を得るために施す社会的な仕組みのこと。金融分野ではリスクへの対応策を意味する。

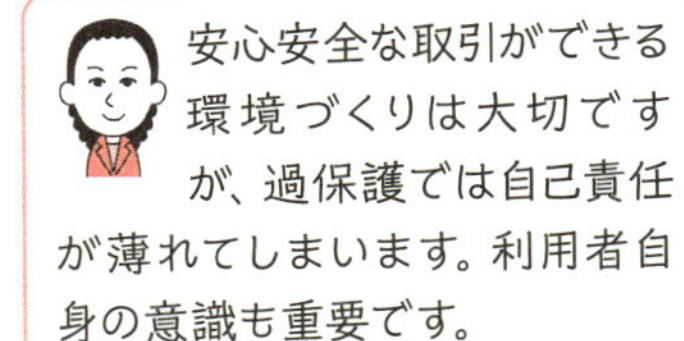

セーフティネットは「安全網」と訳される、様々な分野で安全を確保する仕組みに用いられる言葉です。**金融**の世界では、**金融機関**が破綻した場合に預金者・投資家・**契約者**などの資金や権利を確保する仕組みを指します。また、金融危機や混乱が起こった場合の対応策などもセーフティネットです。

金融機関の破綻への備えの枠組みは、業界単位です。銀行預金を保護する**預金保険機構**、**証券会社**が破綻した際に**分別保管**ができていなかった場合は**投資者保護基金**、保険業界には**生命保険契約者保護機構**と**損害保険契約者保護機構**がそれぞれあります。

リーマン・ショックや**欧州財政問題**などの規模で経済や金融が混乱すると、世界全体の金融システムが深刻な状態になります。政策で金融機関の資本増強を促すことや一時国有化、**中央銀行**による**金融政策**などの対応もセーフティネットの一環です。

金融危機に備える日本政府のセーフティネット

金融危機

内閣府

内閣総理大臣の諮問

金融危機対応会議

対応を審議

関連施策の実施を促す

資料の提出要請

関連する官公庁

・議長＝内閣総理大臣
・議員５名
　内閣官房長官
　金融担当大臣
　金融庁長官
　財務大臣
　日本銀行総裁

ディスクロージャー

投資家保護の観点で、上場会社や金融機関、投資信託などの財務内容や経営実態について一般に公開すること。

上場会社の経営はガラス張り。投資家が自己の責任で投資判断するためには、正しい情報提供をしなければなりません。

上場会社や**金融機関**、**保険会社**、**投資信託**などには、投資家や預金者に対して、投資や預金をする際に必要な情報を提供する**ディスクロージャー**という義務があります。決算書などの開示資料をディスクロージャー資料と言います。資金の提供者である投資家の保護が目的で、商法と**金融商品取引法**に開示する内容が定められています。情報開示は、迅速、公平、正確さを満たすことが必要です。

上場会社に関しては、商法で貸借対照表（バランスシート）、損益計算書、キャッシュフロー計算書などの**財務諸表**を作成し、株主に開示することを義務付けています。一方、金融商品取引法では、既存株主だけでなく、これから株主になろうとする投資家までを対象にします。情報は、今後の投資判断の参考にされるからです。

預金者が見るディスクロージャー誌のポイント

○×△銀行
2021年度
ディスクロージャー誌

金融機関の安全性をチェックしたい

- ☑自己資本比率　高い方が安全。8%以上で国際業務が営める
- ☑不良債権比率　低いほど良い
- ☑不良債権引当率　高いほど良い
- ☑有価証券含み益　プラスなら良い

金融機関の収益力をチェックしたい

- ☑業務純益　会社の規模に応じて高いほど良い
- ☑経営効率化　経費の推移、経費率などをチェック。経費削減が進んでいるほど良い

約款　預金や融資、保険契約、信託契約などにおいて、契約の内容を明確にするために契約書に記載されている条項のこと。最近ではインターネットでも閲覧できることが多い。

「字が細かくて読みにくい」「難しい言葉が多くて分かりにくい」確かにそうなのですが、取引するのはあなた自身ですから。

金融商品の取引は、契約です。**金融機関**などと顧客が取引契約を結ぶ際に、契約内容を条項にまとめて詳細に記した書面が**約款**です。金融機関によっては、「規定集」と称している場合もあります。約款は、金融機関が広く多くの顧客に対して同じ内容のルールを定めて取引する場合、約束事を定形的に処理するのに役立ちます。

預金口座を開設する際は預金等の約款、融資を受けるには**ローン**の約款、**総合口座**では総合口座取引約款が顧客に渡されます。**証券会社**等では、取引口座開設時やより**リスク**の高い取引を行う際には当該取引の約款が交付されます。保険契約の際は保険約款が渡され、**保険金・給付金**等は約款に記載されたルールに基づいて支払われます。

最近の金融機関では、約款を全面的に見直して難解な専門用語をやさしく表現を換えて読みやすくしています。金融商品の取引契約の際には、目を通して内容を確認し、十分納得してから取引しましょう。

生命保険の約款に記載されている内容例

約款
- 保険会社の責任開始日
- 保険金の支払い
- 保険料の払い込み
- 配当
- 保険契約の内容変更
- 契約者貸付
- 保険契約の解除と無効および払い戻し…等

契約内容を書面に記します

生命保険会社

契約

生命保険に加入します

契約者

保険金等は、約款の通りに支払われます。しっかり読んでから契約を!

情報の非対称性

商品を取引する際に、当事者間で持っている情報の質や量に差があること。売り手が有利で買い手が不利な状態を指す。

食品の偽装問題が良い例です。消費者は、産地や成分に関して十分な情報を持っていません。情報面で不利な立場だということです。

金融商品に限らず、取引全般に関して「業者は商品の情報などを詳しく知っており価格に対する妥当な判断材料を持つが、消費者はそれをよく知らず適切な判断ができない」ということがあります。これを**情報の非対称性**と言い、消費者に不利な状態を言い表しています。

情報の非対称性が生じていると、消費者は価値の低い商品を「価値が低い」と思わずに、売り手の提示した高い価格で買ってしまう恐れがあります。その買い手１人だけの問題ではなく、消費者が「情報を持たずにモノを買うのは控えよう」と慎重になれば、消費全体が落ち込み経済全般に影響を及ぼします。これを避けるためには、業者による積極的な情報公開や品質保証が必要です。

情報の非対称性

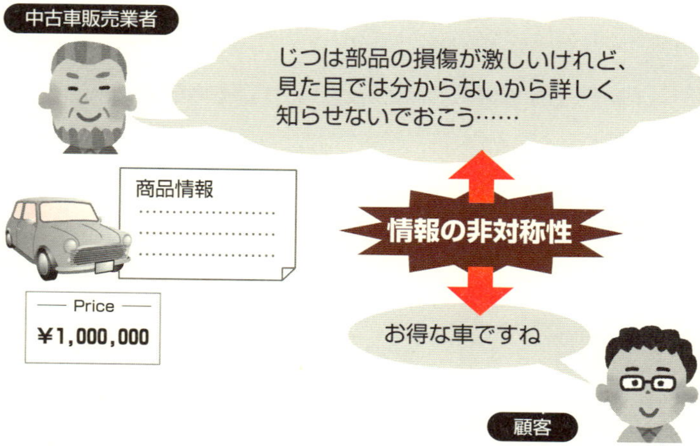

中古車販売業者

じつは部品の損傷が激しいけれど、
見た目では分からないから詳しく
知らせないでおこう……

商品情報

Price
¥1,000,000

情報の非対称性

お得な車ですね

顧客

ペイオフ

金融機関が破綻した場合に、預金保険機構が預金者への資金の払い戻しを保証する制度。資金援助方式とペイオフ方式がある。

2010年、中小企業向け融資中心で預金が比較的高金利だった日本振興銀行に、ペイオフ発動。概算払率は25%だったそうです。

もともと英語の**ペイオフ**は、「清算する」「払い戻す」という意味ですが、一般的には「**金融機関**が破綻した場合に、1,000万円を超える預金はカットされる」ということをペイオフと呼ぶようになっています。

制度内容は、金融機関が破綻した場合に1つの金融機関で**定期性預金**や普通預金などを加えた元本1,000万円までとその利子に相当する預金保険金を**預金保険機構**が預金者に支払うというものです。「資金援助方式」は破綻金融機関を引き継ぐ金融機関に対しての資金援助、「ペイオフ方式」は破綻金融機関の預金者に**保険金**を直接支払う方法です。実際に金融機関が破綻した場合には、社会的な混乱を防ぐため、「資金援助方式」で処理されるのが現実的のようです。

預金者保護の仕組み

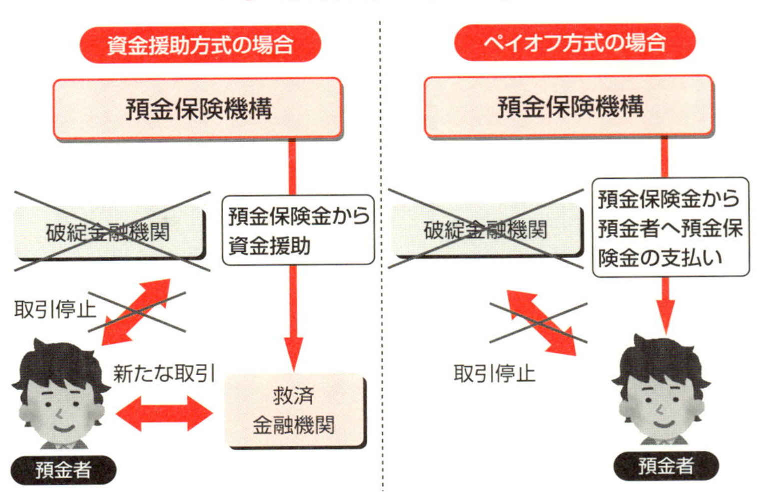

預金保険機構

銀行など制度に加入する金融機関が破綻した時に、預金者の保護を目的に預金保険金で資金援助するセーフティネット。

銀行の破綻が見込みより少なくなれば、ペイオフ用の資金が十分になって銀行に還付金が。しかし、預金者には還元されず。

預金保険機構は、**ペイオフ**制度を実施する機関です。預金保険制度では、日本に本店のある預金保険機構対象の**金融機関**が、預金額に応じて一定の**保険料**を毎年納めます。その保険料を原資とし預金保険金を準備する仕組みで、預金に保険をかけています。

預金制度に加入している金融機関が破綻すると、破綻金融機関の預金者は保護対象の預金について、1人あたり合計で元本1,000万円とその利子に相当する額までが預金保護の対象となります。

もし、加入金融機関の破綻後、すぐに救済金融機関が見つからない場合には、預金保険機構が受け皿となって「承継銀行（ブリッジバンク）」を設立し、業務を引き継ぎながら救済金融機関を探します。

預金保険機構に加入する金融機関

日本国内に本店のある、次の金融機関の在日支店

銀行、信用金庫・信金中央金庫、信用組合・全国信用協同組合連合会、労働金庫・労働金庫連合会

預金名	具体例
全額保護の対象預金	当座預金、決済用預金
合算して元本1,000万円とその利子までが対象になる預金	普通預金、定期預金、定期積金、貯蓄預金、掛金、通知預金、納税準備預金、保護預かり専用の金融債（ワイドなど）、元本補てん契約のある金銭信託、これらを用いた積立・財形
対象にならない預金	外貨預金、保護預り専用商品以外の金融債、元本補てん契約のない金銭信託、譲渡性預金

証券取引等監視委員会

公正な証券取引が行われるよう、金融商品取引法で禁止された行為や不正取引などの調査や検査を行っている金融庁の外局。

証券取引等監視委員会は、検査対象の証券会社を予告、公表しています。予告して検査をして、意味があるのだろうかと思います。

証券取引等監視委員会（Securities and Exchange Surveillance Commission：**SESC**）は、証券市場が適切に機能し、証券取引や金融**先物取引**などが公正に取引できるように、不公正な取引をチェックし、摘発する機関です。第三者的な機関としてアメリカ証券取引委員会（SEC）を手本に設置されました。

インサイダー取引や、相場操縦、風説の流布、損失保証・損失補てんなどの不正な取引を監視しています。

証券取引等監視委員会では、公正な証券取引が行える環境を整えるため、ホームページ等で情報提供を呼び掛けています。市場で不正が疑われる情報や、投資者保護上問題があると思われる場合、提供された情報は調査・検査や日常的な市場監視の有用な情報として活用されています。ただし、個別のトラブル対応は行っていません。

証券取引等監視委員会による監視の仕組み

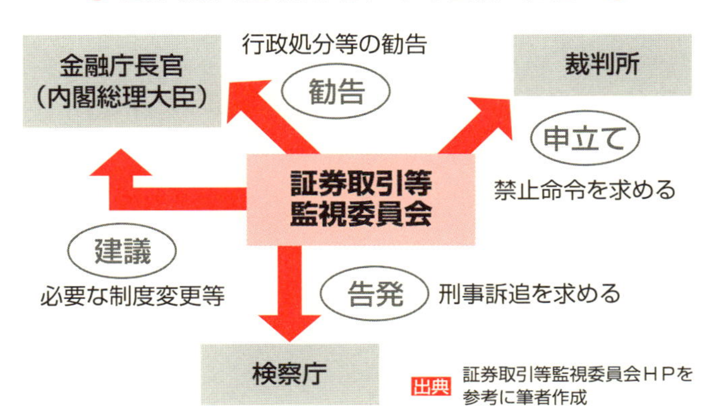

投資者保護基金

証券会社が破綻した時に、分別管理ができていなかった場合、投資者の保護を目的に資金援助するセーフティネット。

投資家の運用資産の元本を保証するのではありません。証券会社がルールどおりに顧客資産を分別していない場合に備えた保護です。

基本的には、**証券会社**が破綻した場合でもその証券会社が**分別保管**義務を守っていれば、投資家の**保護預り**証券や現金はすべて投資家の元に戻せることになっています。しかし、万が一、証券会社の違法行為などで預り資産の一部または全部が返還されない場合に備えて補償する制度があり、その実施主体が**投資者保護基金**です。

投資者保護基金による保護の範囲は、**有価証券**、**信用取引**の委託保証金、取引所取引の**先物取引・オプション取引**の委託証拠金などです。

一方、有価証券店頭デリバティブ取引や外国市場証券先物取引に関わるものは投資者保護基金による補償はありません。

証券会社の破綻から資産返還まで

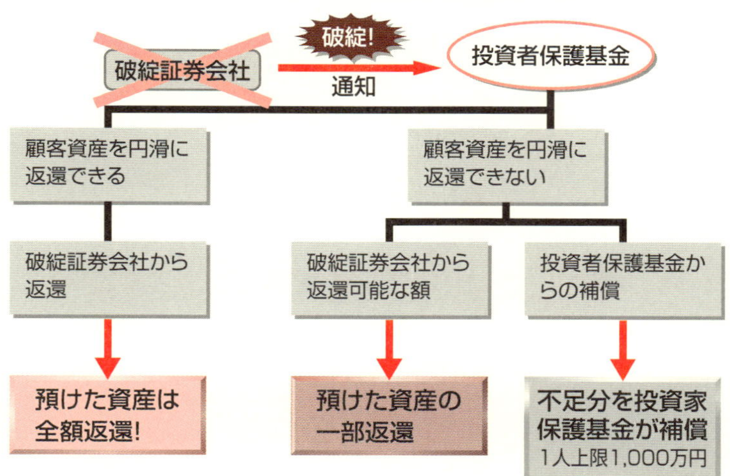

生命保険契約者保護機構

生命保険会社が破綻した時に、保険契約者の保護を目的に責任準備金の一定割合まで資金の不足を援助するセーフティネット。

1990年代後半は、生命保険会社が続々と事実上の破綻に追い込まれました。保険契約が救済会社を転々とした人も多いのでは？

万が一、生命**保険会社**が破綻した場合でも、通常はほかの保険会社に契約を移転するなどして、保険契約は続きます。しかし、その保険会社の資産が「責任準備金」を下回っている可能性もあります。責任準備金は、将来の**保険金**、年金、**給付金**です。保険業法に基づいて、破綻保険会社の契約を続けるために責任準備金の90%までを補償するよう援助をします(高予定利率契約についてはこの限りではない)。**生命保険契約者保護機構**は、この資金援助をします。援助資金の財源は生命保険会社の負担金で、保険会社の保険のような制度です。契約が引き継がれる際には、**予定利率**が引き下げられることもあります。

もしも救済保険会社が現れなかった場合は、保護機構の子会社として契約を引き継ぐための保険会社を設立し、保険契約を引き継ぎます。

生命保険会社が破綻したら

損害保険契約者保護機構

損害保険会社が破綻した時に、契約者の保護を目的に責任準備金の一定割合まで資金の不足を援助するセーフティネット。

ペット保険は、損保会社と少額短期保険会社から発売されていますが、少額短期保険会社は損保の保護機構に加入していません。

損害保険契約者保護機構は、**損害保険**会社が破綻した後に、**保険契約者**が事故や火災にあった場合に備えて設立されました。契約が移転された受け皿会社に資金援助を行います。受け皿となる保険会社がなければ、損害保険契約者保護機構自らが救済目的の子会社を設立して保険契約を引き継ぎます。保険会社の資産が積み立てられているべき「責任準備金」を下回っていたら、引き継ぐ際に削減される責任準備金の一部を損害保険契約者保護機構が援助します。補償の対象は、個人・小規模法人・マンション管理組合の保険契約です。

損害保険契約者保護機構からの補償割合は、保険契約ごとに異なります。また、保険契約の移転の際に**予定利率**が引き下げられた場合は、補償割合を下回る**保険金**や返戻金しか受け取れなくなります。

損害保険会社が破綻したら

	保険金の補償割合は？	解約返戻金・満期返戻金などの補償割合は？
自賠責保険／家計地震保険	100%	100%
自動車保険／火災保険／その他の損害保険	破たん後3カ月間は100% 3カ月経過後は80%	80%

火災保険、その他の損害保険では、保険契約者が個人・小規模法人・マンション管理組合が補償の対象

ソルベンシー・マージン比率

保険会社が、将来の予測し得ないリスクに対してどの程度の支払い余力があるかを示す指標。保険会社の財務健全性を表す。

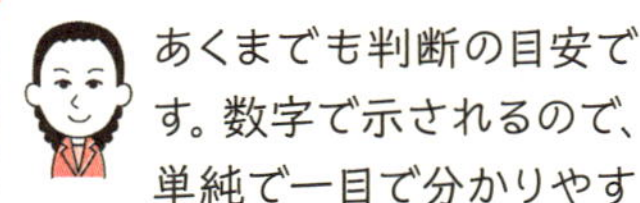

あくまでも判断の目安です。数字で示されるので、単純で一目で分かりやすい指標ですが、ほかの情報も併せた総合判断を。

保険会社は、将来の**保険金**支払いに備えて「責任準備金」を積み立て、予測の範囲内で**リスク**に対応しています。大災害等予想以上の保険金支払いや、相場の暴落による資産の目減りなど、通常の範囲を超えた際の支払い能力を判断する指標が**ソルベンシー・マージン比率**です。

ソルベンシー・マージン比率が高いほど保険金の支払い余力があり、保険会社が健全だと言えます。200%を下回ると、**金融庁**長官から経営改善を図る「早期是正措置」が採られ、改善計画の提出、そして実行が求められます。しかし200%を超えていた保険会社の破綻が続出したため、信頼性向上のために従来の算出基準はより厳しくなりました。価格変動の激しい株式や**証券化**商品、**デリバティブ**における損失発生の危険性を厳しく見積もるように変更されています。

ソルベンシー・マージン比率とは？

$$\text{ソルベンシー・マージン比率} = \frac{\text{資本金＋通常の予測を超えるリスクのための準備金}}{\text{通常の予測を超えるリスクに対応する額} \times 1/2} \times 100(\%)$$

ソルベンシー・マージン比率	是正措置の内容
200%以上	なし
100%以上 200%未満	経営の健全性を確保するための改善計画の提出。改善計画の実行に対する命令。
0%以上 100%未満	保険金等の支払い能力を充実させるための命令。保険金の支払い能力を充実させる計画の提出、その実行、配当または役員賞与の禁止か減額、配当や剰余金の支払停止、新規の保険契約にかかる保険料の計算方法の変更、事業費の抑制
0%未満	期限付きで、全部または一部の業務停止命令

金融商品販売法

金融商品の販売時や勧誘時、重要事項の説明を業者に義務付ける法律。販売業者の違反により損失を被った場合、業者に損害賠償請求できる。

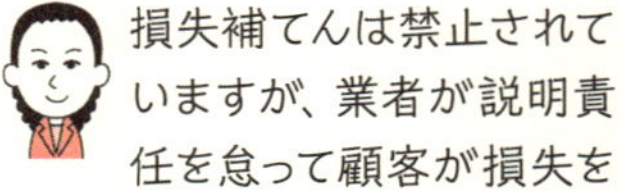

損失補てんは禁止されていますが、業者が説明責任を怠って顧客が損失を被った場合は、損害賠償の対象になります。

金融商品販売法で業者の説明義務の対象となる**金融商品**は、預貯金、定期積金、**投資信託**、**金銭信託**、**株式**、**公社債**、**保険**、**共済**、抵当証券、**商品ファンド**、**デリバティブ**、**FX**などです。商品先物取引（国内）は対象外ですが、商品先物取引法に同様の規定があります。

説明義務のある重要事項とは、例えば元本割れの**リスク**があることや、その要因、金融商品の権利を使う期間に一定の制限があることなどです。具体的には、**金利**や為替、株式などの**有価証券**の相場の変動によって、この金融商品は損失を被ることもあるとか、**社債**の発行体の財務状況によっては元本が返ってこないリスクがあるなどというような説明です。これらの説明がなかったことによって、投資家、預金者が損害を被った時、その販売業者に対して損害賠償の請求ができます。

消費者契約法

消費者は、事業者との契約時に重要な情報を事業者から伝えられずに、または困惑させられて結んだ場合、その契約を取り消せるとした法律。

金融商品に限らず、幅広く買い物全般に使える法律です。強引な勧誘やだまされて買った商品は契約の取り消しができます。

消費者契約法は、商品全般の購入やサービスの提供の際の契約トラブルから消費者を守るための法律で、2001年4月から施行されています。消費者と事業者のすべての契約を対象にしています。

その契約には**金融商品**の購入も含まれ、この場合に事業者側が重要な情報を伝えなかった、または事実と違うことを告げられて契約した、強引な勧誘で困ってしまい契約をしてしまったという時には、その契約は取り消しができます。期限は契約後5年間、だまされたと気づいた時から6ヵ月です。

消費者契約法と金融商品販売法の違い

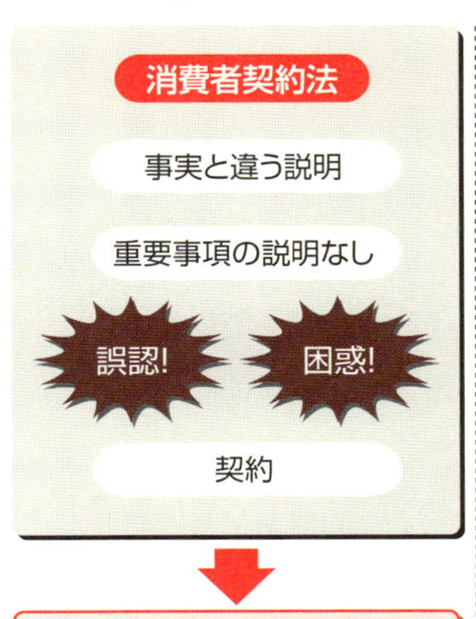

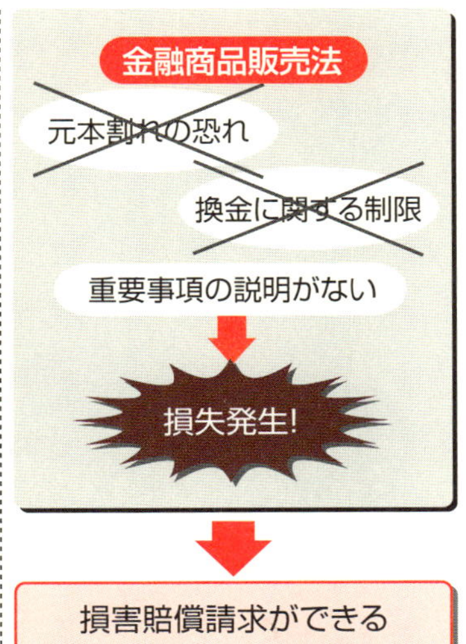

マネー・ローンダリング

薬物犯罪から得た収益など違法な取引やテロ資金供与、脱税など犯罪に絡む資金(汚れたお金)を隠す行為。

資金洗浄のことですが、お札をうっかり洋服のポケットに入れたまま洗濯してしまう、おっちょこちょいの行為とは全然違います。

いわゆる「裏金」を隠す行為を**マネー・ローンダリング**と言い、「資金洗浄」と訳されています。麻薬などの違法取引から得た収益や犯罪に絡む資金を、**金融機関**の口座間で送金するなどして転々とさせていくうちに、その名義や資金源を隠ぺいし、捜査機関などに「裏金」の存在を分からなくさせることです。

金融機関等は、顧客の取引がマネー・ローンダリングに疑わしいと判断した場合、**金融庁**に届け出ます。具体的には、仮名取引や借名取引の疑いが生じた口座、実態がないと疑われる法人口座を使った入出金、住所と異なる連絡先にキャッシュカードなどの送付を希望する顧客、収入に見合わない高額な取引や延滞していた融資を予定外に返済するなどというケースです。

金融機関では、マネー・ローンダリングを防止するために顧客の**本人確認**を徹底するなど社内体制を整えています。

マネー・ローンダリングのイメージ

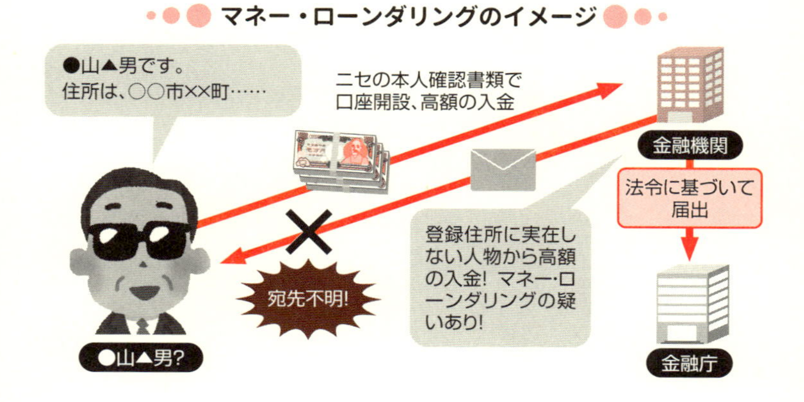

インサイダー取引

会社の重要な情報を手に入れやすい立場の人が、まだ公表されていない段階の情報を用いて、その会社の株式の売買を行うこと。

「他人が知らない情報でうまく儲けてやれ」との下心で動けば、手が後ろに回ります。情報は、誰にでも平等に流されます。

会社の重要な情報を入手しやすい立場にある社員、役員、大株主などが、その立場を利用して未公開の情報を得、その情報に基づいて株式を売買することを**インサイダー取引**（**内部者取引**）と言います。

証券取引は公正な条件で行われなければならず、一部の人が売買の判断に有利な情報を持って取引をすることは禁じられています。**金融商品取引法**では、罰則が強化され、違反すると懲役5年以下、罰金500万円（法人は5億円）以下または両方が科せられます。この犯罪で得た利益は没収されます。

なお、本人がインサイダー取引を行っている自覚がなくても、インサイダー取引に抵触する**株式**売買を行えば罰せられます。「法律を知らなかった」ではすまされないので、注意が必要です。

インサイダー取引に抵触する重要事実

- 株式等の発行･資本の減少
- 自己株式取得
- 株式分割
- 合併
- 会社の分割
- 営業または事業の全部または一部の譲渡または譲り受け
- 新製品や新技術、開発
- 業務提携

など

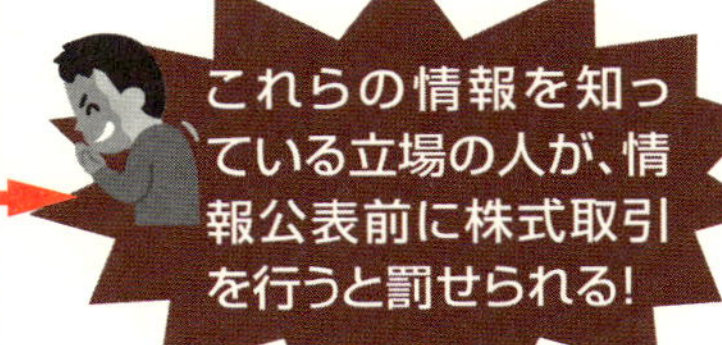

例えば……
新製品の発表直前に株式を買う
合併の発表直前に株式を買う
業績悪化のニュースの直前に株式を売る　など

金融ADR

金融機関との間のトラブルについて、裁判をせずに解決するため、顧客の苦情や相談を受け付ける制度。

「元本割れを何とかしてくれ！」という苦情や、投資のアドバイスを求める相談には応えられません。

金融ADR（Alternative Dispute Resolution）は、「**金融**分野における裁判外紛争解決制度」。裁判をせずに顧客と**金融機関**との間のトラブル解決を図る、2010年10月に施行された国の制度です。

金融の業態ごとに紛争解決機関が設立され、紛争解決の申立てや、顧客の相談や苦情を受け付けます。「紛争解決委員」という、金融に詳しい弁護士などの専門家が関わり、和解案の提示などで解決に努めています。

紛争解決機関は、利用するのに無料か、かかっても少額の利用料です。解決までの標準的な期間は、2ヵ月～半年程度です。

金融の業態ごとに設置された紛争解決機関

業態	紛争解決機関
証券会社、投資信託の販売業者	特定非営利活動法人証券・金融商品あっせん相談センター（FINMAC） [URL] http://www.finmac.or.jp/
生命保険業務・外国生命保険業務	一般社団法人生命保険協会（裁定審査会） [URL] https://www.seiho.or.jp/contact/adr/
銀行業務・農林中央金庫業務	一般社団法人全国銀行協会（全国銀行協会相談室・あっせん委員会） [URL] http://www.zenginkyo.or.jp/adr/
手続対象信託業務・特定兼営業務	一般社団法人信託協会（信託相談所） [URL] https://www.shintaku-kyokai.or.jp/consultation/
損害保険業務・外国損害保険業務・特定損害保険業務	一般社団法人日本損害保険協会（そんぽADRセンター） [URL] http://www.sonpo.or.jp/pr/adr/
損害保険業務・外国損害保険業務・特定損害保険業務・保険仲立人保険募集	一般社団法人保険オンブズマン [URL] http://www.hoken-ombs.or.jp/
少額短期保険業務	一般社団法人日本少額短期保険協会（少額短期ほけん相談室） [URL] http://www.shougakutanki.jp/general/consumer/consult.html
貸金業務	日本貸金業協会（貸金業相談・紛争解決センター） [URL] http://www.j-fsa.or.jp/personal/contact/solution.php

索引

き

こ

さ

し

す

せ

著者プロフィール

石原 敬子（いしはら けいこ）

証券会社での約13年の営業職を経て、2003年にファイナンシャル・プランナー（FP）として独立。平成のバブル崩壊からITバブルを証券営業職で経験し、FP開業後は、リーマン・ショックからアベノミクスという自己責任時代を通じて、資産形成のアドバイスを行っている。
執筆やセミナー講師は、「初心者にも分かりやすく」がモットー。個人向けのライフプラン相談では、コーチングを取り入れ、「将来のために、いま、どうするか」を意識した家計管理や資産形成の行動支援が強み。

●NPO法人日本ファイナンシャル・プランナーズ協会認定　CFP®
●1級ファイナンシャル・プランニング技能士（国家資格）
●日本証券業協会　金融・証券インストラクター
●終活アドバイザー

著者ホームページ　https://www.keikoishihara-fp.jp/
お問合せ info@keikoishihara-fp.jp

●カバーイラスト/本文キャラクターイラスト
みふねたかし

●カバーデザイン
成田 英夫(1839Design)

世界一わかりやすい
図解 金融用語

発行日 2022年 3月22日 第1版第1刷

著 者 石原 敬子

発行者 斉藤 和邦
発行所 株式会社 秀和システム
〒135-0016
東京都江東区東陽2-4-2 新宮ビル2F
Tel 03-6264-3105(販売) Fax 03-6264-3094
印刷所 日経印刷株式会社

ISBN978-4-7980-6647-9 C0033